걸프 사태

대책 및 조치 4

걸프 사태

대책 및 조치 4

한국학술정보

| 머리말

걸프 전쟁은 미국의 주도하에 34개국 연합군 병력이 수행한 전쟁으로, 1990년 8월 이라크의 쿠웨이트 침공 및 합병에 반대하며 발발했다. 미국은 초기부터 파병 외교에 나섰고, 1990년 9월 서울 등에 고위 관리를 파견하며 한국의 동참을 요청했다. 88올림픽 이후 동구권 국교 수립과 유엔 가입 추진 등 적극적인 외교 활동을 펼치는 당시 한국에 있어 이는 미국과 국제 사회의 지지를 얻기 위해서라도 피할 수 없는 일이었다. 결국 정부는 91년 1월부터 약 3개월에 걸쳐 국군의료지원단과 공군수송단을 사우디아라비아 및 아랍 에미리트 연합 등에 파병하였고, 군 · 민간 의료 활동, 병력 수송 임무를 수행했다. 동시에 당시 걸프 지역 8개국에 살던 5천여 명의 교민에게 방독면 등 물자를 제공하고, 특별기 파견 등으로 비상시 대피할 수 있도록 지원했다. 비록 전쟁 부담금과 유가 상승 등 어려움도 있었지만, 걸프전 파병과 군사 외교를 통해 한국은 유엔 가입에 박차를 가할 수 있었고 미국 등 선진 우방국, 아랍권 국가 등과 밀접한 외교 관계를 유지하며 여러 국익을 창출할 수 있었다.

본 총서는 외교부에서 작성하여 30여 년간 유지한 걸프 사태 관련 자료를 담고 있다. 미국을 비롯한 여러 국가와의 군사 외교 과정, 일일 보고 자료와 기타 정부의 대응 및 조치, 재외동포 철수와 보호, 의료지원단과 수송단 파견 및 지원 과정, 유엔을 포함해 세계 각국에서 수집한 관련 동향 자료, 주변국 지원과 전후복구사업 참여 등 총 48권으로 구성되었다. 전체 분량은 약 2만 4천여 쪽에 이른다.

2024년 3월

한국학술정보(주)

| 일러두기

· 본 총서에 실린 자료는 2022년 4월과 2023년 4월에 각각 공개한 외교문서 4,827권, 76만여 쪽 가운데 일부를 발췌한 것이다.

· 각 권의 제목과 순서는 공개된 원본을 최대한 반영하였으나, 주제에 따라 일부는 적절히 변경하였다.

· 원본 자료는 A4 판형에 맞게 축소하거나 원본 비율을 유지한 채 A4 페이지 안에 삽입하였다. 또한 현재 시점에선 공개되지 않아 '공란'이란 표기만 있는 페이지 역시 그대로 실었다.

· 외교부가 공개한 문서 각 권의 첫 페이지에는 '정리 보존 문서 목록'이란 이름으로 기록물 종류, 일자, 명칭, 간단한 내용 등의 정보가 수록되어 있으며, 이를 기준으로 0001번부터 번호가 매겨져 있다. 이는 삭제하지 않고 총서에 그대로 수록하였다.

· 보고서 내용에 관한 더 자세한 정보가 필요하다면, 외교부가 온라인상에 제공하는 『대한민국 외교사료요약집』 1991년과 1992년 자료를 참조할 수 있다.

| 차례

정 리 보 존 문 서 목 록					
기록물종류	일반공문서철	등록번호	2021010236	등록일자	2021-01-28
분류번호	721.1	국가코드	XF	보존기간	영구
명 칭	걸프사태 : 대책 및 조치, 1990-91. 전11권				
생 산 과	중동1과/북미1과	생산년도	1990~1991	담당그룹	
권 차 명	V.7 1991.2-4월				
내용목차	2.24 외무부 대변인, 걸프 지상전 개시 관련 성명 발표 2.28 Bush 대통령의 종전 선언에 대한 외무부 대변인 성명 발표 3.18 대쿠웨이트지역 경제제재 해제(1990.8.9)				

0001

김수현

협조문용지

분류기호 문서번호	미북 0160-98	(전화 : 720-4648)	결재	담 당	과 장	심의관
시행일자	1991. 2. 2.					
수 신	수신처 참조	발 신	미 주 국 장 (서명)			
제 목	결프전 관련 아국의 추가 지원					

연 : AM-30

걸프전 관련 한국 정부의 추가 지원 결정 공식 발표 내용 및 설명 자료를 별첨 송부하오니 업무에 참고하시기 바랍니다.

첨 부 : 걸프전 관련 한국 정부의 추가 지원 1부. 끝.

수신처 : 각 실장.국(과)장.외교안보연구원장

0002

걸프戰 關聯 韓國 政府의 追加 支援

1991. 2.

外　　務　　部

0003

目　次

0004

I. 걸프戰 關聯 韓國 政府의 追加 支援 決定 公式 發表

1991. 1. 30. 18:15

1. 政府는 지난해 8.2. 걸프 事態가 發生한 이래 武力에 의한 侵略은 容認될 수 없다는 國際 正義와 國際法 原則에 따라 유엔 安保 이사회 決議를 支持하고 이의 履行을 위한 國際的 努力을 支援하여 왔음. 이러한 立場에서 政府는 지난해 9.24. 多國籍軍 및 周邊國 經濟 支援을 위해 2億2千万弗의 支援을 發表한 바 있으며 또한 지난 1.24. 사우디에 軍 醫療 支援團을 派遣한 바 있음.

2. 그러나 유엔을 비롯한 全世界 平和 愛好國들의 努力에도 불구하고 지난 1.17. 걸프 戰爭이 勃發하여 中東 地域은 물론 全世界의 平和 및 安定에도 큰 威脅이 되고 있으며, 더우기 이번 戰爭이 예상보다 오래 계속될 조짐이 나타남에 따라 多國籍軍은 이에 따른 막대한 戰費와 財政 需要에 직면하게 되었음.

3. 이에 따라 정부는 다음과 같은 추가 지원을 제공키로 결정하였음.

o 追加 支援 規模는 2億8千万弗로함.

- 이중 1億7千万弗 相當은 國防部 在庫 軍需物資 및 裝備 提供으로 하고 나머지 1億1千万弗은 現金 및 輸送 支援으로 함.

* 具體的 執行 用途 및 內譯은 韓.美 兩國間 協議를 거쳐 決定

- 今番 追加 支援은 多國籍軍 특히 美國을 위한 것이며 周邊國 經濟 支援은 不包含.

- 我國의 總 支援 規模는 今番 追加 支援으로 昨年 約束額 2億2千万弗을 包含, 總 5億弗이됨.

o 上記 支援과는 別途로 국회의 동의를 받아 후방 수송 지원 목적을 위하여 軍 輸送機(C-130) 5대를 派遣키로 원칙적으로 결정하였으며, 이를 위한 기술적인 사항은 아국 國防部와 駐韓 美軍間에 협의 예정임.

Ⅱ. 걸프戰 關聯 多國籍軍에 대한 追加 支援 決定 說明 資料

91. 1. 30.

1. 追加 支援 決定 背景

- 今番 걸프戰爭은 유엔 安保理의 決議에 立脚, 유엔 歷史上 最大의 會員國이 參與하고 있는 國際社會의 對이라크 膺懲戰인 바, 우리의 積極的 支援 및 參與는 우리의 國際 平和 維持 의지 과시등 國際的 位相 提高에 크게 기여

- 걸프戰爭으로 인한 600億弗 정도의 막대한 戰費 및 軍需 物資 需要 增加에 따라 國際的으로 多國籍軍에 대한 追加 支援 必要性 增大

- 日本 政府가 90億弗, 獨逸이 65億弗의 寄與金을 多國籍軍에 追加로 提供하고 있고 國際的으로도 多國籍軍의 막대한 戰費를 國際社會가 分擔해야 된다는 與論이 일어나고 있음에 비추어, 我國으로서도 우리의 伸張된 國際的 地位等을 감안, 應分의 寄與를 할 필요가 있음.

o 多國籍軍 活動에 參與 및 支援에 대한 美國 및 世界의 耳目이 集中되어 있어 追加 支援時 國際社會에서 우리의 發言權等 立地 強化에 効果가 클 것으로 期待됨.

- 걸프 戰爭 終了後 各國의 支援에 대한 評價 効果 長期間 持續 豫想

* 美國內 與論은 걸프 戰爭에 대해 81%라는 壓倒的인 支持 表明

2. 考慮 事項

① 安保的 考慮事項

o 이라크의 武力侵略을 단호히 응징하고자 하는 유엔을 中心으로한 國際社會의 努力을 적극 支援하므로써 韓半島의 有事時 國際社會의 共同介入을 통한 平和 回復 期待 및 이라크에 대한 成功的인 膺懲時 韓半島에서 武力 挑發 可能性 豫防 効果 期待

o 韓.美 安保協力 關係 鞏固化

- 能動的이고 自發的인 支援을 통하여 我國이 信賴할 수 있는 友邦이라는 認識을 美國 朝野에 提高시키므로써 韓.美 安保協力 關係는 물론 全般的인 韓.美 友好關係 強化에 寄與

* 걸프戰 終了後 美國은 友邦國의 對美支援 實績을 통해 美國의 對友邦國 關係를 再評價하려는 움직임(현재 美國 議會 및 一般 與論은 日本, 獨逸을 "자기들이 필요할 때만 美國을 친구로 대하는 國家-fair weather ally-라고 批判)

2 經濟 通商的 考慮 事項

o 걸프戰 終了後, 安定된 原油 供給 確保 및 戰後 復舊事業 參與 等 對中東 經濟 進出 基盤 마련

o 걸프戰의 早速 終結을 위한 國際的인 努力을 支援하므로써 걸프事態가 我國 經濟에 미치는 影響을 最小化 하는데 寄與

- 事態가 長期化 되어 國際原油價가 上昇할 경우, 我國 經濟에 미치는 影響 深大(原油價가 배럴당 10弗 上昇時 年33億弗 追加 負擔 發生)

3 外交的 考慮 事項

o 6.25 事變時 유엔의 도움을 받은 國家로서 對이라크 共同制裁에 관한 유엔 決議에 적극 참여해야 할 道義的 의무 履行

o 我國의 伸張된 國威에 副應하여 國際 平和 維持 努力에 一翼 담당

- 我國의 支援이 微溫的일 경우, 經濟的 利益만 追求한다는 國際的 非難 可能性 考慮

- 追加 支援이 自發的인 것이므로 多國籍軍側이 어느정도 評價하는 水準에서의 支援 必要

o 걸프戰 終了後 對中東 外交 기반 強化 布石의 일환

- 長期的인 觀點에서 사우디, 이집트, UAE 等 中東 友邦國들과의 關係 增進을 위한 重要한 投資

  · 우리의 主要 原油 導入線이자 建設 輸出 市場이라는 점 및 其他 經濟的 活動 餘地等을 감안

- 戰後 樹立될 쿠웨이트, 이라크 兩國 政府와의 즉각적인 關係 強化 基盤 마련

④ 支援 規模 關聯 考慮

o 우리의 自發的 支援으로서 伸張된 國力에 알맞는 우리의 성숙한 모습을 國際的으로 과시

o 우리의 醫療支援團 派遣 等을 고려, 財政 支援 規模는 적정한 수준에서 검토

添 附 : 1. 多國籍軍 派遣 現況

2. 各國의 支援 現況

가. 經濟 支援

나. 醫療 支援 끝.

<添 附 1>

多國籍軍 派遣 現況

91. 1. 30. 現在

國家	軍事力 派遣 및 參戰	備考
美國	o 兵力 : 492,000名 o 탱크 : 2,000臺 o 航空機 : 1,300臺 o 艦艇 : 60隻 (航空母艦 7隻)	
GCC (6個國)	o 兵力 : 150,500名 o 탱크 : 800臺 o 航空機 : 330臺 o 艦艇 : 36隻	사우디, 쿠웨이트, 바레인, 오만, UAE, 카타르
英國	o 兵力 : 35,000名 o 탱크 : 170臺 o 航空機 : 72臺 o 艦艇 : 16隻	

國 家	軍事力 派遣 및 參戰	備 考
프랑스	o 兵 力 : 10,000 名 o 탱 크 : 40 臺 o 航空機 : 40 臺 o 艦 艇 : 14 隻	
이집트	o 兵 力 : 35,000 名 o 탱 크 : 400 臺	
시리아	o 兵 力 : 19,000 名 o 탱 크 : 300 臺	
파키스탄	o 兵 力 : 7,000 名	6千名 追加派遣 豫定
터 키	o 兵 力 : 5,000 名 o 艦 艇 : 2 隻	國境配置 約10万名
방글라데시	o 兵 力 : 2,000 名	3千名 追加派遣 豫定

國 家	軍事力 派遣 및 參戰	備 考
카나다	o 兵 力 : 2,000 名 o 航空機 : 24 臺 o 艦 艇 : 3 隻	
모로코	o 兵 力 : 1,700 名	
세네갈	o 兵 力 : 500 名	
니제르	o 兵 力 : 480 名	
이태리	o 航空機 : 8 臺 o 艦 艇 : 6 隻	
濠 洲	o 艦 艇 : 3 隻	
벨기에	o 艦 艇 : 3 隻	
네덜란드	o 艦 艇 : 3 隻	
스페인	o 艦 艇 : 3 隻	
아르헨티나	o 兵 力 : 100 名 o 艦 艇 : 2 隻	

0013

國 家	軍事力 派遣 및 參戰	備 考
그리스	o 艦 艇 : 1隻	
포르투갈	o 艦 艇 : 1隻	
노르웨이	o 艦 艇 : 1隻	
체 코	o 兵 力 : 200名	
總 計 (總 28個國)	o 兵 力 : 760,480名 o 탱 크 : 3,710臺 o 航空機 : 1,774臺 o 艦 艇 : 154隻	※ 蘇聯은 艦艇 2隻을 參戰 目的이 아니라 觀察 目的으로 派遣

0014

<添 附 2>

各國의 支援 現況

가. 經濟 支援

國 家	戰爭 勃發 前	戰爭 勃發 後
日 本	. 40億弗(20億弗 : 多國籍軍 支援, 20億弗 : 周邊國 支援)	. 90億弗(對美 現金 支援)
獨 逸	. 20.8億弗(33億 마르크)	. 10億弗(1億6千7百万弗의 이스라엘 支援額 및 1億1千4百万弗의 英國軍 支援額 包含) . 55億弗(對美 支援)
E C	. 19.7億弗	
英 國	. EC 次元 共同 步調	
불란서	"	
이태리	. 1.45億弗(1次 算定額), "	
벨기에	. EC 次元 共同 步調	. 1億1千3百5拾万 BF
네덜란드	"	. 1億8千万弗(戰前 支出 包含)
스페인	"	
폴투갈	"	
그리스	"	

國　家	戰爭 勃發 前	戰爭 勃發 後
카나다	. 6千6百万弗	
노르웨이	. 2千1百万弗	
濠　洲	. 8百万弗(難民救護)	
G.C.C.國	. 사우디 : 60億弗 . 쿠웨이트 : 50億弗 . U.A.E. : 20億弗	. 사우디 : 135億弗 . 쿠웨이트 : 135億弗

나. 醫療 支援

國家	內譯
美國	. 사우디 담맘港에 病院船 2隻 派遣(1,000 病床) . 사우디 알바틴에 綜合 醫療團 運營 (專門醫 35 名, 350 病床)
英國	. 野戰病院 派遣(醫師 200名, 400 病床) (有事時 對備 約 1,500名의 追加 軍 醫療陣 派遣 準備中)
濠洲	. 2個 醫療團 派遣 檢討中
방글라데쉬	. 2個 醫務 中隊 300名 派遣
카나다	. 野戰病院 派遣(醫療陣 550名, 225 病床)
덴마크	. 軍 醫療陣 30-40名 英國軍에 配置
헝가리	. 自願 民間醫療陣 30-40名 英國軍에 配置
체코	. 自願 醫療陣 150名 派遣
파키스탄	. 1個 醫務 中隊 100名 派遣
오스트리아	. 野戰 앰블란스 1臺 派遣
필리핀	. 民間 醫療支援團 270名 派遣

國家	內譯
폴란드	. 病院船 1隻 派遣 準備中
뉴질랜드	. 民間 醫療陣 50名 , 바레인 駐屯 美 海軍 病院에 勤務 . 軍 醫療團 20名 追加 派遣 決定
싱가폴	. 醫療支援團 30名 , 英國軍 病院에 勤務
벨기에	. 民.軍 自願 醫療 支援團 50名 派遣 . 醫療 裝備 支援(野戰 寢臺 2,800個, 앰블란스 1臺, 負傷兵 護送用 航空機 2臺)

- 14 -

0018

걸프戰이 韓.美 關係에 미치는 影響

[1991. 2.]

(걸프戰이 短期戰으로 끝날 境遇)

o 걸프戰이 3個月 以內의 短期戰으로 終結될 경우 美國內에서 孤立主義로 回歸 傾向은 衰退되고 美國은 脫 冷戰時代의 國際秩序 改編 過程에서 유일한 超強大國으로서 90年代 國際政治의 多極化 現象에도 불구하고 世界的 影響力을 行使하게 될 것임.

o 이와관련 美國의 걸프戰爭 遂行을 物心兩面으로 적극 支援한 우리는 美國 朝野에 대해 美國이 어려운 狀況에 처했을 때 믿을 수 있는 友邦이라는 認識을 심어 주므로써 韓.美 安保協力 關係를 더욱 鞏固히 할수 있게 될 것이며, 21世紀를 향한 성숙한 同伴者 關係 確立에도 寄與케 될 것임.

o 또한 우리의 寄與는 韓.美 通商摩擦 等으로 美國民이 우리에 대해 갖고 있을 수 있는 感情的 앙금을 除去하는 데 寄與하므로써 韓.美 關係 全般에 肯定的 影響을 미치게 될 것임.

0019

o 아울러 美國은 今番 걸프戰爭의 經驗에 비추어 脫 冷戰時代에 있어 地域情勢 安定을 위해 核 및 生化學 武器, 그리고 미사일 運搬體系 擴散 防止를 위한 努力을 倍加할 것으로 觀測되는 바, 이와관련 北韓에 대한 核安全措置協定 締結 및 義務 誠實履行 壓力을 더욱 強化할 展望이며 이를 위한 韓.美間의 協調도 보다 緊密하게 이루어 질 것임.

o 그러나 美國의 財政赤字 및 貿易赤字 等 經濟狀態에 비추어 美國의 世界 警察 役割에 따른 財政的 負擔 增加를 友邦國이 分擔하도록 要請할 可能性이 높은 점을 考慮할 때 우리의 防衛 分擔은 더욱 增加될 것으로 展望됨.

(걸프戰이 長期化될 경우)

o 걸프戰爭이 長期化되거나 膠着狀態에 빠질 경우, 世界政治에 있어서 美國의 指導力 弱化, 內部改革 진통에 직면한 蘇聯의 危機, EC를 통한 西歐 國家들의 自救的 結束을 위한 統合의 加速化, 日本과 獨逸의 國際的 地位 浮上 등으로 國際政治秩序의 多元化 趨勢가 더욱 可視化될 것임. 또한 中國.인도.이라크 등 地域紛爭의 發生 可能性 增大 등으로 國際政治는 한층 더 複雜하고 無秩序한 樣相으로 展開될 것임.

0020

o 이 경우 美國內 輿論은 크게 惡化되고 美國의 世界警察 役割 遂行에 대한 懷疑와 더불어 孤立主義 傾向이 팽배하게 될 것임. 이는 韓.美 安保協力 關係에 否定的인 影響을 招來할 可能性도 있으며 北韓의 對南 武力赤化統一 路線을 부추기어 우리의 安保自體에 대한 威脅이 增加될 可能性도 있음.

o 한편, 戰爭이 長期化될 경우 막대한 戰費 分擔을 둘러싸고 美國과 同盟國間에 摩擦이 發生할 소지가 있으며, 事態 長期化時 豫想되는 世界經濟 沈滯와 이에 따른 我國의 經濟沈滯에도 不拘하고 우리의 能力 以上의 經濟的 支援이나 戰鬪兵 派兵을 美側이 要請해올 경우 韓.美 關係에 摩擦이 發生할 可能性도 排除할 수 없음.

0021

安保會議 報告資料
1991.2.

걸프戰 終戰에 즈음한 外交的 措置

1. 終戰直後 狀況 展望
2. 對美 措置
3. 收復 쿠웨이트에 대한 措置
4. 敗戰 이라크에 대한 措置
5. 軍醫療團과 空軍輸送團 任務 遂行期間 關聯 關係國 協議
6. 政府 立場 闡明

外 務 部

0022

1. 終戰直後 狀況 展望

가. 쿠웨이트 亡命政府 復歸

- ㅇ 사아드 알 사바 王世子(國務總理 兼任) 및 閣僚 復歸 (자베르 알사바 國王은 當分間 사우디에 殘留)
- ㅇ 約 3個月間 軍政 實施 可能性
- ㅇ 쿠웨이트 政府 復歸後 당분간 美軍 駐屯 展望

나. 中東秩序 再編 및 經濟復興의 美國 主導 豫想

다. 戰後 中長期 展望 및 우리의 對應策에 대해서는 別途 報告 豫定 ✓

2. 對美 措置

가. 大統領 閣下 親書, 부시 大統領에게 發送 (終戰 確認後 發送토록 駐美 大使館에 旣送付)

나. 多國籍軍과 周邊國 支援 ~~關聯事項~~ 촉진 繼續 協議

~~다. [illegible]~~

3. 收復 쿠웨이트에 대한 措置

가. 쿠웨이트 政府 復歸 祝賀 대통령 각하 친서 발송 (종전 확인후 발송토록 주사우디 대사관에 기송부)

나. 大統領 特使 派遣 (쿠웨이트 및 관련국)

다. 駐쿠웨이트 大使 사우디 出張 亡命政府 接觸中

라. 駐쿠웨이트 大使館 再開設 準備

- ㅇ 再開設 要員 3名 派遣 (外務部, 安企部)
- ㅇ 곧 職員 任命 豫定
- ㅇ 公館, 大使館邸等 破壞時 我國 建設業體 投入, 新築 檢討 必要

마. 쿠웨이트 殘留僑民(9명) 安全確認 및 事後 慰勞措置 檢討

바. 國際赤十字社의 쿠웨이트內 活動 支援 (人員 및 物資支援)

사. 醫療支援團의 쿠웨이트內 活動 可能性에 對備한 關聯國 協議

0023

4. 敗戰 이라크에 대한 措置

가. 駐이라크 大使館 再開設 準備

o 友邦國과 大體的으로 共同 步調

나. 殘留僑民(8명) 安全 確認

5. 軍醫療團과 空軍輸送團의 任務 遂行期間 關聯 關係國 協議 (國防部와 緊密 協調)

6. 政府 立場 闡明

가. 政府 代辯人 聲明 發表

o 終戰과 國際的 努力 祝賀, 韓國의 參與 言及, 平和祈願, 中東僑民 安全 致賀, 對國民 멧시지

나. 外務部 長官 名義 書翰 發送

o 多國籍軍 參與 아랍諸國 外務長官

o 쿠웨이트 外相 (政府收復 祝賀와 我國大使館 復歸 豫定 言及)

o 中東 僑民 (國別 僑民會長)

0024

국장님, CBS 라디오 인터뷰 내용

(91.2.8)

1. 탈냉전시대에 있어서의 전쟁의 특성

걸프사태는 최첨단의 고도 정밀 무기가 처음으로 실전에 동원된 전쟁이라는 점에서, 또 가장 많은 수의 나라가 국제 평화 회복을 위한 노력에 참가하고 있다는 점에서 군사적 정치적으로 특징이 있는 전쟁 입니다만, 시대적으로도 미.소간의 대립으로 특징지워진 40년간의 냉전시대가 끝나고 바야흐로 국제 화해와 협력의 새로운 세계질서를 누구나 기대하는 시기에 일어났다는 점에서 특징이 있는 전쟁 입니다.

이러한 시점에서 만일 무력에 의한 침략이 용인되고 국제 정의와 국제법의 원칙이 지켜지지 않는다면 이것은 새질서가 형성되는 과도기에 결코 바람직하지 않다는 것은 당연한 이치라고 하겠습니다.

유엔 안보리에서 미.소가 무력 제재 결의에 합의한 것도 냉전 이후 시대에는 역시 국제법과 국제 정의가 통하고 국제 평화를 위한 유엔의 권능이 존중 되어야 한다는데에 미.소를 비롯해서 많은 나라들의 이해가 부합되었기 때문입니다.

우리는 아직 유엔 회원국은 아니지만 유엔 결의로 태어났고 또 유엔의 도움으로 북한의 침략을 물리칠수 있었기 때문에 유엔 안보리의 결의를 지지하고 이러한 결의의 이행을 위한 국제적 노력을 지원하여 왔습니다.

우리가 이번에 다국적군을 지원하고 전쟁의 피해를 받고있는 주변국에 대한 경제 원조를 하는것은 안보적 고려, 외교적 고려, 경제적 고려등 여러가지 측면에서 국익을 최대한 추구하기 위함이지만 유엔 결의의 이행을 지원한다는 입장이 그 기초라고 하겠습니다.

0025

2. 우리의 대중동 외교

중동은 우리가 원유수요의 70% 이상을 의존하는 지역이며 건설 수주액의 거의 80%를 점하고 있는 지역이고, 또 무엇보다 유엔 가입을 추진하고 있는 우리로서는 중동의 아랍국가와 나아가서는 이슬람 국가들의 외교적 외교적 지원을 받아야 하기 때문에 우리의 경제적 정치적 이해가 크게 걸려있는 지역 입니다.

지금 전쟁이 아직 계속되고 있는 중에도 전후 중동에서의 정치적 군사적 경제적 상황에 대해서 여러가지 논의가 있습니다.

물론 우리가 중동정치 질서의 재편 과정에 큰 참여를 할수 있다고 생각하지는 않지만, 우리가 할수있는 기여가 있다면 적극 검토할 것이고, 다만 경제적으로는 우리나라가 이미 그 지역에 확고한 기반을 가지고 있고, 우리 건설 업계와 부지런한 근로자들이 좋은 평가를 받고있기 때문에 지금 활발한 논의가 시작되고 있는 전후 복구사업에 참여할 수 있을 것으로 기대하고 있습니다.

0026

민자당 국제위원회
브리핑자료(중통일)

걸프사태 종합 보고

1991. 2. 12.

외 무 부

0027

목 차

0028

Ⅲ. 사태 관련 업무 추진 현황

1. 전쟁 위험지역 체류교민 안전 대책
   교민 철수 현황 및 대책
   화학전 및 스커드 미사일 피격 예상 지역 잔류교민 안전 문제

2. 걸프사태 1차 지원액(2.2억불) 집행 추진 현황

3. 대미 추가 지원

4. 군수송단 파견

5. 대테러 관계

0029

I. 걸프전쟁 전황 및 전망

1. 전 황

<다국적군 작전현황>

o 1.17. 개전이래 대규모 공습(1일 평균 2,400회) 지속

- 공중전 및 해전 절대우위 ~~장악~~
- 이라크 핵무기 시설완파, 생화학 무기 생산공장 및 저장고 50%파괴
- 방공, 공군기지, 지휘, 통제, 통신, 정보체제에 상당한 피해
- 공화국 수비대, 병참, 보급로, 미사일 발사대 집중공격 계속중
- ~~전체 이라크 군사력 12% 피해 추정~~

o 지상전 개시 준비 가속화

- 미해병 상륙연습 계속 시행
- 지상전 개시 경우 전투지역 고립화를 위한 전술공격 집중 실시
- 미 최정예 독일 주둔 7사단 이동배치 2월 중순까지 완료 예정

<이라크의 반격>

o 1.18. 이래 이스라엘 및 사우디에 대한 미사일 공격 계속 감행

- 다국적군 포로 TV 회견 방영, 포로인간방패, 환경테러와 함께 정치, 심리전에 주력함으로써 이스라엘 참전, 다국적군의 결속이완, 서방세계 반전여론 확산 기도

o 조기지상전 개시 유도 전략 시도

- 1.31. Khafji 시에 대한 기습 공격감행 및 지상군 부대 대규모 집결 시위로 다국적군을 자극, 다국적군의 준비완료 이전 지상전을 개시, 대규모 사상자 발생을 유도하여 이라크군 사기앙양, 아랍인들에 대한 반미투쟁 촉진, 서방세계내의 반전여론 확산을 꾀하는 전략

o 후세인 대통령, 화학무기 사용 위협 계속

- 다국적군내 심리적 위축 및 전쟁 조기종결 여론 확산 기대

o 전세계에 걸쳐 서방국 이익에 대한 테러공격 감행

<양측피해 상황 (2.9. 현재)>

o 다국적군 발표

- 전투사망 30명(미 12, 사우디 18)
- 비전투 사망 미군 24명(전전 105)
- 실종 44명(미 26, 영 8, 이태리 1, 사우디 9)

0030

- 전쟁포로 12명(미 8, 영 2, 이 1, 쿠 1)
- 전투기 피격 22대(미 15, 영 5, 쿠 1, 이 1)
  . 전투기 비전투사고 7대 (미 5, 영 1, 사 1)
  . 헬기사고 6대 (미국)
- 이라크군 포로 900여명, 이라크 전투기 135대 파괴
- 탱크 750대, 대포 650문, 장갑차 600대 파괴 (쿠웨이트 주둔 병력중)

o 이라크군 발표
- 다국적군 40명 사살, 20여명 포로
- 전투기 180여대 이상 격추
- 이라크군 90명 사망, 민간인 592명 사망, 민간인 650명 부상

2. 전쟁전망

<다국적군 공습 지속>

o 개전이후 1일 평균 2,400여회 공습 지속
- 이라크내 주요시설 상당 파괴 평가와 함께 지상전 개시에 대비하여 전투지역 고립화를 위한 전술폭격 중점 시행

o 최정예 공화국 수비대에 대한 집중공격 계속
  후세인 정권유지의 기반으로 알려진 동 수비대의 저항력 약화를 위해 지상, 해상, 공중에서의 3면 공격 계속 시행

o 이라크 서부 및 남부소재 미사일 이동발사대 파괴노력 계속
- 이스라엘 참전으로 인한 확전방지위해 발사대 파괴에 최대노력 계속 경주

<지상전 개시>

o 이라크군 전체 전력 50% 파괴 확인시 개전 예상
- 지상전 개시시 인명피해를 최소화 한다는 방침하에 서두르지 않고 계속적인 공습에 의한 이라크군의 전력 상실을 기다리는 입장

o 지상전 개시 여부 및 시기 최종 점검중
- 체니 국방장관 및 파월 합참의장 사우디 방문(2.8-11) 현장 확인
- 영국 및 불란서도 지상전 불가피성 언급 시사
- 서독 주둔 대전차 부대 이동 배치

o 대부분 전문가의 견해는 미 정예부대인 독일 주둔 7사단 배치 완료 (2월 중순)후 2-3주의 적응기간 감안 지상전 개시 예상 (2월말에서 3월초)

0031

o 지상전 개시시 다국적군의 이라크영토 진격가능성 상존

- 쿠웨이트 탈환위한 3방면(동,남,북부) 협공전략 채택 가능성
- 영국 이외의 불란서, 이집트, 시리아등은 이라크 영토 진격 가능성에는 반대할 것으로 예상되고 소련도 수차례에 걸쳐 유엔 결의 과도이행을 경고해 온것으로 미루어 보아, 지상군 진격에 의한 3방면 협공전략 채택시 미.소간의 대립 및 다국적군내 결속 이완 가능성

<단기전 종결예상>

o 지상전이 개시될 경우 2개월 이내 다국적군 승리로 종전 예상

- 외부로부터 군사 및 재정지원을 전혀 기대할수 없는 고립무원의 상태
- 장기간의 경제제재 조치로 인한 이라크 경제 피폐화로 장기전 수행능력 상실
- 후세인 대통령의 이스라엘 참전 유도를 통한 확전기도 실패

<평화적 해결 가능성>

o 이란을 중심으로한 비동맹국가의 중재노력 계속

o 소련의 대미견제위한 중재노력 계속

o 불란서의 독자적 외교정책추진 전통 고수입장에 의한 별도 움직임 가능성

o 계속적인 전세 불리경우 후세인 대통령의 평화협상 수락표명 가능성 상존

o 미국은 후세인의 완전한 철군전에는 종전 불응입장 고수 예상

- 내면적으로는 후세인 정권전복을 종전위한 필수조건으로 기책정 추정 (2.5. 부쉬대통령 기자회견시 언급, 베이커 국무장관 의회청문회시 증언)

0032

Ⅱ. 戰後 中東情勢 展望 및 對中東 中長期 對策

1. 戰後 中東情勢 展望

<域內 情勢 變化>

o 中東地域 勢力 版圖에 있어서 이라크의 位相 低下

o 아랍지역 穩健勢力을 代辯할 이집트, 사우디의 影響力 增大 展望

- 戰後 아랍지역의 反美, 反西方 감정이 거세어질 경우 시리아, 이란의 影響力도 相對的으로 增加 豫想

o 이라크의 危險 除去로 一時的인 域內 政治的 安定 達成 可能

- 걸프戰爭에 따른 아랍 전반의 對西方 敵對感情 惡化, 걸프지역 王政國家 內部의 改革要求등 不安 要因 常存

o 蘇聯의 對中東 影響力 減少

- 向後 美國의 影響力은 아랍인들의 反美 感情 정도가 變數

<中東地域 安保 協力 體制 構築 問題>

o 이라크와 같은 域內 勢力 均衡을 威脅하는 軍事 强國 擡頭 豫防이 目的

o 사우디등 GCC제국, 王政 維持와 國家 防衛를 위해 域外 强大國과의 안보 協力體制 構築 摸索

o 미국등 西方國家들로 石油의 安定的 供給을 위해 中東地域 國家와의 안보 協力體制 構築 必要

- 역내 各國의 利害關係 相衝으로 中東地域 전체의 安保體制 構築 難望
- 이러한 경우 GCC 국가와 이집트등 一部 親西方 國家가 參與하는 安保 協力體制 우선 講究 可能
- 동 安保協力 體制에 親美 性向 隣接 非아랍 回敎國(터키, 파키스탄) 參與 可能

. 아랍지역의 潛在的 覇權 追求國인 이란, 시리아, 이집트등 牽制

o 短期的으로는 戰後 쿠웨이트에 아랍 또는 유엔 平和 維持軍 駐屯 豫想

o 사우디등 GCC 국가와 兩者間 合意에 의한 戰後 걸프지역 美軍 駐屯 可能性 常存

<팔레스타인 問題>

o 長期的인 中東情勢 安定에 必須的인 팔레스타인 問題 解決을 위한 國際的 努力 强化 豫想

0033

o 팔레스타인 問題 解決에 있어서 이집트, 사우디, 시리아등 反이라크 아랍 國家의 역활 增大 展望

- 걸프사태 관련 친이라크, 반사우디 입장으로 PLO 立地 弱化

o 美國等 西方側도 中東情勢 安定과 아랍의 반서방 感情 緩和를 위해 팔레스타인 問題 外面 困難

2. 對中東 中長期 對策

<基本的 考慮事項>

o 中東地域의 原油 供給先 및 建設 進出 市場으로서의 重要性

o 아랍권 내지 회교권의 國際政治 舞臺에서의 數的 比重에 비추어 韓半島 問題에 대한 아랍권의 支持 確保도 外交上 緊要

- 아랍권 個別 國家와의 兩者關係 增進 圖謀 努力과 向後 中東地域 安保 協力 體制에 대한 關心 必要

o 前後 中東政治 전면 부상이 豫想되는 시리아, 이집트와의 關係 正常化 努力

o 이라크와는 後繼政權의 性向에 관계없이 原油導入, 建設進出을 위해 종래의 友好關係 維持

o 팔레스타인 問題 解決을 위한 國際的 努力 支援 必要性

<向後 推進 計劃>

o 中東諸國과의 雙務關係 深化

- 사우디를 비롯한 GCC國家와의 旣存 友好 關係 强化 (招請, 訪問外交 積極 推進)
- 팔레스타인 問題에 대한 肯定的, 積極的인 立場 表明
- 未修交 아랍國과 關係改善 (이집트, 시리아)
- 이라크와의 종래 友好關係 維持
  . 戰後 生必品.醫藥品等 無償支援
  . 終戰後 아국 醫療支援團의 이라크내 診療活動 檢討
  . 殘餘 建設 工事 再開 및 新築 工事 受注
- 大統領 特使 中東 巡訪 推進 (사우디, 이집트, 요르단, 쿠웨이트, 이라크, 이란등)
- 我國의 多國籍軍 參與로 인한 不利益 最小化 努力

0034

- o 戰後 平和定着 努力 支援 및 復舊事業 參與
  - 유엔 또는 아랍 平和 維持軍 支援
  - 中東平和基金 參與 (팔레스타인 基金, 레바논 支援基金等)
  - 難民 救護 基金 供與
- o 戰後 復舊事業 參與 및 經濟協力 擴大
  - 이라크, 쿠웨이트, 사우디, 이란등 戰後 復舊事業 參與 (쿠웨이트 復舊費 約 400億佛 豫想)
  - 쿠웨이트 亡命 政府와의 接觸
  - 未收金 및 損失額 回收
  - 貧困 아랍권에 대한 援助 提供(시리아, 이집트, 요르단, 예멘등)
  - 官民 經濟 使節團 派遣(國際協力團, 商議, 貿易協會 包含)
  - 海外 青年 奉仕團 派遣 檢討
- o 原油의 安定的 供給 確保
  - 長期 供給 契約先 確保
  - 油田 合作開發 參與
  - 原油導入의 多邊化 (73% 依存度를 소련, 중국, 동남아, 중남미로 分散)
- o 中東地域 外交體制 強化
  - 中東地域 公館長 會議 定例化
  - 駐 카타르 大使館 閉鎖計劃 再檢討

0035

Ⅲ. 事態關聯 業務 推進 現況

1. 戰爭危險地域 滯留僑民 安全對策

<僑民撤收 現況 및 對策>

ㅇ 僑民現況

- 91.1.5. 現在 사우디, 이라크, 쿠웨이트, 요르단, 카타르, 바레인, UAE, 이스라엘 8개국에 總 6,331명 滯留
- KAL 特別機便으로 4차에 걸쳐 그간 總 1,373명이 撤收, 現在 4,350 殘留
- 國家別로 2.11. 現在 사우디 3,528, 요르단 21, 카타르 66, 바레인 233, UAE 423, 이라크 11, 쿠웨이트 9, 이스라엘 59명 각각 殘留

ㅇ 向後 撤收對策

- 젯다(사우디), 두바이(UAE), 마나마(바레인) 空港등에 定期 民航機 國際線 運航이 再開되고 있는점을 감안
  . 向後 定期 民航便을 利用하는 方法을 講究할 것이나,
  . 特別機 追加 運航이 不可避할 경우, 特別機 就航을 周旋할 豫定임.
- 또한 空港 閉鎖로 인해 航空便 利用이 不可能할 경우에 對備, 海上 및 陸路를 利用한 撤收 方法도 竝行하여 講究할 計劃임.

ㅇ 特別機(1-4차) 運航 所要豫算(推定)

- 약 129만미불(特別機 전세費用中 塔乘者 수익자부담金額 공제분)
- 豫備費 使用 豫定

<化學戰 및 스커드 미사일 被擊 豫想地域 殘留僑民 安全問題>

ㅇ 現況

- 地上戰이 開始되면 戰爭被害가 가장 클것으로 憂慮되는 사우디 東北部 地域 경우, 戰爭 勃發 당시의 滯留者 1,121명중 大多數를 安全地帶로 待避, 227명 殘留中이나 殘留人員 減少 趨勢
- 리야드등 중북부 地域은 일단 스커드 미사일 사정권으로서, 그간 858명의 僑民이 撤收하여 現在 1,643명이 남아있으나, 大使館 地下室, 建設 現場 待避施設이 있어, 地上戰이 開始될 경우 安全待避할 수 있음.
- 이스라엘 경우 1.5. 現在 滯留者 113명중 54명 撤收, 나머지 59명은 대부분 예루살렘등 比較的 安全한 地域에 있으나 특히 예루살렘은 회교도에게도 성지임으로 攻擊받을 可能性 稀薄(危險地域인 텔아비브, 하이파에는 3명만 滯留中)

0036

- 쿠웨이트 殘留僑民 9명은 政府의 强力한 撤收勸誘 不拘 個人事業을 理由로 殘留 希望했던 僑民 (ICRC에 所在把握을 依賴하고, KBS 國際放送을 통해 이란待避 慫慂)
- 이라크 殘留者 11명중 10명은 現代 所屬 職員이며, 9명은 이란國境을 통해 撤收豫定 나머지 2명은 駐 이라크 大使館 雇傭員과 現代所屬 勤勞者로서 現地 女性과 結婚 또는 結婚 豫定으로 殘留 希望

o 이라크 스커드 미사일 또는 재래식 武器 攻擊 對備

- 防空壕등 地下 待避施設 및 非常食糧 確保등 安全措置로 별다른 身邊危險이 없는것으로 把握

o 化學戰 攻擊對備

- 殘留者 全員에 대해 防毒面등 化學裝備 支給(이스라엘 滯留僑民은 이스라엘 政府側이 支給)

2. 걸프事態 1차 支援額(2.2억불) 執行 推進現況

o 支援額 確保內譯

- 90년도 追更豫定 : 1.2억불
- EDCF 資金 : 4,000만불
- 쌀 支援 豫定額(糧特計定) : 1,000만불
- 殘餘 5,000만불중 3,000만불은 91년도 一般豫算에 計上, 나머지 2,000만불은 91년도 豫備費 使用 또는 追更豫算에 配定豫定 (따라서 2차 支援 2억8천만불과 함께 總 3억불에 대한 豫算措置가 必要함)

o 1.31. 현재 1.2억불중 8,571만불 執行

- 對美現金支援 : 5,000만불
- 對美輸送支援 : 2,585만불
- 周邊被害國 物資支援 : 900만불
- 難民救護活動을 위한 國際機構支援 : 56만불
- 行政費 : 30만불

※ 參考資料

1. 터키, 모로코, 요르단, 이집트, 시리아등 周邊被害國에 2,800만불 相當의 物資支援을 위한 協議 進行中
2. 物資支援外에 이집트, 터키, 요르단에 總 4,000만불 相當의 EDCF 資金 活用 長期借款 供與豫定
3. 쌀로 支援키로한 1,000만불은 FAO 및 美國等 쌀輸出國과 未協議로 保留中

0037

3. 對美 追加 支援(91.1.30. 18:15 對外發表)

o 追加支援 規模 : 2억8천만불

- 1억7천만불 相當 : 國防部 在庫 軍需物資 및 裝備로 提供

- 1억1천만불 : 現金 및 輸送 支援

o 今番 追加 支援은 多國籍軍 특히 美國을 위한 것인바 具體的 執行 用途 및 內譯은 韓.美 兩國間 協議를 거쳐 決定 (外務次官 訪美中)

o 상기 支援과는 별도로 後方 輸送支援 目的을 위하여 軍 輸送機(C-130) 5대를 派遣

4. 軍輸送團 派遣

o 部隊規模 : C-130기 5대 및 人員 150명

- 階級別 人員構成 : 將校 56, 下士官 8, 士兵 86

- 技能別 人員構成 : 操縱士 및 航法士 22, 整備 67, 支援(其他) 61

o 豫定 派遣時期

- 제1진 2대 : 2.19.

- 제2진 3대 : 2.20.

o 駐 屯 地 : UAE 알아인 美空軍 基地

o 任 務 : 多國籍軍을 위한 輸送支援

※ 91.2.5-12간 現地 事前 調査團 14명 派遣(國防部 13, 外務部 1)

5. 對 테러 關係

o 걸프事態 關聯 對 테러 關係 當部 所管事項

- 在外公館, 我國業體 僑民 保護對策

- 駐在國 關係機關과의 安全措置를 위한 協調

- 査證發給 審査 强化

- 國際테러 關聯 情報蒐集 및 關係機關 通報

o 當付 措置事項

- 在外公館 査證發給 審査 强化

- 駐韓 外交公館 및 外交官 警備 强化 및 國內 居住 아랍인등 動向把握

. 安企部, 治安本部 示達

- 在外國民 身邊 安全 指針 示達

. 騷擾地帶 旅行, 外出自制 勸誘

- 在外公館 字體 警備 强化

0038

장관 브리핑자료

(중동 1)

전후 중동질서 재편 전망 및 우리의 대응책

1991. 2. 18.

중 동 아 프 리 카 국

0039

목 차

0040

I. 전쟁의 외교적 해결 및 전후 중동질서 재편 전망

1. 주요 제의

가. 유고의 4단계 평화안(2.12. 베오그라드 비동맹 외상회의)

1) 이라크의 쿠웨이트 철군 및 합법정부 회복

2) 적대행위 중지

3) 사태의 평화적, 정치적 해결

4) 중동지역 전체문제, 특히 팔레스타인 문제 해결 위한 평화협상 개시

나. 이란 및 인도의 3단계 평화안 (2.12. 베오그라드 비동맹 외상회의)

1) 이라크의 쿠웨이트의 철군약속 선언 및 적대행위 중지

2) 유엔 감시하의 모든 외국군 철수

3) 중동문제 해결 위한 지역회의 개최

다. 소련의 중동평화 원칙 (2.6-9 외무차관 이란, 터키 방문후 의견일치)

1) 쿠웨이트 철군과 동시에 휴전

2) 이라크 영토의 보전

3) 이라크의 화학무기 사용 반대

라. 파키스탄의 6개항 평화안 (나와르 수상 중동 순방시 제시)

1) 이라크의 철군조건으로 즉각 휴전

2) 걸프지역 모든 외국군 철수

3) 분쟁지역에 회교국 군대 배치

4) OIC 긴급정상회의 개최

5) 쿠웨이트 문제, 팔레스타인 문제, 카시미르 문제등 유엔 제결의 이행

6) 사우디, 이라크의 성지를 평화지역으로 선포, 공격 금지

0041

마. 미국의 중동 평화정착 과제 5개항 (2.6. 상하원 외무위 청문회 베이커 국무장관 증언)

1) 걸프지역 안전 보장

o 목표원칙 :

①침략저지 ②영토불가침 ③분쟁의 평화적 해결

o 역내국가, 지역기구 및 국제사회의 역할 :

① 역내국가, GCC등 지역기구의 주도적 역할 필요

② UN 및 역외 국가들은 적극 지원

o 지역안정 확립시까지의 군사적 선택 방안 :

① 아랍 지상군 배치

② 유엔 평화유지군 파견

③ 역외국 지상군 배치 (미군 배치계획은 없음)

√ 2) 역내 군축

o 이라크의 비재래식 군사력 제거

o 역내 군비경쟁 억제 및 신뢰구축 조치

√ 3) 전후복구 및 경제 부흥

o 쿠웨이트.이라크 전후복구 지원

o 장기적으로 역내 자유무역 및 투자확대를 통한 경제성장 촉진

o 수자원 개발에 역점

o 지역개발 은행 설립

4) 이스라엘, 아랍, 팔레스타인간 화해와 평화 달성

5) 미국의 대중동 에너지 의존도 감축 및 대체 에너지 개발

바. 영국의 전후 중동평화안 (2.2. 허드외상 레스터셔 연설)

1) 종전후 아랍제국은 자체 안보체제 구축 필요(해.공군력 요청시 영국은 고려 가능)

2) 중동평화 위해 화생방 무기 제조 사용 금지

3) 이스라엘.팔레스타인 문제 해결 필수

0042

4) 영국은 중동평화 체제 구축에 중심적 역할 수행할것임.
(제2규모 참전국, 안보리 상임 이사국, 다수아랍 및 이스라엘의 전통적 우방 위치 감안)

사. 파병 3국(이집트, 시리아, 모로코) 외상의 전후 평화정착 5개항
(2.15. 카이로 GCC 및 파병 아랍 3국 외상회의)

1) 안보 및 경제통합 위한 개발과 협력
2) 팔레스타인 문제도 유엔 결의에 입각 해결(쿠웨이트 문제와 동일 방식)
3) OIC 원칙따라 인접 이슬람국과 선린관계 유지
4) 역내 무기유입과 대량살상 무기 제거등 중동 역내 세력 균형 유지
5) 신세계 질서에서 아랍권의 위상 제고

아. 이스라엘의 전후 중동평화 5개항 (2.9)

1) PLO 배제
2) 이스라엘, 아랍제국간 상호 불가침
3) 지역 군축 협정
4) 팔레스타인 문제해결 위한 전반적인 테두리 합의
5) 지역적 경제협력 및 수자원 공유

※ 참고사항

o 프랑스, 이태리, 스페인, 폴투갈 남구 4개국 전문가 회의
(1.17-18 폴투갈 외무부)
- 마그레브 5개국(모로코, 알제리, 튀니지, 리비아, 모리타니아)과의 협력 방안 논의
- Conference for Security and Cooperation in the Mediterranean (CSCM) 창설 문제 협의

0043

2. 휴전관련 제기된 문제점

가. 선철군 후협상

1) 철군 조건으로 휴전 (선휴전 후철군) : 이란, 인도, 파키스탄등 회교권과 비동맹권 일부

2) 이라크의 철군 이행후 협상시작 : 다국적군, 소련 및 유고등 비동맹권 일부

나. 외국군 철수

1) 모든 외국군 철수(유엔감시 여부는 제안에 따라 상이)

2) 분쟁지역에 회교국 군대 배치 (개전 이전에는 아랍군 배치 제의도 있었음)

3. 전후 중동평화 관련 제기된 문제점

가. 역내 안보체제 구축

1) 전후 중동지역 안보체제 구축 필요성에 대해서는 대다수 국가가 공동 인식

2) 대부분의 제안은 집단 안보체제를 구상하고 있으나 일부 쌍무 방위 조약으로 엮어진 안보체제 구상도 있음.

3) 안보 체제의 지역적 범위에 있어서는 걸프지역에 국한하는 구상과 중동지역 전체를 포괄하는 방안도 제기되고 있음.

4) 안보체제의 구축의 주체로서는 GCC 주도, 아랍국 주도, 회교권(OIC) 주도등 제안국에 따라 다양함.

5) 집단 안보체제에 의한 연합군의 주둔을 전제로 미, 영등은 자국 지상군의 주둔 가능성은 배제하고 있음이 주목됨.

6) 대부분의 제안은 역내 군비 축소 필요성을 확인하고, 특히 화생방 무기등 비재래식 무기의 제거를 제의하고 있음.

7) 동시에 역내 신뢰 구축을 제의하고 있으나 구체적인 방안을 제시하지는 않고 있으며, 불란서.이태리.스페인.풀투갈등 EC의 지중해 연안국들이 CSCE를 모델로한 CSCM을 제의하고 있는것이 주목됨.

0044

나. 팔레스타인 문제

1) 전후 팔레스타인 문제 해결이 중동평화 달성에 필수적이라는데에 모든 국가가 동의하고 있음.

2) 다만 이문제의 해결을 위한 국제회의 개최에 대해 일부 국가는 적극적인 반면, 일부 국가는 입장을 밝히지 않고 있음.

다. 전후 복구 및 경제 부흥

1) 전후 복구 및 경제 부흥을 위해 중동 부흥 개발 은행 설립, 중동 경제 개발 기금 조성, UN 산하 중동 경협기구 창설, 중동 마샬플랜 수립등 다양한 제안이 제시되고 있음.

2) 일부 제안은 역내 국가간의 빈부격차 해소를 강조함.

3) GCC등 역내 아랍국은 경제 통합을 구상하고 있음.

4) 수자원 개발 및 역내 국가간 공유에 대해 미국, 이스라엘, 터키가 관심을 표명한 것이 특이함.

4. 문제점별 주요 관련국의 입장

가. 지역 안보체제 구축

1) 미 국

- o 역내국가, GCC 의 주동적 역할 필요 (친미 온건아랍국 주도 희망)
- o 역내 군사 패권국 대두 방지
- o 석유의 안정적 공급

2) 사우디등 GCC 제국

- o 왕정 유지
- o GCC 및 온건 아랍국 주도의 안보체제 구축

3) 터 키

- o 이라크의 영토 보전 (대이란 견제 목적)
- o 쿠르드족의 독립 내지 자치에 반대(자국내 쿠르드족의 입지강화 방지 목적)
- o 지역질서 재편 과정에 참여하고자 하나 아랍측의 경계, 반발 예상

0045

4) 이　　란

o 전후 중동질서 재편시 강력한 영향력 행사 희망

o 대이라크 자세 유연 (이라크 패망시 차 타도 대상 가능성 및 터키의 부상에 대비)

5) 불란서, 이태리등 지중해 연안 EC 국가 및 마그레브 국가

o CSCE 형식의 신뢰구축, 군비통제 추진 (중동에 대한 영향력 행사 목적)

o 지중해 연안 EC국과 마그레브권간 협력강화 이해 부합

나. 팔레스타인 문제

1) 미　　국

o 미-소 외무장관 공동성명에서 이스라엘-팔레스타인 문제의 연계 가능성 시사 (이스라엘에 대한 압력행사 가능)

o 중동의 평화 안정과 아랍의 반미, 반서방 감정 무마위해 팔레스타인 문제 외면 곤란

2) 영　　국

o 팔레스타인 문제 해결이 중동평화의 필수적임을 인정

3) 친이라크 아랍국가

o 걸프사태와 팔레스타인 문제 연계해결 주장 (이중기준 비난)

o 이스라엘 참전시 대 이스라엘 참전 공언

4) 이스라엘

o 팔레스타인 문제 해결 위해서는 이스라엘의 안보를 보장하는 전반적 테두리에 대한 합의 도출이 필요함을 강조

o 점령지 거주 팔레스타인 인을 모두 현 요르단 영토로 이주시켜 팔레스타인 독립국가 수립 유도 가능성

o PLO의 팔레스타인 대표권 부인 (이스라엘 통치하 팔레스타인 주민의 대표권 옹호)

0046

다. 전후복구 및 경제부흥

1) 미　　국

o 쿠웨이트와 이라크의 전후 경제복구 지원(반미감정 완화 및 자국기업 진출 도모)

o 소요재원은 역내 부유 산유국 부담

o 경제복구 이후 자유무역 및 투자확대 통해 경제성장 촉진 (자본주의 이념 확산)

o 빈부 격차 해소 (지역정세 안정 목적)

2) 영국등 EC국

o 전통적 대중동 연고권 행사

o 전후 복구사업 참여 적극 조기 추진 (미국주도 제동 의도)

3) GCC 및 참전 아랍국 (이집트, 모로코)

o 역내 빈부 격차 해소 및 경제통합 필요성 인식 (지역정세 안정 및 아랍 형제국간 경제 협력)

4) 터　　키

o 중동 경제개발 기금 조성 및 수자원 이용에 관한 중동 정상회담 제의 (전후 복구사업 참여 여건 조성)

5. 전　망

가. 역내 정세변화

1) 역내 세력균형 유지 (어느 일국의 역내 강국 부상 저지)

o 사우디, 터키 VS 이란, 이라크

o 이라크 VS 사우디, 이란등 여러가지 연합 가능성 있음

2) 이집트, 사우디등 온건 아랍국의 영향력 증대

o 전후 아랍권내 반미, 반서방 감정 격화시 시리아, 이란등 강경국가의 영향력도 상대적으로 증대 예상

3) 걸프지역 왕정국가 내부의 개혁요구 고조, 구체제 변화 예상

o 회교 원리주의자들의 정권 장악으로 반미, 반시오니즘 투쟁도 가열화 될 가능성

0047

4) 시리아

o 장기 집권 및 전후 댓가를 바라고 다국적군에 참가

o 다국적군 참가 댓가로 레바논에서의 영향력 확보

나. 미.소 영향력

1) 미 국

o 정치.외교적 지도력, 무기의 우수성 입증으로 미국에 대한 정치, 군사적 신뢰가 높아져 전후 미국의 영향력 증대 예상

o 단, 아랍권 전반의 반미감정 격화시 미국의 영향력 행사에 큰 도전

o 보수, 온건 노선 아랍국가군과 제휴하에 영향력 행사 시도 가능성

2) 소 련

o 상대적으로 영향력 감소 예상

o 걸프전의 외교적 해결을 주도, 성공할 경우 상당한 영향력 만회도 가능

다. 유럽 및 일본의 영향력

1) 유 럽

o 미국의 주도권 독점 불원

o 불란서는 중동질서 재편전과 동일한 영향력을 행사코자 할것이고 친아랍정책을 고수할 것이므로 미국도 어느정도 인정 불가피

o 영국은 미국의 적극 동조세력이지만, 과거 중동지역의 패권자로서의 상당한 역할 예상

o 독일은 다국적군에 대한 소극적 참여로 정치적 영향력은 미미할 것이나 경제력을 배경으로 한 기여가 기대됨.

2) 일 본

o 다국적군에 대한 재정지원으로 입지 강화

o 단, 전통적 발언권의 부재로 한계

0048

라. 주변 회교국

1) 이 란

o 걸프전을 외교.경제면에서의 이.이전의 국제적 고립을 감수하고 국익을 최대로 추구할 호기로 삼음

o 후세인에 대한 개인적 원한은 있으나 이라크 패망후 이란의 과대, 단독성장에 대한 이스라엘, 서방측의 우려를 피하기 위해 대이라크 유연자세 보임.

o 전후 역내 최대의 경제력, 군사력 보유국이 되므로, 이에대비 외교적 해결방안 제시하며 자국위치 부각시킴.

2) 터 키

o 이라크의 군사력 약화 위해 미국 지원

o 이란, 시리아등 잠재적 강국 견제위해 이라크의 궤멸은 원치않음.

o 인시리크 공군기지 제공으로 미국에 전략적 중요성 인식시키고 군사, 경제적 원조획득 시도

o 정치, 군사적 강대국화를 통해 지역안보 재편 과정에 큰 역할을 담당하고자 하나 아랍측의 반발 가능성

3) 파키스탄

o 나와즈 수상, 중동6국 및 마그레브지역 순방하며 6개항 평화안 제시

o 비아랍 회교국으로서의 발언권을 강화하기 위한 노력으로 해석됨.

0049

Ⅱ. 우리의 대응책

1. 基本的 考慮事項

   o 中東地域의 原油 供給先 및 建設 進出 市場으로서의 重要性

   o 미국과의 협력관계 고려

   o 아랍권 내지 회교권의 國際政治 舞臺에서의 數的 比重에 비추어 韓半島 問題에 대한 아랍권의 支持 確保도 外交上 緊要

     - 아랍권 個別 國家와의 兩者關係 增進 圖謀 努力과 向後 中東地域 安保 協力 體制에 대한 關心 必要

   o 前後 中東政治 전면 부상이 豫想되는 시리아, 이집트와의 關係 正常化 努力

   o 이라크와는 後繼政權의 性向에 관계없이 原油導入, 建設進出을 위해 종래의 友好關係 維持

   o 팔레스타인 問題 解決을 위한 國際的 努力 支援 必要性

2. 向後 推進 計劃

   o 中東諸國과의 雙務關係 深化

     - 사우디를 비롯한 GCC國家와의 旣存 友好 關係 强化 (招請, 訪問外交 積極 推進)

     - 팔레스타인 問題에 대한 肯定的, 積極的인 立場 表明

     - 未修交 아랍國과 關係改善 (이집트, 시리아)

     - 이라크와의 從來 友好關係 維持

       . 戰後 生必品.醫藥品等 無償支援

       . 終戰後 아국 醫療支援團의 이라크내 診療活動 檢討

       . 殘餘 建設 工事 再開 및 新築 工事 受注

     - 大統領 特使 中東 巡訪 推進 (사우디, 이집트, 요르단, 쿠웨이트, 이라크, 이란등)

     - 我國의 多國籍軍 參與로 인한 不利益 最小化 努力

0050

o 戰後 平和定着 努力 支援 및 復舊事業 參與

- 유엔 또는 아랍 平和 維持軍 支援
- 中東平和基金 參與 (팔레스타인 基金, 레바논 支援基金等)
- 難民 救護 基金 供與

o 戰後 復舊事業 參與 및 經濟協力 擴大

- 이라크, 쿠웨이트, 사우디, 이란등 戰後 復舊事業 參與
  (쿠웨이트 復舊費 約 400億弗 豫想)
- 쿠웨이트 亡命 政府와의 接觸
- 未收金 및 損失額 回收
- 貧困 아랍권에 대한 援助 提供(시리아, 이집트, 요르단, 예멘등)
- 官民 經濟 使節團 派遣(國際協力團, 商議, 貿易協會 包含)
- 海外 靑年 奉仕團 派遣 檢討

o 原油의 安定的 供給 確保

- 長期 供給 契約先 確保
- 油田 合作開發 參與
- 原油導入의 多邊化 (73% 依存度를 소련, 중국, 동남아, 중남미로 分散)

o 中東地域 外交體制 强化

- 中東地域 公館長 會議 定例化
- 駐 카타르 大使館 閉鎖計劃 再檢討

0051

걸프 戰後 中東秩序 再編 展望과 우리의 對應策

I. 戰後 中東秩序 再編關聯 3大 核心課題

II. 中東秩序 再編 展望

III. 우리의 對應策

1991. 2. 18.

外務部 걸프事態 非常 對策本部

目　　次

0053

I. 戰後 中東秩序 再編 關聯 3大 核心課題

(關係國의 構想 綜合)

1. 域內 安保體制 構築

o 戰後 中東地域 安保體制 構築 必要性에 대해서는 大多數 國家가 共同 認識

o 安保體制의 形式에 있어서는 集團 安保體制 또는 多數의 雙務 防衛條約으로 엮어진 安保體制 構想이 있음.

o 安保 體制의 地域的 範圍에 있어서는 걸프地域에 局限하는 構想과 中東地域 全體를 包括하는 方案도 提起되고 있음.

o 安保體制의 構築의 主體로서는 GCC 主導, 아랍국 主導, 회교권(OIC) 主導等 提案國에 따라 多樣함.

o 集團 安保體制에 의한 聯合軍의 構成에 있어서는 아랍군, 회교군등의 構想이 있으나 美, 英等은 自國 地上軍의 駐屯 可能性을 排除하고 있음이 注目됨.

o 大部分의 提案은 域內 軍備 縮小 必要性을 確認하고, 특히 化生放 武器等 非在來式 武器의 除去를 提議하고 있음.

o 同時에 域內 信賴 構築을 提議하고 있으나 具體的인 方案을 提示하지는 않고 있으며, 불란서, 이태리, 스페인, 폴투갈등 EC의 지중해 沿岸國들이 CSCE 를 모델로한 CSCM을 提議하고 있는 것이 注目됨.

2. 팔레스타인 問題 解決

o 戰後 팔레스타인 問題 解決이 中東平和 達成에 必須的이라는데에 모든 國家가 同意하고 있음.

o 다만 이 問題의 解決을 위한 國際會議 開催에 대해 一部 國家는 積極的인 反面, 一部 國家는 立場을 밝히지 않고 있음.

o 이스라엘은 이에 反對하고 個別國과의 雙務協商을 繼續 主張해 왔음.

3. 戰後 復舊 및 經濟 復興

o 戰後 復舊 및 經濟 復興을 위해 中東 復興開發銀行 設立, 中東經濟開發 基金 造成, UN 傘下 中東 經協機構 創設, 中東 마샬플랜 樹立等 多樣한 提案이 提示되고 있음.

o 一部 提案은 域內 國家間의 貧富隔差 解消를 强調함.

o GCC 등 域內 아랍국은 經濟 統合을 構想하고 있음.

o 水資源 開發 및 域內 國家間 共有에 대해 美國, 이스라엘, 터키가 關心을 表明한 것이 特異함.

Ⅱ. 中東秩序 再編 展望

1. 戰後 中東의 政治構圖

가. 域內 勢力 均衡

o 戰後에도 中東地域에 있어서의 域內 國家間 勢力均衡 基本構造는 戰前과 큰 變化가 없을 것으로 豫想

- 一國의 域內에 있어서 主導的 影響力 行使 不可

- 수개의 强國이 對決과 均衡의 相互作用을 통해 勢力關係의 骨格 維持

. 이란과 이라크의 對決(傳統的인 敵對關係로 相互不信)

. 이란, 이라크의 걸프 支配慾과 사우디(GCC제국)의 對이란, 對이라크 反目

. 이라크와 시리아의 對立 關係

- 이스라엘과 아랍제국과의 對立關係는 存續

o 이地域에서의 美蘇關係는 때로는 衝突, 때로는 協調의 様相을 보일것임.

o 이스라엘.팔레스타인 問題를 둘러싼 美.西歐 諸國間의 意見對立 가능성

나. 이라크, 쿠웨이트, GCC 國家의 政治的 變化

1) 이 라 크

o 후세인 沒落後 親西方 指導者 보다는 反후세인 路線의 國粹的 性向 指導者 擡頭 可能性

- 3 -

0056

o 이라크의 새로운 指導部는 失墜된 國際的 地位 回復, 戰後復舊, 民生安定을 當面課題로 推進 豫想

o 西方側은 域內 軍事 大國인 이란, 시리아에 대한 經濟 勢力으로서의 이라크의 役割(軍事力 保有) 必要

o 따라서 戰後 조만간 一定水準의 軍事力 保有가 可能할 것이나 相當期間 域內 軍事 大國으로서의 地位 回復 不能

2) 쿠웨이트

o Sabah 王政의 復歸 確實

o 國內 民主化 勢力 撫摩策 必要(漸進的 政治改革 推進)

o 自國人을 社會 各分野에 중용하는 "쿠웨이트화" 政策强化

3) GCC 國家

o 王政 守護에 最大 力點

o 一般國民의 反王政 感情을 考慮한 各種 政策 實施 不可避

o 長期的으로는 아랍世界의 潮流에 따라 王政 崩壞 可能性

다. 美.蘇等 域外國家의 影響力

o 戰後 美國의 中東地域에서의 影響力 增大

- 단, 아랍권 全般의 反美 感情 激化時 美國의 影響力 行使에 큰 挑戰 豫想

o 蘇聯의 影響力은 相對的으로 減少 豫想

- 蘇聯 主導의 걸프戰 外交的 解決 努力이 成功時 相當한 影響力 行使 可能

o 英國, 佛蘭西, 獨逸도 過去의 中東 國家와의 緣故와 經濟力을 바탕으로 中東地域에 대해 影響力 行使 可能

2. 地域 安保體制 構築 問題

가. 西方側의 基本構想

o 域內 軍事 覇權國 擡頭 防止

o 域內國家, 특히 GCC 諸國等 親西方 穩健國家의 主動的 役割

o 쿠웨이트 國境線 安全 保障

o 이라크 領土 保全

o 美.英 地上軍의 撤收

- 단, 海.空軍의 presence 는 당분간 維持

나. 集團 安保 體制 胎動 可能性

o 戰後 쿠웨이트, 이라크 國境에는 유엔 平和 維持軍 駐屯

o 이라크 및 이란의 野望을 牽制키 위해 美國을 背後勢力으로하고 사우디 쿠웨이트등 GCC 國家와 이집트등을 잇는 集團的 安保體制 樹立 論議

o 그러나 集團 安保機構 創設보다는 오히려 個別的 安保條約 形態를 통하여 集團 安保 效果를 얻는 方式을 취할 可能性이 많음

o 將來의 걸프地域은 이라크의 領土가 保全되고 그 勢力도 一定水準 回復되는 status quo ante로 돌아가 이라크, 사우디, 시리아등이 Main Actor 가 되는 狀況이 될 것임

o 걸프地域에 대한 武器 輸出 統制를 包含한 軍備統制, 縮小 問題 擡頭 豫想

- 5 -

0058

3. 팔레스타인 問題

o 팔레스타인 問題 解決을 위한 國際會議 또는 CSCE 形式의 平和協力 會議 開催等이 提起될 것이나 上記 어느 構想도 可視的 成果 期待 可能性 稀薄

o 西方側, 아랍.이스라엘 紛爭解決을 위한 努力 倍加 豫想

- 특히 이스라엘의 對시리아 關係 改善 誘導

o 이스라엘의 自國 安保와 連繫시키는 팔레스타인 問題 解決 立場 및 占領地 居住 팔레스타인人의 요르단 領土 移住 企圖는 關係國에 의해 受諾될 可能性 없음

o 아랍 占領地 撤收에 대한 이라크의 强硬한 立場과 이라크 SCUD 미사일 攻擊에 대한 報復自制로 이스라엘의 걸프戰 寄與等을 감안할때, 西方側의 努力에도 不拘 당분간 팔레스타인 問題 解決 可能性 稀薄

4. 戰後復舊 및 經濟復興

o 反美, 反西方 感情 緩和위해 이라크의 戰後復舊, 아랍世界 經濟復興 必要

o 域內 經濟協力 擴大 및 貧富隔差 解消(地域情勢 安定)

o 原油 供給源의 安定化

o 大規模 經濟協力機構(開發復興 計劃, 中東版 마샬플랜 또는 銀行) 設立 可能性

o 쿠웨이트는 Awda 計劃의거 緊急 復舊 事業 完了後 막대한 保有資金 活用 大規模 再建 計劃 實施 展望 (今後 5年間 600-1,000억불 投入 展望)

o 이라크는 資金難(外債 약 600억불)으로 戰後 復舊事業에 많은 어려움 豫想 (石油 輸出 收入 年間 約 130-150억불에 不過)

Ⅲ. 우리의 對應策

1. 基本的 考慮 事項

o 中東地域 에서는 今後에도 各國의 利害關係가 相衝하는 對立과 牽制, 均衡의 不安定한 政治秩序가 繼續될 것임

o 아랍民族 內部의 이슬람 原理主義 思想, 反王政 感情의 擴散等으로 아랍諸國의 現政權 將來 不確實

o 西方側은 戰爭의 勝利에도 不拘 反美, 反西方 感情 惡化와, 今後 이스라엘-아랍關係에 있어 이스라엘의 非妥協的 姿勢 可能性等 對中東政策 遂行에 있어 큰負擔을 지게 될 것임.

o 中東地域은 世界 石油 埋藏量의 65%를 점함으로써 이地域이 西方의 經濟, 安保 利益을 위해 차지하는 比重은 莫重할 것임.

o 今後에도 相當한 金額의 石油 收入을 活用한 建設工事가 繼續되어, 重要한 建設 市場으로 役割할 것임.

o 戰後 復舊事業, 工事 受注를 위한 各國의 競爭 熾烈 豫想

2. 政治的 對應策

o 中東地域의 政治的 特性에 비추어, 對中東 全方位, 多邊, 均衡 外交路線 堅持 必要(特定國家에 너무 傾斜하는 政策 回避)

- 7 -

0060

o 戰後 걸프地域 安保體制 構築과 關聯, 우리의 寄與 可能 分野를 確認, 支援 提供

- 現在의 사우디 駐屯 醫療支援團 쿠웨이트로 移動, 유엔 平和軍 支援
- 軍備 管理 體制(武器 輸出統制)에서의 數的 比重에 비추어 韓半島 問題 關聯 아랍권의 支持 確保 努力 繼續

o 이라크와는 後繼政權이 樹立되는대로 關係 强化 努力 傾注

o 戰後 中東 政治에 있어 位置强化가 豫想되는 이집트, 시리아와의 關係 正常化 努力

o 사우디등 GCC 國家와의 基本 友好關係 强化

o 팔레스타인 問題解決을 위한 國際的 努力 支援

o 中東平和基金(팔레스타인 基金, 레바논 支援 基金等) 參與 擴大

o 我國의 多國籍軍 參與로 인한 影響 最小化 努力 傾注

o 今後 中東秩序 再編成과 關聯, 美國, 英國, 佛蘭西等 友邦諸國과 緊密한 協調 體制 維持

o 4,500만의 回敎徒를 가지고 있으며, 中東地域에 相當한 影響力을 行使하는 蘇聯과도 政策 協議

3. 經濟的 對應策

가. 基本 方向

o 戰後 復舊計劃 및 餘他 中東國家의 建設工事 積極 參與

o 原油의 安定的 供給先 確保

o 戰後 經濟復興 開發 基金에 출연(各種 프로젝트 參與 機會 獲得)

o 關聯情報의 迅速한 入手, 必要時 民.官間 緊密한 協調體制 構築

나. 쿠웨이트 復舊 計劃 參與

〈Awda 計劃 參與 努力〉

o 戰後 3個月 以內에 輸送, 通信, 電力, 上下水道, 衛生等 基本施設 復舊 計劃, 약 200억불 所要

o 協力 可能分野 쿠웨이트측과 折衷

- 過去 쿠웨이트에서의 工事 實積, 經驗 活用
- 電氣, 通信, 上下水道等 技術者로 構成된 緊急 復舊 支援團 쿠웨이트 派遣, 支援 提供

o 사우디 駐屯 醫療支援團 쿠웨이트로 移動, 戰後 救護 事業 支援

各國의 參與 計劃

o 美 國

- 美 工兵隊가 美 民間企業과 協力, 初期 段階의 基本 復舊事業 計劃 作成, 施行키로 쿠웨이트側과 合意說

o 英 國

- 復舊 參與 計劃案 作成, 쿠웨이트側에 提出
- 技術者團 構成 派遣 提議

〈其他 戰後 復舊事業〉

o 今後 5年間 600-1천억불 投資 豫想

o 美國側, 쿠웨이트 奪還 條件으로 이미 170개 業體 復舊 工事 參與 合意說(全體 工事의 약 4분의3)

- 9 -

0062

o 我國業體, 單獨 受注 또는 美, 英會社等과 共同 受注 및 下請 進出 積極 推進

o 我國의 工事 可能分野 計劃書 作成, 쿠웨이트측에 提出 必要 (過去 旣施工 工事 參照)

<基本 物資 購買計劃 參與>

o 이라크, 쿠웨이트 占領後 事實上 쿠웨이트 掠奪(自動車 10만대 奪取說)

o 戰後 모든 基本物資 大量 購入 不可避

o 我國業體 積極的 輸出 活動 必要

다. 이라크 復舊事業

o 이라크의 財政 事情(600억불의 막대한 外債) 및 原油 收入으로는 大大的 復舊, 再建工事 着手 困難

- 相當한 期間 國際的 支援에 의한 復舊 工事 推進 展望

o 戰後 民生安定을 위한 基本施設 工事는 着手 될것임으로 終戰 直後 我側의 參與 計劃案 提示

o 戰後 生必品, 醫藥品等 一部 人道的 支援 提供

o 我國 醫療支援團의 이라크 派遣, 診療活動 檢討

o 原油를 建設 代金으로 受領하는 形態의 復舊事業 積極 參與

라. 原油의 安定的 供給先 確保

- o 戰後 原油生産 過剩現象, 先進國의 에너지 節約 傾向 擴散으로 我國의 原油 導入 物量 確保에는 問題 없을것임.
- o 그러나 豫測할수 없는 緊急事態 發生에 對備, 主要 供給國家(오만, UAE, 사우디, 이란, 쿠웨이트, 이라크)와의 緊密한 關係 維持
- o 中長期的으로는 中東地域 依存度(90년도 73%)를 낮추는 努力 必要 (我國이 世界 原油 輸入國家中 中東 依存度 最高 ; 美國도 中東 依存度 減少 및 代替에너지 開發 重要 課題)

<參 考>

國別 中東 原油 依存度 ('89)

國 名	G N P (單位:십억弗)	總原油 輸入量 (單位:백만배럴)	中東地域輸入量 (單位:백만배럴)	占有比率
韓 國	210.1 (1)	296 (1)	216 (1)	73 %
日 本	2,833.7 (13.49)	1,319 (4.46)	937 (4.34)	71 %
佛蘭西	956.8 (4.55)	509 (1.72)	223 (1.03)	44 %
西 獨	1,200.8 (5.72)	485 (1.64)	90 (0.42)	19 %
스페인	376.7 (1.79)	364 (1.23)	116 (0.54)	32 %

※ ( )는 韓國을 1로 본 경우임

<첨　　부>

戰後 中東秩序 再編關聯 主要 提議

가. 유고의 4단계 평화안(2.12. 베오그라드 비동맹 외상회의)

1) 이라크의 쿠웨이트 철군 및 합법정부 회복

2) 적대행위 중지

3) 사태의 평화적, 정치적 해결

4) 중동지역 전체문제, 특히 팔레스타인 문제 해결 위한 평화협상 개시

나. 이란 및 인도의 3단계 평화안 (2.12. 베오그라드 비동맹 외상회의)

1) 이라크의 쿠웨이트의 철군약속 선언 및 적대행위 중지

2) 유엔 감시하의 모든 외국군 철수

3) 중동문제 해결 위한 지역회의 개최

다. 소련의 중동평화 원칙 (2.6-9 외무차관 이란, 터키 방문후 의견일치)

1) 쿠웨이트 철군과 동시에 휴전

2) 이라크 영토의 보전

3) 이라크의 화학무기 사용 반대

라. 파키스탄의 6개항 평화안 (나와르 수상 중동 순방시 제시)

1) 이라크의 철군조건으로 즉각 휴전

2) 걸프지역 모든 외국군 철수

3) 분쟁지역에 회교국 군대 배치

4) OIC 긴급정상회의 개최

5) 쿠웨이트 문제, 팔레스타인 문제, 카시미르 문제등 유엔 제결의 이행

6) 사우디, 이라크의 성지를 평화지역으로 선포, 공격 금지

0065

마. 미국의 중동 평화정착 과제 5개항 (2.6. 상하원 외무위 청문회 베이커 국무장관 증언)

1) 걸프지역 안전 보장

o 목표원칙 :

①침략저지 ②영토불가침 ③분쟁의 평화적 해결

o 역내국가, 지역기구 및 국제사회의 역할 :

① 역내국가, GCC등 지역기구의 주도적 역할 필요

② UN 및 역외 국가들은 적극 지원

o 지역안정 확립시까지의 군사적 선택 방안 :

① 아랍 지상군 배치

② 유엔 평화유지군 파견

③ 역외국 지상군 배치 (미군 배치계획은 없음)

2) 역내 군축

o 이라크의 비재래식 군사력 제거

o 역내 군비경쟁 억제 및 신뢰구축 조치

3) 전후복구 및 경제 부흥

o 쿠웨이트.이라크 전후복구 지원

o 장기적으로 역내 자유무역 및 투자확대를 통한 경제성장 촉진

o 수자원 개발에 역점

o 지역개발 은행 설립

4) 이스라엘, 아랍, 팔레스타인간 화해와 평화 달성

5) 미국의 대중동 에너지 의존도 감축 및 대체 에너지 개발

바. 영국의 전후 중동평화안 (2.2. 허드외상 레스터셔 연설)

1) 종전후 아랍제국은 자체 안보체제 구축 필요(해.공군력 요청시 영국은 고려 가능)

2) 중동평화 위해 화생방 무기 제조 사용 금지

3) 이스라엘.팔레스타인 문제 해결 필수

4) 영국은 중동평화 체제 구축에 중심적 역할 수행할것임.
(제2규모 참전국, 안보리 상임 이사국, 다수아랍 및 이스라엘의 전통적 우방 위치 감안)

0066

사. 파병 3국(이집트, 시리아, 모로코) 외상의 전후 평화정착 5개항
(2.15. 카이로 GCC 및 파병 아랍 3국 외상회의)
1) 안보 및 경제통합 위한 개발과 협력
2) 팔레스타인 문제도 유엔 결의에 입각 해결(쿠웨이트 문제와 동일 방식)
3) OIC 원칙따라 인접 이슬람국과 선린관계 유지
4) 역내 무기유입과 대량살상 무기 제거등 중동 역내 세력 균형 유지
5) 신세계 질서에서 아랍권의 위상 제고

아. 이스라엘의 전후 중동평화 5개항 (2.9)
1) PLO 배제
2) 이스라엘, 아랍제국간 상호 불가침
3) 지역 군축 협정
4) 팔레스타인 문제해결 위한 전반적인 테두리 합의
5) 지역적 경제협력 및 수자원 공유

자. 카나다 기본 4원칙 및 종전후 중점 추진 과제(2.8 클라크 외상)
<기본 4원칙>
1) 이라크의 쿠웨이트 철군 불타협
2) 사태 해결안은 관련국 정부와 국민의 지지가 필수적임.
3) 유엔 중심 해결책 모색
4) 지역 안보는 정치, 경제, 군사, 인도적 문제 등을 포괄적으로 다루어야 함.
<종전후 중점 추진 과제>
1) 민간 피해자에 대한 인도적 원조 제공
2) 유엔 평화 유지군에 의한 쿠웨이트 국경선 안전보장
3) 걸프지역 환경 오염 제거위한 국제적 노력

0067

91-
126

협조문용지

분류기호 문서번호	미북 0160- 441	(전화 : 720-4648)	결재	담 당	과 장	심의관
시행일자	1991.2.19.					
수 신	중동아 국장	발 신	미주국장 (서명)			
제 목	자료 송부					

차관님은 걸프사태 재정 지원국 조정회의 참석차 2.3-8.간 방미, 미 행정부등 주요인사들을 접촉한 바, 면담 내용중 귀국 소관 자료를 별첨과 같이 송부하오니 참고하시기 바랍니다.

첨 부 : 동 자료 1부. 끝.

예 고 : 91.12.31.일반

검토필(1991.6.30.)

0068

외무차관 방미 결과 보고

(91.2.3-2.8)

91.2.11.

미 주 국

0069

- 목 차 -

0070

I. 방미 개요

1. 대표단 구성

o 단 장 : 유종하 외무부 차관

o 단 원 :

- 이정보 재무부 경제협력국장
- 이운재 경제기획원 예산실 예산총괄과장
- 송민순 외무부 미주국 안보과장
- 남관표 외무차관 비서관

2. 방미 주요 일정

2.3(일)	10:00	김포 출발
	18:30	주미 대사관 업무보고
	19:00	주미대사 주최 비공식 만찬
2.4(월)	11:00	Bolton 국무부 국제기구 담당 차관보 면담
	14:30	Rowen 국무부 국제안보담당 차관보 면담
	17:00	Kimmitt 국무부 정무차관 면담
	19:00	손명현 공사 주최 만찬(대사관 직원 참석)
2.5(화)	10:00 -13:00	제4차 공여국 조정위 회의 참석
	15:00	Zoellick 국무부 자문관 면담
	19:00	주미 특파원단 만찬

0071

2.6(수)	12:15	오찬 간담회(Solomon 국무부 동아.태 차관보, Anderson 국무부 동아.태 부차관보, Paal 백악관 보좌관, Richardson 국무부 한국과장, Hull 국무부 이란.이라크 과장 초청)
	15:00	CSIS 브리핑 청취(Abshive 회장, Taylor 수석연구원)
	17:00	뉴욕 향발
	19:00	주유엔대사 주최 만찬
2.7(목)	13:15 -15:00	Pickering 주 유엔 미 대사 오찬 면담 (Robert Grey 공사, Russel 아시아 담당관 배석)
2.8(금)	13:20	뉴욕 출발
2.9(토)	21:00	김포 도착

0072

Ⅱ. 주요 협의 내용

1. 제4차 조정국 회의 결과

가. 일시 및 장소

o 91.2.5(화) 10:00-13:00 미 재무부 회의실

나. 참석국(28개국)

o GCC 국가 : 사우디 아라비아, 쿠웨이트, UAE

o EC 국가 : 벨지움, 덴마크, 프랑스, 독일, 아일랜드, 이태리, 룩셈부르크, 화란, 폴투갈, 스페인, 영국

o 기타 구주국가 : 오스트리아, 핀랜드, 아이슬란드, 노르웨이, 스웨덴, 스위스

o 일본, 한국, 카나다, 호주

o 기타 IMF, IBRD, EC, GCC 대표 참석

다. 회의 진행

o Mulford 재무부차관, Kimmitt 국무부 정무차관 공동 주재로 전선국 재정 지원 약속 및 집행현황과 걸프사태의 상황 설명

o IBRD, IMF 대표의 이집트, 터어키, 요르단 경제상황 및 피해규모 평가 설명

o 기존 약속금액의 집행상황 및 추가약속 문제에 대한 각국 대표의 발표

라. Kimmitt 및 Mulford 차관 발언요지

(Kimmitt 차관)

o 걸프전의 목적은 이라크의 쿠웨이트 철수에 있으며 이라크 자체의 파괴에 있지 않으므로 군사 시설만을 공격 목표로 삼고 있음.

o 조정국 회의 참석 국가중 18개국이 연합국에 참전하고 있으며 군사동맹 결속도 그만큼 중요함.

0073

○ 요르단의 정치적 노선에도 불구하고 재정지원은 계속 필요함.

(Mulford 차관)

○ 현재까지 전선국가에 대한 원조 약속금액 141억불중 66억불만 집행되고 75억불이 미집행 상태이므로 조속한 집행이 요청됨.

○ 터키의 경우 30억불, 요르단의 경우 35억불이 부족한 상태에 있는 바, 조속한 원조집행, 미할당금의 할당 및 추가약속 등 3가지 문제에 대해 각국, 특히 사우디, 쿠웨이트, UAE, 불란서, 독일, 일본, 한국 대표의 설명을 요망함.

마. 한국대표(외무차관) 발언요지

○ 한국은 금번 회의 참석 국가중 유일한 비산유 개발 도상국가(Non-oil producing developing country)로서, 한국은 재정지원 국가 그룹의 일원으로 걸프사태 해결에 기여하게 된 것을 기쁘게 생각함.

○ 도표에 한국의 총 기여액이 100백만불로 되어 있으나 115백만불로 수정되어야 하는 바, 이는 이집트 등 일부 국가가 군수물자 대신 생필품 현물지원을 요청하여 15백만불이 재정지원에 추가되었기 때문임.

○ 재정지원 총 115백만불중 95백만불은 이미 한국 국회에서 예산조치가 끝났기 때문에 원조를 시행하는 데 아무런 문제가 없게 되었음.

○ 약속금액의 조속한 집행을 위하여 외무차관이 작년 11월 한국조사단을 이끌고 이집트, 요르단, 터키, 시리아를 방문하여, 이들 국가들과 구체적인 원조 필요 분야에 대해 협의를 시작한 바 있으므로, 이에따라 대부분의 집행이 1/4분기중 가능할 것으로 예견됨.

○ 또한 걸프사태로 피해를 입고 있는 동구권 국가중 헝가리, 폴랜드, 루마니아 및 불가리아에 대하여는 한국이 별도의 광범위한 경제협력 사업을 시행하고 있음을 밝히고자 함.

0074

o 비재정분야 군사지원에 있어서는 지난주 한국이 280백만불의 추가 군사 지원을 약속하여 총 원조액이 500백만불에 달하게 되었으며, 그외에 150여명의 의료단을 사우디에 기 파견하였고, 5대의 C-130 군 수송기 지원이 원칙 결정되었음.

사. 차기 회의

o EC 의장국인 룩셈부르크 대표의 제안에 따라 3월 전반기중 유럽에서 개최키로 잠정 합의

2. 걸프전 전망과 중동평화 구조 수립(미측 설명 요지)

가. 걸프전 전망

o 초기단계 미국의 전략은 집중적인 공군력 투입을 통해 (1) 이라크의 공군력을 무력화하고 (2) 생.화학무기 및 핵시설 등 대량 살상무기를 파괴하고 (3) 지휘, 통제, 통신 기능을 마비시키며 (4) 보급 통로를 차단하므로써 (5) 이라크군을 무력화 시키는데 있음.(Rowen 차관보)

o 이러한 전략목표 달성은 거의 계획된 과정에 따라 진행되고 있고, 지상전이 개시되면 수일내에 끝나지는 않겠지만 수개월 이상 가지도 않을 것으로 전망함.(Rowen 차관보 및 Kimmitt 차관)

o 지금까지의 공습에도 불구하고 공화국 수비대는 아직 심각한 타격을 받지 않은 것으로 관측되며, 걸프해상에 떠 있는 지상군의 배치에 2주가량 소요되고 곧 우기가 시작되는 점을 감안할 때 2월중순경 까지는 쿠웨이트 탈환 작전 개시가 필요한 것으로 봄.(CSIS 평가)

o 일단 지상작전이 개시되면 30일내지 45일 이내에 탈환 목표를 달성할 수 있을 것으로 전망됨.(CSIS 평가)

0075

나. 전후 중동평화 구조와 미국의 역할

- 전후 중동평화 확보를 위해서는 군사, 경제, 정치적 측면을 포괄하는 안보 장치 수립이 필요함.(Kimmitt 차관)

- Baker 국무장관이 2.6(수) 의회에서 밝혔듯이 전후 미국은 (1) 이란, 이라크을 포함한 새로운 지역안보체제(new security arrangement) 구축 (2) 지역 군비통제 구조 수립 (3) 역내 부국과 빈국간의 격차 해소를 위한 계획 (4) 이스라엘과 팔레스타인 및 아랍 제국간의 갈등해소책 (5) 미국의 중동석유 의존도 감소를 위한 종합전략 추구라는 5가지 목표를 향해 적극적인 역할을 수행코자 할 것임.(CSIS 평가)

- 중동지역 질서안정을 위해서는 집단적 안보장치가 필요할 것인 바, 지금까지 나온 어떤 구상과는 다른 새로운 처방이 있어야 할 것임.(Abshire CSIS 회장, 전 NATO 주재 대사)

- 이를 위해서는 필연적으로 일본, 유럽, 한국 등의 경제적 참여(economic engagement)가 요청될 것으로 봄.(CSIS Hunter 교수, 전 NSC 중동담당 보좌관)

0076

Ⅲ. 관찰.평가

1. 전선국 재정지원 문제

° 미측은 28개국의 이집트, 터키, 요르단에 대한 경제지원 약속 금액이 당장 효과적으로 집행되는 것도 중요한 한편, 앞으로 종전후 지역경제 안정구조 수립에 있어서도 각국의 지원이 필요한 점을 감안, 가능한 약속 규모도 최대한으로 증대시키고자 하는 것으로 보임.

° 또한 약속액의 조기 집행 및 추가약속 확보를위해 재정지원 조정국 회의를 빈번하고 거의 주기적으로 개최하여 재정지원의 제도화를 도모하고 있는 것으로 관찰됨.

° 한편 미국외의 다른 주요 지원국들은 수원국의 수원 태세가 되어 있지 않음에도 불구하고 미국이 조기 집행을 독촉하는데 대해 다소 불편하게 여기면서도 일단은 수동적으로 응해가고 있는 것으로 보임.(조정국 회의시 일본 재무차관의 발언등)

2. 전쟁전망 및 전후 안정 구조

° 2월 중순경 쿠웨이트 탈환 지상전을 개시할 것이라는 관측이 많으며, 이경우 작전은 늦어도 3월말까지는 끝낸다는 것이 미국의 계획으로 보임.

° 미국은 전후 중동질서 수립에 있어 군사, 경제, 정치를 포함한 포괄적 안정 구조 수립을 강조하면서 적정 규모의 미군사력(해.공군 중심) 주둔에 필요한 각국의 지지 확보와 새로운 중동질서의 수립과 유지에 필요할 주요 동맹국 들의 적극적 참여 및 지원 요청을 미리 시사하고 있는 것으로 평가됨.

첨 부 : 1. 걸프사태 재정지원 조정그룹 회의 의제

2. 걸프사태 관련 각국 재정지원 현황표. 끝.

예 고 : 91.12.31.일반

걸프事態 狀況報告

(第 37 日)

1991. 2. 22

國務總理綜合狀況室

0078

目　　　次

0079

I. 概　　觀

○ 中國과 多國籍軍 참여국가로는 유일하게 이태리가 蘇聯의 平和案에 대한 지지를 공식 표명한 가운데

○ 부시 美國대통령이

- 이라크의 무조건 撤收宣言과 4일이내의 實行
- 모든 戰爭捕虜의 卽刻釋放
- 쿠웨이트 국경의 지뢰 및 기뢰 부설 位置公開 등

3개항의 까다로운 對이라크 要求條件을 덧붙이도록 私信 형식으로 고르바초프 소련大統領에게 전달한 것으로 報道 (워싱턴 포스트, 2.21)되고

○ 사담 후세인 이라크 大統領은 21일 자정(한국시간) 對國民 라디오 特別演說을 통해

- 쿠웨이트로 부터의 撤收를 拒否하고
- 승리의 자신감을 가지고 계속 鬪爭할 것을 宣言함으로써 지상전 開始時間이 한층 가까와진 것으로 展望되고 있음

1. 主要 戰況 (2.21, 06:00~2.22, 06:00)

□ 多國籍軍

○ 戰爭勃發 37일째인 2.22일 현재
- 악천후 불구 바그다드에 맹폭격을 실시
- 쿠웨이트 - 사우디 국경 지역에서는 소규모 지상군 接戰이 있었음.

0080

o 航空作戰

- 다국적군은 후세인의 演說시작 直前 및 直後 바그다드 시내 중심부에 대해 맹폭격을 실시
- 21일중 총2,200회 出擊 (연 88,000회)

o 地上作戰

- 방사포, 155미리 곡사포, 자주포를 동원한 영국군은 이라크 보병,전차,군수시설에 대해 포격을 실시

□ 이라크軍

o 戰線에서는 소규모 偵察 활동만 실시하고 있으며 다국적군의 攻擊을 회피하거나 소극적 防禦態勢를 유지하고 있음.

o 쿠웨이트 수도 해안으로 많은 전력이 移動되고 있어, 예상되는 다국적군의 上陸作戰에 대비한 戰鬪力의 移動으로 판단됨.

o 21. 23:00시경(한국시간) 2발의 스커트 미사일이 사우디 中北部 地域을 향해 발사되었으며 주간에 스커드 미사일을 공격한것은 最初의 경우임.

* 미육군 수색대는 2. 20일 이라크군이 다국적군에 대한 로켓트 발사 수류탄에 유독성 사이나이드(Cyanide)를 사용한것 같다고 발표

- 쿠웨이트 - 사우디 국경부근 수색작전중 수류탄에 "회색 및 연기" 방출 확인
- 동 황산가스는 10분만에 미M1A1 전차와 승무원 생명위협가능

0081

□ 雙方 被害現況

o 다국적군 發表

-전과

. 포로 1,780여명, 항공기 격추 141대

- 피해

. 전사 36명(미 17, 사우디 19)

. 실종 51명(미 30, 영 10, 이태리 1, 사우디 10)

. 포로 13명(미 9, 영 2, 이태리 1, 쿠웨이트 1)

. 항공기 상실 41대

o 이라크측 發表

- 전과

. 항공기 격추 180대, 포로 20여명

- 피해

. 사망 20,000명, 부상 60,000명

2. 사담후세인의 特別演說 要旨

□ 要旨 : 사담후세인은 약35분간의 연설(2.21. 자정 한국시간) 을 통해 쿠웨이트 무조건 撤收 拒否 및 계속 抗戰 決意 表明

o 이라크는 승리의 자신감을 가지고 계속 鬪爭할 것임.

o 그들은(미국등 지칭) 이라크의 降伏을 기대하고 있으나 失望할 것임.

o 2.15 사우디, 이집트등 反이라크 진영 가담 아랍국가들을 아랍의 背信者라고 糾彈

0082

o 걸프사태는 40여년간의 PLO 숙제를 결부시키지 않고는 解決 될수 없음.

o 이스라엘과 그 同調勢力의 저지르는 모든 犯罪 行爲를 좌시 하지 않겠음.

o 이라크는 협상을 통한 해결을 모색했으나 사우디, 쿠웨이트 등의 非妥協的 態度로 失敗하게 되었음.

o 미국 등이 當初의 쿠웨이트 撤收 要求에 追加하여 계속 새로운 要求條件을 내걸고 있는데 이는 결국 이라크의 모든 힘과 능력을 제거하려는 그들의 意圖를 나타낸 것임.

o Aziz 이라크 外務長官이 소련측에 전달할 소련 평화안에 대한 이라크측 입장에 관해서는 명확한 언급이 없었음.

□ 評 價

o 사담후세인이 미국의 要求와 소련의 仲裁案을 拒否한 것으로 보이며, 이에따라 다국적군은 조만간 地上攻擊을 開始, 쿠웨이트 奪還 作戰에 나설것으로 展望됨

□ 各國의 反應

o 미 국

피츠워터 백악관 대변인은 후세인의 演說에 대해 "미국은 매우 실망했다"면서 쿠웨이트 解放戰爭은 繼續될 것이라 發表 미국방부 高位關係者는 演說 聽取後 후세인이 이라크군에게 自殺命令을 내린것과 같다고 言及함으로써 地上戰의 開始가 臨迫한 것으로 判斷됨.

o 영 국

메이저 총리는 후세인의 연설을 終戰에 대한 단한가닥의 希望도 제시하지 않았으며 매우 실망스럽다고 主張.

o 이스라엘

挑發的, 非妥協的 내용의 演說임. 사담 후세인은 이라크 군.민을 절망적인 戰爭에 몰아 넣으려하고 있음

o 쿠웨이트

•사담 후세인의 演說은 國際社會의 總意를 무시한 것이며, 지상전을 초래했음.

o 이 란

外交에는 自制와 신중함이 필요 사담후세인이 強硬 演說을 행한 것은 미.영이 소련 平和案에 부정적인 반응을 보인데는 緣由가 있다고 생각함. 다만, 소련 제안에 대한 이라크의 최종적 입장은 Aziz 외무장관에 의해 밝혀질 것으로 봄. (주유엔 대사)

o 예 멘

革命 評議會의 이름을 빌리지 않고 사담 후세인이 직접 쿠웨이트 철수를 언급했다는 점에서 긍정적인 면도 있음 (주유엔 대사)

3. 國際테러 動向

o 이란의 수도 테헤란에서 영국,터키,이태리대사관에 다국적군 參加國들에 대한 공격으로 보이는 수류탄 투척사건이 발생

o 이 수류탄 투척사건으로 이들 大使館建物이 일부 破損됐으나 人名被害는 없었음 (이란관영 IRNA 통신보도)

4. 經濟 動向

□ 海外動向

o 油價는 계속 下落勢

	1.16	1.17	2.20	2.21	前日對比增減
- Brent($/B)	30.23	19.30	18.27	17.20	-1.07

* 前後油價는 상당한 弱勢를 보일 것으로 展望되며 OPEC 회원국은 適定油價(18-19$/B)維持를 위해 2.25 빈에서 對策協議 豫定

- Oman($/B)	25.88	15.05	14.32	14.25	-0.07

o 主要國의 株價는 弱保合勢

	1.16	1.17	2.20	2.21	前日對比增減
- 東京(Nikkei)	22,443	23,447	26,199	26,024	-175
- 뉴욕(Dow Jones)	2,509	2,624	2,899	2,892	-7

o 달러貨는 20일에 이어 21일에도 계속 強勢

	1.16	1.17	2.20	2.21	前日對比增減
- ¥/$	136.35	134.00	131.33	131.43	+0.1
- DM/$	1.5445	1.5260	1.4928	1.4977	+0.0059

□ 國內動向

o 日日 點檢中인 20개 主要生必品 價格 安定勢

- 일반미(0.5%), 배추(5.9%), 사과(1.1%), 명태(0.4%)등 4개 품목만 上昇
- 綜合株價指數는 強保合勢 持續

1.16	1.17	2.20	2.21	前日對比增減
613.34	641.42	669.91	672.10	+2.19

o 對美원貨 換率은 下落勢로 反轉

	1.16	1.17	2.20	2.21	前日對比增減
- 대미환율(W/$)	718.50	718.50	722.20	721.60	-0.60

Ⅱ. 主要措置狀況

1. 軍醫療支援團活動및 空軍輸送團 派遣

□ 醫療支援團 活動狀況

o 兵力現況 (154名) : 異狀없음

o 患者診療 現況

累 計	2.21일	備 考
541명	23명	· 사우디 : 400명 · 이라크 : 43명 · 다국적군 : 98명

0086

□ 空軍輸送團 상황

o 本隊 1진 및 現地協助團 活動
- 兵力 現況(77명) : 이상없음
- 宿營施設(숙소, 식당) 準備 完了
- 철조망 작업 : 800M 계획중 400M 완료(22일 완료 예정)
- 차량 확보(5대)
- 텐트設置(4동)
- 通信線 設置 : 전화 施設中
- 歡迎 行事 : 2. 22일 09:00시 예정
. 장소 : 미군 격납고
. 참석 주요인사 : 한/미 대사, 합참 3차장, 교민대표
사우디 공수지원단장, 현대건설소장

o 本隊 2진 出發 : 2. 22. 05:30
- 兵力 現況(84명) : 미군 항법사 1명 포함
- 알 아인 到着 : 2. 24일 02:30 예정
* 이동경로 관련국 승인 접수

* 인도 공항통과 허가 접수(2.19, 02:38)후 하루만에 허가를 번복, 2진부터 우회 항로 선정

o 飛行任務 開始 : 2. 26일 예정
- 미군조종사 1명 동승 비행(2. 26 - 3. 3)
- 비행 쏘티 : 1일 2 - 3회 출격 예정

o 합참 現地訪問團 活動(합참 제3차장외 3명)
- 공군 수송단 1진 환영 참석(예정)

o 措置事項
- 外務部
. 承認 번복에 대한 強力抗議

- 國防部/合參

. 駐韓 美大使館에 印度側과 協助要請

2. 걸프地域 殘留僑民 撤收現況 (2.22. 04:00現在)

o 8個國에 4,026名 殘留 : 前日과 같음.

國 別	總 員 (91.1.5)	旣 撤收者 (KAL 特別機)	殘留者	備 考
사 우 디	4,980	1,771 (1,272)	3,209	* 특파원 13명 취재활동중
이 라 크	96	88 (37)	8 (현대소속7 공관고용원1	* 현대직원 자녀 2명 별도 잔류
쿠웨이트	9	0	9	개인사업상 잔류희망
요 르 단	66	45 (16)	21	* 특파원14명 취재활동중
바 레 인	335	102 (48)	233	
카 타 르	82	16	66	
U. A. E	658	227	423	
이스라엘	113	56	57	* 특파원 3명 취재활동중
총 8개국	6,331	2,305 (1,373)	4,026	

3. 石油需給 安定施策 推進

□ 政府 備蓄 民生油類 放出 (등유는 2.13부터 방출 중단)

	당 일	누 계
- 계	34.1천B	466.0천B
- 등유	-	61.7
- 경유	34.1	404.3

□ 국내석유 물량 안정적 확보(87일분)

	원 유	제 품	계
- 물량(백만배럴)	75.8	23.5	99.3
- 지속일수(일)	66	21	87

□ 石油船積은 차질없이 추진(걸프지역 유조선 안전 운항중)

o 石油船積 實績 (2. 1 ~ 2.21)

- 原 油 : 15,880千배럴 (計劃對比 93%)
- L P G : 178千톤 (計劃對比 100%)

o 걸프地域 油槽船 運航動向 (6척)

	선적중	선적대기중	진입중	계
- 원유선	-	1	3	4
- LPG선	1	1	-	2

4. 物價安定對策 및 에너지消費 節約 施策 推進

□ 物價安定 對策 推進

ㅇ 物價 關聯部處 次官 懇談會 開催(2.21. 11:00)

ㅇ 物價指導 監視班 運營(내무부,서울시)
- 8,261업소 點檢, 5건 摘發 是正, 警告 措置
- 摘發事例 : 가격미표시, 불량계량기 사용
- * 누계 : 총 372,204업소 점검, 2,423건 적발
  (고발 205건, 시정경고 등 2,218건)

□ 에너지 消費節約 施策推進

ㅇ 車輛 10부제 運行
- 311대(승용차 260, 자가용승용차 51) 摘發, 過怠料 賦課
  * 단속누계 : 6,371대(승용차 5,293, 자가용버스 1,065, 전세버스 13)

ㅇ 네온사인 및 전광판 使用禁止 制限 이행여부 點檢
- 大型(50KW이상) : 전국 336개소 점검결과 양호
- 小型(50KW미만) : 전국 62,250업소중 주로 유흥가 밀집지역 532소 위반, 현장지도계몽

ㅇ 大型建物 실내온도 저하 및 소등 이행여부 點檢
- 서울시외 13개시.도 45개소 점검 결과 1개소 위반, 이행 권고(서울 금오빌딩)

ㅇ 에너지, 물 多消費業所 定期休日制 이행여부 점검
- 인천시외 9개 시.도 44개소 점검결과 위반없음

0090

□ 社會紀綱 確立 活動

ㅇ 석유, 생필품 가격 不當引上, 買占賣惜 등 團束(치안본부)
  - 당일 위반 적발 없음
  * 누계 : 339건 입건(구속99, 불구속 240)

ㅇ 健全 社會 雰圍氣 造成 캠페인, 決意大會
  - 205회 3,895명 참여
  * 누계 : 총 11,878회 980,372명 참여

ㅇ 弘報전단 製作 配布
  - 4,498매(누계 : 13,121천매)

ㅇ 協助 書翰文 發送
  - 58부(누계 : 906,383부)

ㅇ 市.道知事 등 주민과의 대화
  - 75회 4,512명(누계 : 1,957회 174천명)

5. 對테러 警備態勢 強化

ㅇ 要人保護(3政府要人 등 489명) 및 駐韓外國公官.邸 警備 繼續強化 : 75개국 150개시설 (2,286명 배치)

ㅇ 美軍 관련 施設 경비강화 : 20개시설(402명배치)

  * 다국적군의 對이라크 地上戰의 臨迫에 따라 주한 미8군은 산하 전장병 및 가족에 대한 夜間通禁 (18:00 - 06:00)을 제20지원단(관할지역:부산,대구, 경북지역)까지 擴大 實施

Ⅲ. 其他 特記事項

1. 言論보도사항

o 世界日報(2.22)는 北韓의 강력한 不認에도 불구하고

- 87년이후 평양근교의 무기공장에서 每年 50기의 스커드 미사일을 生産하고 있고
- 87~88년 사이 100여기의 스커드탄두를 이란에 販賣하였으며
- 12개의 스커드 발사대를 휴전선 부근에 實戰配置했고
- 최근 평양에 머문 2臺의 이란 점보기에 1백기의 스커드 미사일을 실어 이라크에 供給한것이 확실하다고 보도

o 그 根據로서 합참정보본부의 「北韓의 戰略 情報資料」를 引用

- 北韓은 이미 87년에 이집트에 스커드 B 미사일 프랜트 輸出을 했으며
- 74~89년동안 北韓의 무기수출액(45만 4천불)은 총수출액(203억 6천만불)의 22.3%이었으나 스커드 미사일을 수출한 87년에는 무기수출액(7억 7천만불)이 총수출액(15억불)의 51%에 이른것을 根據로 提示

0092

2. 其 他

o 韓國戰略問題硏究所(所長 洪晟太)는
「걸프戰爭의 戰略的 分析과 韓國安保」題下의 討論會를 開催

- 다국적군의 막강한 尖端火力에도 불구하고 長期戰의 様相을 띄고 있는 걸프戰이 北韓을 誤判케 하여 對南 挑發衝動의 要因이 될 수 있는 반면에
- 유엔決意에 따라 國際社會가 武力對應으로 맞선 것은 北韓의 潛在的 對南 挑發欲求에 쐐기를 박는 兩面的 효과가 있는 것으로 分析하고

o 우리의 對應 과제로서 「戰時抑制力」보다 「平時抑制力」의 중요성을 強調하고

- 對北 早期 警報體制 및 監視能力 강화와
- KFP(차세대 전투기계획)의 전면 재검토 등 MIG29를 능가하는 空軍戰力增強計劃의 補完을 제시하였음.

속 보

2 24
12:00

Bush 대통령 개전 성명 발표(12:00)

o 다국적군 참가국들과 협의후 다시한번 마지막으로 후세인 대통령에게 UN 결의를 이행할 기회를 주었었으나 후세인 대통령은 이에 응하지 않았음.

o 후세인은 오히려 쿠웨이트 파괴와 쿠웨이트 국민 학살 노력을 배가하고 있는 것으로 파악되어 다국적군 참가국 지도자들과 집중적인 협의후에 슈워츠코프 사령관에게 지상병력을 포함한 모든 수단을 동원하여 쿠웨이트로 부터 이라크군을 축출키위한 작전을 수행할 것을 지시 하였음.

o 현재 전쟁은 마지막 단계에 있으며 다국적군이 결정적이고 신속한 승리를 성취할 것임을 믿어 의심치 않는바 다국적군 공격에 참가하고 있는 모든 병사들의 안전을 위해 기도 드릴 것을 요청함.

0094

2　　24
10:45

속 보
다국적군 지상전 전면 개시

o 현지시간 2.24. 04:00(한국시간 10:00) 개시
  - 서방 언론 일제 보도

o 이라크, 쿠웨이트, 사우디 전 국경지대에서 이라크군에 대한 전면 공격
  - 상륙작전 개시여부는 아직 확인되지 않고 있음.
  - 이라크, 지상전 전면 개시후 사우디에 스커드 미사일 공격

o 미국 Bush 대통령 2.24. 12:00(한국시간) 대국민 개전 사실 발표 예정
  - 다국전군 참가 기타국 정상들도 동시 발표 예정

0095

	분류번호	보존기간

발 신 전 보

번 호 : WJA-0819 외 별지참조 종별 :

수 신 : 주 수신처 참조 대사, 총영사

발 신 : 장 관 (미북)

제 목 : 걸프 지상전 개시에 대한 외무부 대변인 성명

정부는 걸프에서의 지상전 개시에 즈음하여 외무부 대변인 성명을 2.24(일) 13:30(서울 시간) 별첨과 같이 발표하였음.

첨부 : 성명문. 끝.

(미주국장 반 기 문)

수신처 : (아주 지역)

주 일본, 호주, 인도, 파키스탄, 뉴질란드, 싱가폴, 말레이시아, 비율빈, 태국, 스리랑카 및 방글라데시 대사

(미주 지역)

주 카나다, 아르헨티나 ~~대사~~, 멕시코, 브라질, 칠레.

(구주 지역)

주 영, 독, 불, 쏘, 이태리, 벨기에, 스페인, 덴마크, 노르웨이, 화란, 터키, 희랍, 체코, 폴란드 및 헝가리 대사

(중동아 지역)

주 사우디, UAE, 바레인, 오만, 카타르, 이란, 모로코, 세네갈, ~~나이제르 대사~~ 및 주 카이로 총영사

보안통제	송.

앙고재	91년 2월 24일	북미과	기안자 성명		과 장	심의관	국 장		차 관	장 관
			김유현		송.		전결			그을

외신과통제

0096

<첨 부>

o 우리는 이라크가 UN 안보 이사회의 제반 결의에 의거한 연합군측 국가의 2.22.자 종전 방안을 거부함으로써 걸프사태가 지상전으로까지 이르게 된 것을 유감으로 생각한다.

o 금번 지상전은 걸프사태 해결을 위한 유엔 안보 이사회의 제반 결의를 이행하기 위하여 취해진 불가피한 조치로서 우리는 미국을 비롯한 연합군측의 이러한 사태해결 노력을 지지한다.

o 우리는 전쟁이 조기에 종결되어 인명피해등 전쟁의 피해가 최소화되고, 걸프 지역의 안정과 평화가 조속히 회복되기를 기대한다.

0097

걸프事態 關係長官
會 議 資 料
(1991.2.25)

外 務 部

0098

1. 戰　況

가. 地上戰 開戰

o 2.24. 04:00 (韓國時間 10:00)

o 多國籍軍의 陸.海.空軍의 全面 攻擊 開始

나. 슈워츠코프 多國籍軍 總司令官 戰果 브리핑 內容 (2.24. 22:00)

o 攻擊 開始 첫날 目標 完全 達成

o 이라크軍 抵抗輕微, 北部 戰線으로 快速進擊

o 5,500명 以上의 이라크軍 捕虜 生捕

o 多國籍軍 28個國中 13個國이 陸.海.空軍 作戰에 參加

- 美.英.佛.이태리.카나다.사우디.UAE.바레인.카타르.오만.시리아.
  쿠웨이트.이집트

다. 쿠웨이트 수복에 3일-3주 所要 豫想 (英國 軍事 專門家)

2. 當部 措置 事項

가. 걸프地域 全公館 포함 主要 公館 非常 勤務 再指示 (2.24. 11:00)

나. 中東地域 僑民 身邊 安全對策 施行 指示 (2.24. 11:30)

o 化生放戰 對備 防毒面 着用 準備

o 有事時 安全地帶 緊急 待避

다. 多國籍軍 支持 外務部 代辯人 聲明 發表 (2.24. 13:30)

o 이라크가 유엔 安保理 決議 履行 拒否로 地上戰 開戰 遺憾

o 유엔 安保理 諸般 決議 履行 위해 취해진 不可避한 措置로서
  우리는 美國 主導 聯合軍側의 事態 解決 努力 支持

o 戰爭이 早期 終結되어 人命被害等 被害가 最小化 되고 域內 安定과 平和가 早速히 回復되기를 期待

라. 쿠웨이트 收復 對備 駐쿠웨이트 大使館 再開 準備

o 收復後 가장 빠른 時日內 關係職員 派遣 豫定

마. 걸프事態 現地調査團 派遣

o 第2次官補外 6個 部處 課長

o 2.24-3.9간 UAE, 이집트, 사우디, 요르단 訪問

o 現地情勢 把握, 周邊國 經濟支援 協議, 戰後 復舊 및 經濟 復興 計劃 關聯 情報 收集, 我國業體 接觸 協議, 僑民 安全對策 點檢

3. 戰後 情勢 展望

가. 域內 情勢 變化

1) 域內 勢力 均衡

o 戰後에도 中東地域에 있어서의 域內 國家間 勢力均衡 構圖에 變化가 있을것이며, 親疎 내지 同盟關係는 一部 調整 豫想

o 이스라엘과 아랍제국과의 對立關係 持續

2) 美國의 主導的 役割

o 戰後 美國의 中東 地域에서의 影響力 增大 豫想

- 아랍圈 전반의 反美 感情 激化는 美國의 影響力 行使에 큰 挑戰

o 中東地域의 經濟復舊 政策을 主導 豫想

3) 蘇聯, 西歐의 影響力

o 蘇聯의 影響力은 相對的으로 減少 豫想

o 英國, 佛蘭西, 獨逸도 過去의 中東 國家와의 緣故權과 經濟力을 바탕으로 中東地域에 대해 影響力 行使 可能

4) 이라크, 쿠웨이트, GCC 國家의 政治的 變化

o 이 라 크

- 후세인 沒落後 親西方 指導者 보다는 反후세인 路線의 國粹的 性向 指導者 擡頭 可能性

- 이라크의 새로운 指導部는 失墜된 國際的 地位 回復, 戰後復舊, 民生安定을 當面課題로 推進 豫想

o 쿠웨이트

- Sabah 王政의 復歸 豫想

- 國內 民主化 勢力 撫摩策 必要(漸進的 政治改革 推進)

o GCC 國家

- 王政 守護에 最大 力點

- 長期的으로는 아랍世界의 潮流에 따라 王政 將來 不透明

- 사우디.쿠웨이트등 GCC 國家 防衛力 大幅 培養 豫想

나. 地域 安保體制 構築 問題

o 西方側의 基本構想

- 域內 軍事 覇權國 擡頭 防止

- 域內國家, 특히 GCC 諸國等 親西方 穩健國家의 主動的 役割

o 集團 安保 體制 胎動 可能性

- 戰後 쿠웨이트, 이라크 國境에는 유엔 平和 維持軍 駐屯

다. 팔레스타인 問題

o 팔레스타인 問題 解決을 위한 國際會議 開催 論議 활발 豫想
但, 美國과 西歐間의 意見對立 豫想

o 西方側의 努力에도 不拘 당분간 팔레스타인 問題 解決 可能性 稀薄

라. 戰後復舊 및 經濟復興

o 反美, 反西方 感情 緩和위해 이라크의 戰後復舊, 아랍世界 經濟復興 必要

o 域內 經濟協力 擴大 및 貧富隔差 解消(地域情勢 安定)

o 大規模 經濟協力機構(開發復興 銀行, 中東版 마샬플랜) 設立 可能性

o 쿠웨이트는 戰後 緊急 復舊 計劃(Awda 計劃)에 의거 最大限의 民生 安定事業 完了後 막대한 保有資金 活用, 大規模 再建 計劃 實施 展望 (今後 5年間 600-1,000억불 投入 展望)

Awda 計劃

90.8. 以後 쿠웨이트 亡命政府가 쿠웨이트 수복 直後 實施할 緊急 復舊 및 民生 安定 計劃으로 成案

4. 우리의 對應策

가. 政治的 對應策

o 對中東 政策 全般 美側과 緊密 協議

o 主要 國家에 特使 派遣, 關係 强化

o 새로운 安保體制에 대한 우리의 寄與 可能分野 確認 支援

o 이집트 및 시리아와의 修交 推進

o 팔레스타인 關係는 國際的 趨勢 檢討後 定立

o 이란과의 關係 深化

나. 經濟的 對應策

o 戰後 復舊計劃 積極 參與 (必要時 事前 復舊寄與 發表)

o 戰後 經濟 復興 開發基金 出捐 檢討

o 原油 安定 供給 (供給先 多元化)

o 生必品, 醫藥品等 人道的 支援 提供

경 제 기 획 원

대총 10500- 156 503-9130 1991. 3. 2

수신 수신처 참조

제목 관계기관 대책회의 결과

1. 대총 10500-147('91.2.27)과 관련입니다.

2. 상기 회의결과를 아래와 같이 통보하오니 특히 작업일정을 꼭 지켜 주시기 바랍니다.

-다 음-

가. 기관별 업무분담

(1) Gulf 종전과 국제경제질서의 개편(경기원, 외무부, KIEP)

(2) 세계경제 및 무역전망(경기원, 상공부, 한국은행, KDI)

(3) 전후복구사업의 규모 및 경쟁국의 참여동향 분석(외무부, 상공부, 건설부)

(4) 국제경제질서변화에의 대응 (경기원, KIEP)

(5) 중동지역 복구사업에의 참여방안(상공부, 건설부, 보사부, 체신부, 해외건설협회)

나. 작업일정

- 3. 6 관계기관별 초안작성, 경기원 송부
- 3. 7 경기원에서 종합보고서 초안 작성
- 3. 8 2차 관계기관회의 개최, 종합보고서 초안 검토
- 3초순 검토의견 수렴후, 종합보고 끝

경 제 기 획 원 장 관

수신처 : 외무부장관, 재무부장관, 상공부장관, 건설부장관, 보사부장관, 체신부장관, 한국은행장, KDI 원장, KIEP 원장, 해외건설협회장

0104

5661

관계기관 대책 회의자료

1. 전후 국제 경제 질서 개편 전망

   o 미국등 서방국가들은 석유 자원의 안정적 확보를 위해 중동지역의 안보 협력 체제 구축 강화가 예상되며, 미국의 대중동 영향력이 강화되는 반면 소련은 상대적으로 약화 될것임.

   o 다국적군에 참여 내지 동조한 이집트, 사우디, 시리아 및 이란등 아랍권 국가들의 영향력이 증대되는 반면 이라크는 군사강국 으로서의 지위를 상실할 것임.

   o 전쟁 특수로 인해 전반적 세계 경기는 약간 자극 받을 것이나, 미국 및 서방국의 경기 후퇴 및 일본 경기 감소 경향은 지속될 것으로 예상됨.

   o 미국 및 서방국은 반미.반서방 감정완화 및 이라크의 재도발 방지를 위해 이라크의 전후 복구 및 아랍세계 경제 부흥책을 적극 강구할 것임.

   o 전후 복구자금 조달을 위해 개발은행, 부흥기금, 중동판마샬플랜, 경제협력기금등이 거론되고 있으며, OPEC은 원유 감산과 회원국간 생산량을 재할당할 움직임을 보이고 있어, 회원국 불화 가능성이 예견되며, 국제 유가 조정 관련 입장이 강화된 사우디와 미국의 역할이 증대될 것으로 예상됨.

   o 유가는 종전 직후 일시적 현상으로 10-12불선까지 하락 예상되나, 수요증대 시기인 금년 하반기 경에는 20-23불선까지 상승 예상됨. OPEC 내에서는 유가안정을 중시하는 사우디가 경기하강 국면에 있는 미국을 배려, 20불선을 초과치 않도록 조정 노력을 계속할 것이 예상됨.

   o 쿠웨이트는 전후 긴급 복구 계획에 의거 최대한의 민생안정 사업 완료후 막대한 해외재산 활용, 대규모 재건계획 실시 전망.
   (금후 5년간 600-1,000억불 투입 예상)

   o 이라크는 전후 복구에 1000-2,000억불의 소요가 추정되나 전후 복구업에 많은 난관 예상

2. 전후 복구사업 규모 및 경쟁국 참여 동향

   가. 규 모

      o 쿠웨이트 : 600-1,000 억불 (향후 5년)

      o 이 라 크 : 1,000-2,000 억불 (향후 10년)

0105

나. 사업 추진 단계

o 제1단계 : 약 90일간 초기단계 기본 서비스시설 및 도로 항만 복구

미국 공병대 3개월간 쿠웨이트내 각종 폭발물 제거,

피해조사, 긴급 복구공사 계획 수립, 설계, 발주공사

감리등 용역사업 4,500만불기 수주

o 제2단계 : 3-5년간 국가 기간산업시설 영구 복구

다. 중동 복구 지원 계획

o IMF/IBRD를 통한 복구지원 (피해상황 및 소요액 산정)

o 중동 부흥 개발 은행 설립 (베이커 미국무장관 제안 : 중동지역 경제 부흥을 위해 각국 출자로 설립)

o 쿠웨이트 망명정부에 의한 복구계획 (워싱턴에서 쿠웨이트 긴급 재건 프로젝트 <KERP>를 발족, 현재 사우디 담맘으로 이전함. 망명정부 기획 본부내에 위치하면서 90일간 초기단계 긴급 복구 사업 상담 및 계약 체결 수행)

라. 각국 사업 참여 동향

o 쿠웨이트 정부는 복구사업 참여 대상국 선정 명분을 군사적 지원 보상에 두고, 특히 미.영.사우디 우선 방향으로 추진

o 긴급 복구사업(3개월간)에는 미국 COE에 의해 미국 12, 영국 10, 사우디 10, 불란서 2, 쿠웨이트 1, 사이프러스 1개사등 36개사 초청됨 (2.20. 마감)

o 현재 8억불 상당의 약 200여건 긴급물자 조달, 인력 및 장비 공급등 계약이 대부분 미국계 회사(174개)와 기체결

o 직접적 피해가 없는 사우디는 도로 및 파괴물 청소사업에 참여 추진 중이며, 이미 위험건물 붕괴 작업(5,800만불) 수주

o EC

- 망명 쿠웨이트 정부가 기히 미국과 단독계약을 체결한데 대해 불만표시. 이러한 초기 관행이 앞으로 계속될 것에 우려
- 회원국별 응분의 참여 희망

o 독일, 일본

- 걸프전에 대한 소극적 자세 고수로 전후 복구사업 적극 참여 기대난
- 이라크 복구사업 참여가 유리하다는 차원에서 검토중

0106

관계기관 대책 회의자료

1. 전후 국제 경제 질서 개편 전망

- o 미국등 서방국가들은 석유 자원의 안정적 확보를 위해 중동지역의 안보 협력 체제 구축 강화가 예상되며, 미국의 대중동 영향력이 강화되는 반면 소련은 상대적으로 약화 될것임.
- o 다국적군에 참여 내지 동조한 이집트, 사우디, 시리아 및 이란등 아랍권 국가들의 영향력이 증대되는 반면 이라크는 군사강국 으로서의 지위를 상실할 것임.
- o 전쟁 특수로 인해 전반적 세계 경기는 약간 자극 받을 것이나, 미국 및 서방국의 경기 후퇴 및 일본 경기 하락 추세는 지속될 것으로 예상됨.
- o 미국 및 서방국은 반미.반서방 감정완화 및 이라크의 재도발 방지를 위해 이라크의 전후 복구 및 아랍세계 경제 부흥책을 적극 강구할 것임.
- o 전후 복구자금 조달을 위해 개발은행, 부흥기금, 중동판마샬플랜, 경제협력기금등이 거론되고 있으며, OPEC은 원유 감산과 회원국간 생산량을 재할당할 움직임을 보이고 있어, 회원국간 불화 가능성이 예견되며, 국제 유가 조정 관련 입장이 강화된 사우디와 미국의 역할이 증대될 것으로 예상됨.
- o 유가는 종전 직후 일시적 현상으로 10-12불선까지 하락 예상되나, 수요증대 시기인 금년 하반기 경에는 20-23불선까지 상승 예상됨. OPEC 내에서는 유가안정을 중시하는 사우디가 경기하강 국면에 있는 미국을 배려, 20불선을 초과치 않도록 조정 노력을 계속할 것이 예상됨. 유가는 18-20불선이 산유국, 소비국 공히 적절한 수준으로 보는 것이 일반적 견해임.
- o 쿠웨이트는 전후 긴급 복구 계획에 의거 최대한의 민생안정 사업 완료후 막대한 해외재산 활용, 대규모 재건계획 실시 전망.
  (금후 5년간 600-1,000억불 투입 예상)
- o 이라크는 전후 복구에 1000-2,000억불의 소요가 추정되나 전후 복구사업에 많은 난관 예상.

0107

. 전후 복구사업 규모 및 경쟁국 참여 동향

가. 규 모

o 쿠웨이트 : 600-1,000 억불 (향후 5년)

o 이 라 크 : 1,000-2,000 억불 (향후 10년)

나. 주 쿠웨이트 전후 복구사업 추진 단계

o 제1단계 : 약 90일간 초기단계 기본 서비스시설 및 도로 항만 복구 위해 약 500억불 소요 예상, 그중 8억불 상당 200건 계약 체결 (미국이 174건 수주)

o 미국 공병대 3개월간 쿠웨이트내 각종 폭발물 제거, 피해조사, 긴급 복구공사 계획 수립, 설계, 발주공사 감리등 용역사업 4,500만불 기수주

o 쿠웨이트 망명정부에 의한 복구계획 (워싱턴에서 쿠웨이트 긴급 재건 프로젝트 <KERP>를 발족, 현재 사우디 담맘으로 이전함. 망명정부 기획 본부내에 위치하면서 90일간 초기단계 긴급 복구 사업 상담 및 계약 체결 수행)

o 제2단계 : 3-5년간 국가 기간산업시설 영구 복구위해 500억불 정도 소요.

다. 중동 복구 지원 계획

o IMF/IBRD를 통한 복구지원 (피해상황 및 소요액 산정)

o 중동 부흥 개발 은행 설립 (베이커 미국무장관 제안 : 중동지역 경제 부흥을 위해 각국 출자로 설립)

o 일본은 국제기구 보다는 양자 협력에 중점, 사우디도 과거 아랍 개발 은행, 아랍기금등 경험에 비추어 기구의 문제 보다는 운영의 문제가 더 중요하다는 의사 표명, 따라서 기구 신설 보다는 행동계획 형태로 개발 계획 추진 가능성.

라. 각국 사업 참여 동향

o 쿠웨이트 정부는 복구사업 참여 대상국 선정 명분을 군사적 지원 보상에 두고, 특히 미.영.사우디 우선 방향으로 추진, 한국은 과거 중동에서의 경험과 금번 전쟁에서의 기여에 비추어응분의 참여를 하게 될 것임을 쿠웨이트 각료들이 언급

o 긴급 복구사업(3개월간)에는 미국 COE에 의해 미국 12, 영국 10, 사우디 10, 불란서 2, 쿠웨이트 1, 사이프러스 1개사등 36개사 초청됨 (2.20. 마감)

0108

o 현재 8억불 상당의 약 200여건 긴급물자 조달, 인력 및 장비 공급등 계약이 대부분 미국계 회사(174개)와 기체결

o 직접적 피해가 없는 사우디는 도로 및 파괴물 청소사업에 참여 추진 중이며, 이미 위험건물 붕괴 작업(5,800만불) 수주

o EC

- 망명 쿠웨이트 정부가 기히 미국과 단독계약을 체결한데 대해 불만표시. 이러한 초기 관행이 앞으로 계속될 것에 우려
- 회원국별 응분의 참여 희망

o 독일, 일본

- 걸프전에 대한 소극적 자세 고수로 전후 복구사업 적극 참여 기대난
- 이라크 복구사업 참여가 유리하다는 차원에서 검토중

0109

報告畢

長 官 報 告 事 項

1991. 3. 4.
美 洲 局
安 保 課(13)

題 目 : 걸프戰爭後 國際秩序 變化와 韓國安保에의 影響

걸프戰爭은, 東.西冷戰 終熄이후 新國際秩序의 定立方向을 보다 분명히 한 동시, 향후 韓國의 安保環境에도 상당한 影響을 미칠 것으로 評價되는바, 관련 事項 檢討結果를 아래 報告드립니다.

걸프事態이후 新國際秩序 定立方向과 한계

o 걸프事態를 계기로, 냉전 종식이후 新國際秩序 정립의 기본방향 및 한계 가시화
- 냉전종식이후 世界秩序는 協力.和解를 토대로 한 多極化體制로 전환 예상
- 國際問題 해결에 있어 軍事力이외에 政治的.外交的 努力 및 經濟力의 중요성 입증
- 따라서 금번 事態와 같은 局地的 地域紛爭 발발에 대비, 協力.和解에 기반을 둔 相互 依存的 國際協力體制 構築 필요성 대두

o 금번 事態 해결에 있어 힘의 우위를 바탕으로 先導的 役割을 입증한 美國은 향후 新國際秩序 정립 과정에서 아래 政治的.外交的 노력 강화 예상
- 人權保護等 自由民主主義 原則, 自由貿易등 市場 經濟 原理를 신국제질서의 기본 이념으로 확산

공람	안보과	91 년 3월 4일	담 당	과 장	심의관	국 장	차관보	차 관	장 관
			김병제	(서명)	(서명)	(서명)			

0110

長 官 報 告 事 項

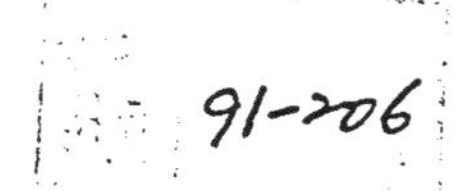

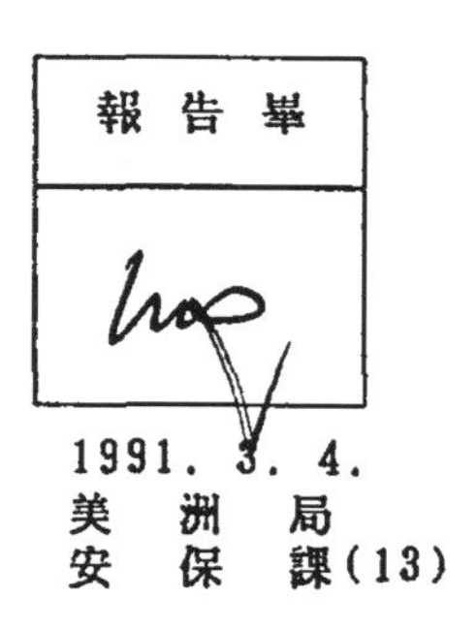

1991. 3. 4.
美 洲 局
安 保 課(13)

題 目 : 걸프戰爭後 國際秩序 變化와 韓國安保에의 影響

걸프戰爭은, 東.西冷戰 終熄이후 新國際秩序의 定立方向을 보다 분명히 한 동시, 향후 韓國의 安保環境에도 상당한 影響을 미칠 것으로 評價되는바, 관련 事項 檢討結果를 아래 報告드립니다.

걸프事態이후 新國際秩序 定立方向과 한계

o 걸프事態를 계기로, 냉전 종식이후 新國際秩序 정립의 기본방향 및 한계 가시화
  - 냉전종식이후 世界秩序는 協力.和解를 토대로 한 多極化體制로 전환 예상
  - 國際問題 해결에 있어 軍事力이외에 政治的.外交的 努力 및 經濟力의 중요성 입증
  - 따라서 금번 事態와 같은 局地的 地域紛爭 발발에 대비, 協力.和解에 기반을 둔 相互 依存的 國際協力體制 構築 필요성 대두

o 금번 事態 해결에 있어 힘의 우위를 바탕으로 先導的 役割을 입증한 美國은 향후 新國際秩序 정립 과정에서 아래 政治的.外交的 노력 강화 예상
  - 人權保護等 自由民主主義 原則, 自由貿易등 市場 經濟 原理를 신국제질서의 기본 이념으로 확산

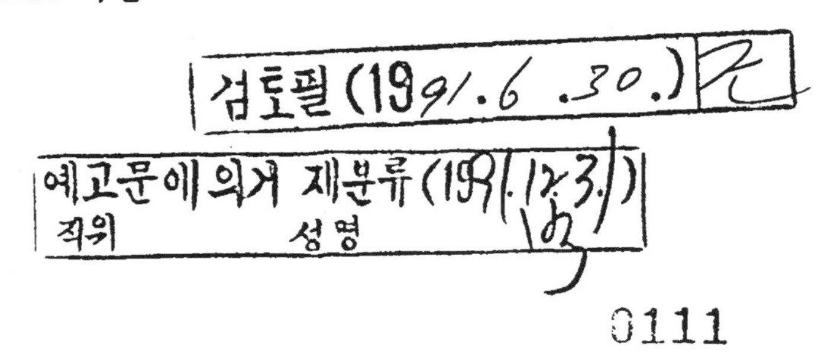

0111

- 紛爭地域에 대한 武器 流入 防止, 核 및 미사일 擴散統制로 潛在的인 地域 안보위협 방지
- 美國의 均衡者的 役割을 바탕으로 유럽, 中東, 東北亞等 소지역별 平和 維持體制 확립 주도
- 평화와 질서 파괴 행위에 대한 국제사회 공동 응징체제 제도화
- 國際的 努力에 대한 기여 評價및 防衛 分擔 體制 강화

o 한편, 국제문제 해결에 있어 强大國間 相互協議와 공동 보조 필요성도 증대
- 걸프사태 해결시 美國의 힘의 한계 노정
  . 支持 國家 確保 努力 및 이들로부터의 人的.物的 支援 필요
- 蘇聯, 中國等은 自國 利益을 위한 獨自 행동 경향 표출
- EC, 日本等은 자국 經濟力에 비례하는 발언권 증대 요구 전망

o 향후 國際秩序 운용시 주요 强大國間 協力이 지배하는 지역별 세력 균형 현상도 대두 전망
- 주요 强大國들간 「國家 利益」현실에 기초한 국제질서 운용
- 단, 政治的.經濟的 相互協力에 의거한 공동 안보 필요성 인식

韓國安保에의 影響과 對應策

(軍事 安保的 側面)

o 걸프事態는, 탈냉전 전환기적 상황하에서 일어날 수 있는 국지적 분쟁, 또는 군사모험주의에 대한 集團的 무력응징 교훈 제공
- 北韓의 軍事的 모험시도에 대한 견제 효과
- 多國籍軍 편성등 집단 安保措置 機能 가동으로 유엔의 平和維持 역할 강화

0112

o 걸프戰爭을 契機로 美國은 기존 駐韓美軍 역할 재조정 정책 추진과 함께 北韓의 잠재적 위험성을 감소시킬 「韓半島 安定化」 政策 병행 추진 예상

- Powell 合參議長이 언급한 「4個軍」槪念의 구체적 적용 예의 주시

  . 駐韓美軍의 급격한 減縮이나 전방 배치 개념 자체의 변경 可能性은 희박

  . 그러나, 駐韓美軍의 構造改編 및 段階的 減縮 가속화와 駐韓 및 駐日 美軍의 긴급배치군으로의 활용 가능성 검토 예상

- 核, 미사일등 高度 大量 殺傷武器의 韓半島 擴散 防止 노력 적극화

- 한반도 긴장완화를 위하여 유럽에서의 信賴構築 및 軍縮 경험을 韓半島에 적용시키기 위한 多者安保協力 방안 모색 가능

o 韓國으로서는, 北韓의 軍事威脅에 대한 준비태세를 유지.보완하면서, 안보수요 자체의 減縮을 위한 정책 적극 추진 필요

- 駐韓美軍의 減縮等 美國의 전방 배치 兵力 再調整 가속화에 대비

  . 韓.美間 軍事 協力關係를 동반자적 관계로 재조정

  . 駐韓美軍 役割 變更을 적극 수용

  . 韓.美間 고도 尖端兵器 및 技術 協力 推進

  . 유사시 미 증원군 파견을 위한 군사적.제도적 장치 정비 강화

- 南.北韓 軍縮, 軍備統制 실현을 위한 구체적 시행 정책 수립 및 積極 推進

o 향후 美側의 防衛費 分擔 增額 요구가 더욱 강화될 것임에 따라 자주적 대응 정책 수립 필요

- 「자주적인 방위비 분담」이라는 기본 개념 재정립

- 防衛費 分擔의 포괄적인 운용 방법 再檢討

0113

(政治.外交的 側面)

o 향후 美國은 힘의 우위를 바탕으로 한 均衡者的 立場에서 지역별 安保協力 논의를 주도해 나갈 것으로 예상
  - 지역별로 내재하는 갈등, 安保威脅 해소 필요성 인식

o 걸프사태 해결 과정에서 나타난 유엔의 증대된 役割, 强大國間의 협의가 요구되는 雰圍氣等을 韓半島 問題 해결에 활용
  - 東北亞에 대한 新國際秩序 개념 적용을 위한 域內 主要國들간 國際 協力 方案 모색 및 이를 통한 北韓의 開放.改革 유도
  - 한.미.일간의 정책 협의 강화

o 東北亞地域 다자 安保協力體 추진에 있어 韓.美 공동 이니셔티브 모색 필요
  . 韓半島 安保問題가 東北亞地域 安保의 핵심
  . 韓.美, 美.日 기존 安保協力體 유지와 병행

(經濟的 側面)

o 전후 新國際秩序의 한 형태로서 자유무역 강화를 위한 美國의 通商壓力 가중 예상

o 韓國의 全般的인 經濟發展 수준에 비추어 自由貿易主義 체제는 國益에 유리한바, 이를 위한 국제노력에 적극 참여
  - 우루과이 라운드등 多者間 通商交涉에 伸縮性있게 대응
  - 보호무역주의, 무역블록 형성에 반대하는 입장 견지

o 걸프事態에서 노정된 과도한 에너지 소비 및 對中東 석유 의존도등 韓國經濟의 취약점 개선 필요

0114

- 에너지 사용의 效率性 增大를 위한 정책을 國家 安保的 次元에서 지속적으로 추진
- 太陽熱 利用, 再生에너지등 代替 에너지 開發 努力도 強化
- 원유 수입선 다변화 노력

o 「東北亞 經濟圈」 形成 可能性 探索
  - 시베리아, 만주, 南.北韓,日本을 포괄하는 東北亞地域內의 經濟.社會 文化的 交流 增大 모색
  - 域內 地域間의 호혜적인 의존성과 보완성 창출 노력

- 끝 -

0115

걸프 戰後 中東秩序 再編 展望과 우리의 對應策

1991. 3.

外 務 部

0116

I. 中東秩序 再編 展望

1. 戰後 中東의 政治構圖

가. 域內 勢力 均衡 變化

o 戰後에도 中東地域에 있어서 特定國의 主導的 影響力 行使를 防止한다는 域內國家間 勢力均衡 原則에는 變化가 없을 것이나 그 構圖에는 變化 豫想

- 이집트, 사우디, 이란, 이라크, 시리아등 中東政治 主役들의 離合. 集散을 통한 均衡과 牽制가 戰後에도 勢力關係의 基本 骨格이 될것임.
- 또한 穩健勢力(사우디, 이집트등)과 强硬勢力(이란, 시리아등)間의 對立關係와 아랍富國(GCC 國家)과 貧國(시리아, 예멘, 요르단)間의 反目, 시아파(이란)와 수니파(사우디)의 對立도 繼續 作用
- 今番 戰爭을 契機로 이라크의 中東政治의 主役으로서의 役割喪失, 시리아, 요르단, PLO 등의 立場變化 및 이란, 터어키의 强力한 政治的 軍事的 役割이 中東 版圖形成에 새 要素로 作用豫想

o 이스라엘과 아랍 諸國과의 對決關係는 繼續 宿題

나. 美國의 主導的 役割

o 戰爭中 美國의 壓倒的 役割에 비추어 戰後 美國의 影響力은 크게 增大될 것으로 豫想되며 美國 스스로도 中東秩序 再編過程에 있어 主導的 役割을 遂行코자 할것임.

o 다만 아랍권 全般의 反美感情 擴大로 美國의 影響力 行使에 挑戰이 豫想되므로 中東 經濟 復興 參與等 이의 撫摩를 위한 努力과 더불어 美地上軍의 駐屯等 아랍 感情을 磁極하는 措置는 삼가할 것임.

0117

다. 蘇聯, 西歐의 影響力 變化

o 蘇聯은 今番 戰爭을 契機로 顯著하게 弱化된 中東에서의 自國의 影響力 挽回를 위한 努力 傾注豫想

- 美國의 中東 本格進出 牽制를 위하여 歷史的으로 中東에 利害關係가 많은 蘇聯, 佛蘭西는 相互 提携 豫想

o 이는 美.蘇間 새로운 葛藤의 素地가 되어 脫冷戰 過程의 障碍要因이 될 可能性

- 美國은 地上戰 開始前에 부시 大統領이 고르바쵸프 大統領에게 直接 事前 通告, 베이커 中東 巡訪길에 戰後 處理問題, 頂上會談 開催 問題 協議 위해 모스크바 訪問等 對蘇 配慮

o 英國, 佛蘭西等 西歐勢力도 中東 國家와의 緣故權과 經濟力을 바탕으로 中東地域에 대해 影響力 維持

o EC는 걸프事態 勃發以後 終戰時까지 分裂된 모습 보여 허탈감과 自省論 擡頭되고 있으나 會員國間 利害關係 差異로 戰後 處理에 共同立場 定立 疑問視

라. 이라크, 쿠웨이트, GCC 國家등 아랍권의 政治的 變化

o 이 라 크

- 사담 후세인 沒落後 親西方 指導者 보다는 反후세인 路線의 國粹的 性向 指導者 擡頭 可能性 있으나 軍事大國 으로서의 地位 回復은 相當期間 不可能視

- 이라크의 새로운 指導府는 失墜된 國際的 地位回復, 戰後復舊, 民生 安定을 當面課題로 推進豫想

0118

- 戰後 中央統制 약해지면 基本的으로 多民族國家인 이라크는 國內情勢 不安 招來되어 地域 安定을 威脅할 可能性

o 쿠웨이트

- 戰後 復舊가 王政의 最優先 課題
- 國內 民主化 要求를 收容, 漸進的 政治改革 推進 豫想
- 對外的로는 安保目的의 對美依存度 深化

o 기타 GCC 國家

- 王政 守護 및 軍備增强을 通한 安保에 最大 力點
- 一般國民의 反王政 感情을 考慮한 各種 改革政策 實施 不可避

o 아랍 聯盟

- 今番 걸프事態로 會員國間의 葛藤 深化로 當分間 聯盟 弱體化

마. 유엔의 役割增大

o 今番 多國籍軍의 戰爭名分이 유엔決議의 履行에 있었으며 戰後 平和維持軍도 유엔 主導下에 派遣豫想

o 蘇聯도 美國의 直接的인 影響力 排除를 爲하여 유엔의 積極 介入을 希望

2. 地域 安保體制 構築

가. 西方側의 基本構想

o 域內 軍事 霸權國 擡頭 防止

o GCC 諸國等 親西方 穩健國家의 主導的 役割

o 쿠웨이트 國境線 安全 保障 및 이라크 領土 保全

o 大量 殺傷武器 포함 軍備統制

0119

나. 集團 安保 體制 胎動 可能性

o 걸프地域의 安保를 위하여 GCC 6個 會員國과 이집트, 시리아등 8個國으로 構成되는 아랍 平和維持軍 創設 合議(3.6. 다마스커스 宣言)

- 美, 英, 佛은 地上軍을 撤收하고 海, 空軍力만 걸프域內 維持
- 이집트, 시리아는 兵力支援의 大家로 GCC 國家로 부터 經濟 援助를 受惠 (이집트에 150억불설)

o 美國은 親美 아랍권 8個國과 터키를 連結하는 中東安保 體制 摸索 可能性

o 蘇聯은 弱化된 國際的 影響力 回復을 위하여 外交目標를 中東에 集中, 이란, 이라크등 國家와 3角體制 結成으로 對應 可能性

3. 팔레스타인 問題 解決 努力

o 西方側은 아랍, 이스라엘 紛爭解決을 위한 努力 倍加 豫想

- 특히 이스라엘의 對시리아 關係改善 誘導
- 팔레스타인(West Bank)과 요르단이 聯邦國家로 統合하는 方案 構想(GCC등)

o 그러나 아랍 占領地 撤收에 대한 兩側의 强硬한 立場과, 이라크 미사일 攻擊에 대한 이스라엘의 報復自制等 걸프戰 寄與를 勘案할때, 西方側의 努力에도 不拘 當分間 팔레스타인 問題 解決 可能性 稀薄

0120

Ⅱ. 戰後 經濟 復興

1. 戰後 復舊 및 經濟復興

- o 쿠웨이트는 戰後 緊急 復舊 計劃에 의거 最大限의 民生 安定事業 完了後 莫大한 海外 財産 活用, 大規模 再建 計劃 實施 展望
  (今後 5년간 600-1,000억불 투입 예상)
- o 이라크는 戰後復舊에 1,000-2,000억불의 所要가 推定되나 戰後 復舊事業에 많은 어려움 豫想
- o 西方은 反美, 反西方 感情緩和 및 이라크의 再挑發 防止를 위하여 이라크의 戰後 復舊, 아랍世界 經濟復興 構想
- o GCC 國家들의 安保體制 强化 위한 軍事施設 追加建設 및 政治的 安定을 위한 各種 社會 間接資本建設이 늘어날 展望
- o 地域情勢 安定을 위한 貧富 隔差 解消 및 經濟成長 促進
- o 資金調達을 위하여 開發銀行, 復興基金, 中東版 마샬플랜, 經濟協力 基金等 擧論. 그러나 過去 이地域 에서의 유사한 기구가 實效를 거두지 못했음에 비추어 새로운 기구의 創設 보다는 "걸프 프로그람"같은 行動計劃에 重點을 두는 方向으로 推進 可能性

2. 原油問題

- o 戰爭復舊 資金調達을 위한 생산쿼타 增量 및 價格問題로 域內 原油 生産國間 不和 可能性
- o 戰後 國際 原油價格 調整關聯, 美國 役割 增大 豫想

0121

o 배럴당 18-20불선이 産油國, 消費國에게 共히 適正價格이라는 것이 大體的인 意見

o 쿠웨이트 油田 復舊에 9個月-1年 所要 展望 (~~전전상실~~ 水準 生産 1-2年 所要) 이라크의 경우는 1年 所要

0122

Ⅲ. 우리의 對應策

1. 基本的 考慮事項

가. 中東地域에서는 今後에도 各國의 利害關係가 相衝하는 不安定한 政治秩序가 繼續되고 이슬람 原理主義 思想, 反王政 感情의 擴散 等으로 걸프 諸國의 現 政權 將來 不確實

나. 西方側은 戰爭의 勝利에도 不拘 反美, 反西方 感情 惡化, 今後 이스라엘.아랍關係에 있어 이스라엘의 非妥協的 姿勢 및 蘇聯의 牽制等으로 對中東政策 遂行에 있어 큰 負擔을 지게될 것임.

다. 中東地域은 世界 石油 埋藏量의 65%를 占함으로써 이지역이 西方의 經濟, 安保 利益을 위해 차지하는 比重은 계속 莫重할 것임.

라. 今後에도 相當한 金額의 石油 收入을 活用한 建設工事와 商品輸入이 活潑할 것이므로 戰後 復舊事業, 工事 受注 및 商品輸出을 위한 各國의 競爭이 熾烈함.

마. 我國은 걸프事態 關聯 유엔安保理 決議 支持, 多國籍軍 支援을 통해 國際社會 一員으로서 責任을 遂行하고 美國等 友邦과 協力關係를 增進 함으로서 우리의 國際的 位相을 提高하고 戰後 復舊事業 參與 基盤을 造成

0123

2. 政治的 對應策

가. 基本方向

o 中東地域의 政治的 特性에 비추어 特定國家에 너무 偏重하는 政策 回避하고 對中東 均衡 外交遂行

o 基本的으로 雙務關係 强化를 위한 努力 繼續하되 中東平和를 위한 國際的 努力에도 參與 可能性 摸索

나. 域內 個別國과의 關係强化

o 사우디等 GCC 國家와는 旣存友好關係 强化

o 이라크와는 後繼政權이 樹立되는 대로 關係强化 努力

o 이집트, 시리아와의 修交推進 (前線國家 經濟支援 最大 活用)

o 對 이스라엘 關係 調整問題는 中東情勢 推移를 보아 檢討

o 팔레스타인 問題解決을 위한 國際的 努力 支援

다. 域外國家와의 協調體制 維持

o 傳統的 影響力 行使國인 美.英.佛.蘇等과의 協調體制 維持

라. 戰後 걸프地域 主要國家에 特使 派遣

o 國際政治 舞臺에서의 數的 比重에 비추어 韓半島 問題關聯 아랍권의 支持 確保 努力 繼續

마. 戰後 걸프지역 安保體制 構築과 關聯, 우리의 寄與 可能分野를 確認, 支援

o 걸프국과의 雙務 軍事 協力 擴大 (軍事 交流, 操縱士 訓練等)

o 對中東 武器輸出 統制等 軍備管理體制 參與

바. 팔레스타인 基金, 레바논 支援基金等 各種 中東平和基金 參與 擴大

사. GCC 公館長會議 定例化 및 中東地域 公館 整備計劃 調整 (카타르)

0124

3. 經濟的 對應策

가. 基本 方向

o 戰爭 被害國에 대한 緊急 援助 提供 檢討

o 戰後 復舊計劃 및 餘他 中東國家의 建設工事, 積極 參與 및 商品 輸出 增大

o 原油의 安定的 供給先 確保

o 戰後 經濟復興 開發 基金 출연으로 各種 프로젝트 參與

o 걸프地域에 多數 勞動力 輸出한 아시아國家에 대한 經濟 援助 檢討 (파키스탄, 방글라데시, 인도, 비율빈, 태국등)

나. 緊急 援助 施行

o 醫藥品, 食水等 緊急 人道的 援助

o 콜레라등 傳染病 發生地域 醫療支援

o 原油流出, 油井 損失에 따른 環境破壞 對策 支援

다. 쿠웨이트 復舊 計劃 參與

o 協力 可能分野 쿠웨이트측과 協議

- 過去 쿠웨이트에서의 工事 實績, 經驗 및 旣存 裝備 活用
- 電氣, 通信, 上下水道等 技術者로 構成된 緊急 復舊 支援團 쿠웨이트 派遣, 支援 提供

o 我國業體, 單獨 受注 또는 美, 英, 사우디, 이집트 會社等과 共同 受注 또는 合作 및 下請 進出 積極 推進

o 我國의 工事 可能分野 計劃書 作成, 쿠웨이트측에 提出 必要

o 쿠웨이트 緊急 再建 프로젝트(KERP)팀과의 接觸 强化

0125

라. 이라크 復舊事業

o 이라크의 어려운 財政 事情으로 今後 相當한 期間 國際的 支援에 의한 復舊 工事 推進 展望

o 戰後 民生安定을 위한 基本施設 工事는 着手될 것임으로 適切한 時期에 我側의 參與 計劃案 提示

o 原油를 建設代金으로 受領하는 形態의 復舊事業 檢討 (原油를 擔保로한 國際 金融機構의 借款 供與, 戰後復舊, 賠償 實現 可能性)

o 戰後 生必品, 醫藥品等 一部 人道的 支援 提供

마. 商品輸出增大

o 戰後 모든 基本物資 大量 購入 不可避

- 戰爭中 GCC 國家에 非友好的 立場을 취한 팔레스타인, 요르단, 예멘, 수단 출신의 勤勞者 逐出로 인도, 이집트, 방글라데시 勤勞者의 大量 유입 展望에 따라 我國産 中低價 家電製品, 纖維製品 新規 所要 豫想

o 我國業體 積極的 輸出 活動 必要

바. 原油의 安定的 供給先 確保

o 戰後 原油生産 過剩現象, 先進國의 에너지 節約 傾向 擴散으로 我國의 原油 導入 物量 確保에는 問題 없을 것임.

o 그러나 豫測할 수 없는 緊急事態 發生에 對備, 主要 供給國家 (오만, UAE, 사우디, 이란, 쿠웨이트, 이라크)와의 緊密한 關係 維持

o 中長期的으로는 中東地域 依存度(90년도 73%)를 낮추는 努力 必要 (我國이 世界 原油 輸入國家中 中東 依存度 最高, 美國도 中東 依存度 減少 및 代替에너지 開發을 重要 課題로 設定)

0126

번호 91/980

외무부 제1차관보 출장결과 보고서

(91. 3. 5 - 3. 13)

출 장 목 적

- 걸프전후 중동질서 개편 및 경제 복구에 대한 미측 구상 파악
- 룩셈부르크 개최 걸프사태 재정지원국 조정회의 참석

91. 3. 14.

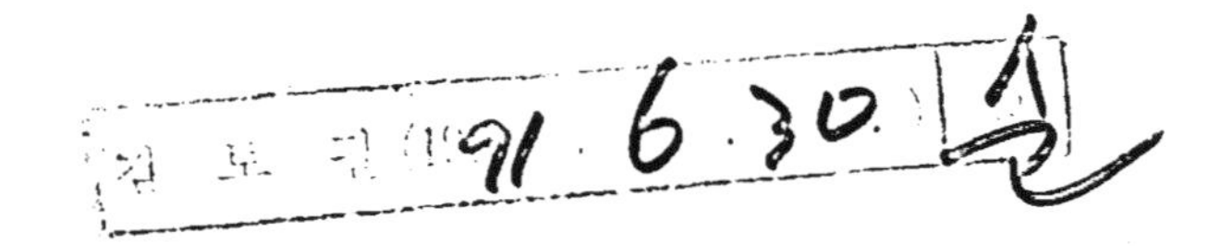

제2차관보:

중동아국장:

0127

- 목 차 -

0128

I. 출장 개요

1. 출장 기간 : 91.3.5(화) - 3.13(수)

2. 출장 목적 :

- 걸프사태 이후 미국의 중동질서 재편 및 경제복구계획 파악
- 걸프사태 재정지원 공여국 조정위 제5차회의 참석
- 외무장관 방미문제등 협의

3. 출 장 자 :

가. 미 국(91.3.5-9) : 이정빈 외무부 제1차관보
김규현 외무부 북미과 사무관

나. 룩셈부르크(3.11. 걸프사태 재정지원 공여국 조정위원회 제5차 회의참석)

- 단 장 : 이정빈 제1차관보
- 단 원 : 이정보 재무부 경제협력국장
유명환 주미대사관 참사관
왕정중 경기원 행정예산과장
허덕행 외무부 중동과 서기관
김규현 외무부 북미과 사무관

0129

4. 주요 일정

3.5(화)	15:00	서울 출발
	08:00	L.A. 도착
	21:16	워싱톤 D.C. 도착
3.6(수)	09:30	Sandra Charles NSC 중근동 담당 보좌관, Karl Jackson 퀘일 부통령 안보보좌관, Duglas Paal NSC 아시아 담당 보좌관 면담
	11:00	David Mack 국무부 중근동 부차관보 면담
3.7(목)	10:30	William Quandt 브루킹스 선임 연구원 면담
	14:30	Carl Ford 국방부 국제안보 부차관보 면담
	15:30	Desaix Anderson 국무부 동아.태 부차관보 면담
3.9(토)	17:50	워싱톤 D.C. 출발
3.10(일)	10:05	브랏셀(벨기에) 도착
3.11(월)	13:00 -18:10	룩셈부르크 조정위원회 회의참석
3.12(화)	12:30	오찬(Eric Suy 벨기에 외무성 고문)
3.13(수)	17:40	서울 도착

0130

5. 주요 면담인사

가. 미 국

(백악관)	. Karl Jackson	퀘일 부통령 안보보좌관
	. Charles Sandra	NSC 중근동 보좌관
	. Douglas Paal	NSC 아시아 보좌관
(국무부)	. Desaix Anderson	동아.태 부차관보
	. David Mack	중근동 부차관보
(국방부)	. Carl Ford	국제안보 부차관보
(학 계)	. William Quandt	Brookings 연구소 중근동선임연구원

나. 벨 기 에

Eric Suy	벨기에 외무성 고문

0131

공 란

공 란

공 란

공

공 란

공 란

공 란

공 

공 란

공　　란

공 란

공 란

공 란

공 

공 란

공 란

3. 제5차 조정국 회의 결과

가. 일시 및 장소 :

1991.3.11(월) 13:00-18:10 룩셈부르크 European Center

나. 참석국(30개국)

o GCC 국가 : 사우디 아라비아, 쿠웨이트, UAE, 카타르 등

o EC 국가 : 벨지움, 덴마크, 프랑스, 독일, 아일랜드, 이태리, 룩셈부르크, 화란, 폴투갈, 스페인, 영국

o 기타 구주국가 : 오스트리아, 핀랜드, 아이슬란드, 노르웨이, 스웨덴, 스위스

o 일본, 한국, 미국, 카나다

o 기타 IMF, IBRD, EC, GCC 대표 참석

다. 회의 진행

o Mulford 재무부차관, Kimmitt 국무부 정무차관 공동 주재로 쿠웨이트 해방 축하 및 전선국 등 피해국가에 대한 지원 계속 필요성 강조

o IBRD, IMF 대표의 이집트, 터어키, 요르단 경제상황 및 피해규모 평가 설명

o 기존 약속금액의 집행상황 및 추가약속 문제에 대한 각국 대표의 발표

0148

라. 오찬 회의시 Mulford 재무차관 및 Kimmitt 국무차관 발언요지

(Mulford 차관)

o 걸프사태를 성공적으로 해결하게 된데에는 군사적, 외교적, 경제적 측면에서의 뒷바침이 주효했기 때문이며, 재정공여국 회의는 경제적 측면에서 중요한 역할을 수행했는 바, 총 148억불의 재정지원 약속액중 약 77억불이 이미 집행됨. (회의 종료후 발표된 기자 브리핑 자료는 91.3.8. 현재 총 157억불의 약속액중 약 83억불이 집행된 것으로 집계됨)

o 걸프사태의 해결을 위한 수단으로 조정위 회의가 지금까지 효율적으로 운영되어 왔으나 분쟁이 종결된 이후에는 전후복구와 평화정착이라는 새로운 사태에 대처할 수 있도록 조정위의 기능이 재검토되어야 할 것임.

- 전후 중동질서의 대폭적 개편과 더불어 걸프지원 조정위는 복잡한 정치, 경제적 상황에 융통성 있게 효율적으로 적응할 수 있어야 하지만 이를 제도화, 기구화 해야할 필요성은 없다고 봄.

(Kimmitt 차관)

- 공여국 조정위는 승전으로 확보된 걸프지역에서의 평화를 항구적으로 정착시키기 위한 입무를 앞으로도 당분간 계속 수행(keep its momentum)해야 될 것임.

. 조정국 회의는 현재 입무를 완수하지 못했으며(unfinished business), 걸프사태로 인한 경제적 파괴가 심한데다(economic dislocation) 향후 상당한 기간동안 이라크에 대한 경제제제 조치 및 이라크 재무장 방지를 위한 무기 금수조치를 계속할 필요성이 있음에 비추어 조정위는 계속 입무를 수행해야 함.

0149

- 중동에서 항구적 안보장치를 구축하기 위해서는 군사적 요소만 으로는 불가능하며 평화 정착을 위한 경제적, 외교적 요소가 필요함.

- 현재 중동을 순방중인 Baker 장관은 중동지역의 안보, 미사일 비확산 등 군축문제, peace process 및 경제복구 등에 관해 사우디, 시리아, 이스라엘, 쿠웨이트 당국과 협의를 하고 있음.

- 중동지역 경제복구와 관련, 필요시 재정지원 대상국은 북부 아프리카 마그레브 지역까지 확대되어야 할 것임.

- 현 GCC 기구를 중심으로 역외국까지 포함된 다자적 공동 노력으로 중동지역의 평화보장을 위해 현 조정위의 adaptability 와 flexibility를 계속 유지해야 함.

마. 이정빈 제1차관보 발언요지

o 한국의 총 지원액은 115백만불이며, 현재까지 EDCF 차관 1,000만불의 대요르단 공여 및 전선국에 대한 물자지원등으로 약 2,000만불이 집행되었거나 조만간 집행될 예정임. 또한 잔여분에 대한 집행도 수원국가와 긴밀히 협의, 조속히 추진할 것임.

o 원조의 조속한 집행을 위해 정부는 두번째의 고위대표단을 이집트, 요르단에 2.24-3.9.간 파견하였으며, 수원국들과 잔여 미집행액의 신속, 효과적인 집행 방안에 대해 진지하게 토의를 한바 있음.

o 조기 집행을 위해 직업훈련원 건립, 의료기자재 공급, EDCF 차관 공여조건 완화 등 대책을 강구하고 있음.

0150

바. 주요 발언내용

o Mulford 차관은 터키와 요르단에 대한 지원약속이 필요에 크게 못 미치고 있다고 하고 터키가 Operation Desert Storm에 크게 기여한 점을 감안 각국이 특별 고려해 줄 것을 요청하고 요르단에 대해서 일본과 유럽이 특별 관심을 촉구함. 동 차관은 이어 일본 및 EC의 원조 집행이 가속화된데 만족을 표명하고 지원사업의 추진을 위한 공여 조건완화 필요성을 강조했음.

o GCC 대표는 향후 10년간 아랍권 개발을 위한 총 150억불 상당의 아랍 프로그램을 실시할 계획임을 발표한 바, 동 아랍 프로그램은 중동지역에 있어 민간부문의 발전을 도모 하기 위한 것이며, 현재 기술적인 측면에 대한 검토가 진행중이라 함. 또한 GCC 대표는 조정위가 Arab Programme을 지원할 수 있을 것이라고 언급함.

o 미측은 91년도 1/4분기내 각국의 지원약속이 모두 이행될 수 있도록 지원집행 가속화를 촉구함. 특히 Kimmitt 차관은 요르단의 정치적 정향(orientation)에 실망하고 있으나 요르단이 대이라크 경제제재 조치의 실효성 확보에 기여하고 있는 점 및 중동정세 안정에 중요점 등을 감안, 계속적인 지원이 필요하다고 언급함.
또한 미측은 워싱톤에서 걸프사태 재정지원 공여국 조정위 실무 회의을 보다 효율적으로 활용할 것을 제의함.

o 사우디 대표는 사우디 정부가 파키스탄에 대해 3개월간 매일 5만 배럴의 원유를 무상으로 제공(약 7천만불 상당)키로 결정하였으며, 모로코에 대해서도 2억불의 지원을 기완료한 바, 여타 지원 약속도 모두 정해진 시간표에 따라 차질없이 집행될 것이라고 발표함.
또한 인도적 차원의 지원은 대부분 이집트와 시리아에 제공될 것이라고 발언함.

0151

o 일본 대표는 제4차 조정국 회의 결과에 따라 일본 정부가 요르단에 대해 450백만불의 새로운 지원을 하기로 결정하였으며, 기존의 대요르단 지원약속도 그대로 이행할 예정임을 언급함. 또한 일본 대표는 일본이 중동지역의 정세안정에 시리아가 차지하는 비중을 감안 동국에 대해 110백만불의 untied loan을 제공키로 한 사실을 강조함.

o 독일 대표는 370백만 DM의 추가지원을 발표하면서 시리아의 중요성을 감안, 이중 110백만 DM을 동국에 지원키로 하였다고 함. 한편, 독일은 동 추가지원의 90%를 grant 형태로 하여 수원국에 다음주에 통보 예정이며, 단기간에 집행이 될 것임을 밝힘.

o 주요 공여국인 일본 및 독일은 미국 주도의 조정위 기능 강화에는 소극적인 자세를 보이며 IMF, IBRD 등을 활용할 것을 주장하였음. 특히 일본은 공여국 통계자료에 자국만이 별도로 분류(여타국의 경우는 EC, GCC, 기타국으로 분류) 된 것을 보도자료에 기타국으로 분류하여 발표하도록 요청하는 등 회의진행 방법 및 자료작성 등에 있어 민감한 반응을 보였음.

사. 금번 회의시 합의내용

o 회의 참석자들은 중동지역 평화정착을 위한 군사적 장치로서 아랍 평화유지군 창설과 GCC를 중심으로한 경제협력을 통하여 중동지역내 평화정착을 위한 정치적, 경제적 결속을 강화해야 한다는 필요성에 대해서는 공감을 표시함.

o 전선국가에 대한 지원은 timing이 중요한 바, 가능한 신속히 지원을 집행키로 노력할 필요가 있다는데 의견이 모아짐.

0152

o IMF, 세계은행은 걸프지역 국가의 경제개발을 위한 보다 장기적인 계획을 문서로 작성, 조정위에 제출하기로 함.

o 한편, 동 조정위가 전후에도 계속 능동적으로 기능하기 위해서는 앞으로 더욱 IMF등 기존 국제기구의 기능활용등 운영방식의 개선이 시급하다는데 대해서도 대체로 의견이 모아졌으며, 차기 조정위 회의시 조정위 재편 문제도 논의하기로 하였음.

아. 차기 회의

o GCC 대표는 조정위 운영 및 역내 경제개발에 있어 GCC가 주도적 역할을 해야 한다는 취지에서 차기 회의를 GCC 역내에서 개최할 것을 제안했으며, 이에따라 차기 회의는 5월 중순경(early middle May) GCC 국가에서 개최키로 잠정 합의함.

0153

Ⅲ. 관찰 및 건의

1. 걸프전후 처리문제

o 중동지역 안보문제와 관련 미국으로서는 아랍세계 및 소련등의 반발을 의식하여 지상군을 주둔시키지는 않되, 친미 온건 아랍국가들을 주축으로 한 지역 안보체제 수립을 유도하는 한편, 동 지역에 있어 미국의 해.공군력을 강화하여 동 지역안보 체제에 대한 후견인 역할을 통해 중동지역의 정세안정을 도모하는 구상을 추진중인 것으로 보임.

o 쿠웨이트 복구사업과 관련 단기적 긴급 복구계획에 관해서는 미국정부가 주도 및 지원하고 있는 것으로 보이며, 그외 중.장기적인 복구사업은 쿠웨이트 정부가 자체 판단에 따라 계약을 체결하여 시행하게 될 전망임.

o 중동지역 질서 개편 및 복구관련 미국은 소련이 냉전적 사고에 입각, 중동지역 정세에 개입하는 것을 수용하지 않으나 중동국가들과 상호 경제적 이익을 공유(mutually shared economic interests)하는 건설적인 관계를 발전시켜 나가기를 바라고 있는 것으로 관찰됨.

2. 아국의 지원문제

(대미 지원문제)

o 미국은 걸프전이 종결됨에 따라 금번 걸프전쟁에서 사용한 미군의 장비 및 물자를 가능한한 사우디, 쿠웨이트등 국가에 판매하고자 하는 구상을 갖고 있으며, 더욱이 전투행위가 종료된 현 시점에서는 미국에 대한 현금이나 수송지원 이외의 현물(in-kind) 지원은 불필요하다는 최종 입장을 확정한 것으로 감지됨.

o 이에따라 미측으로서는 우리정부의 대미 추가지원중 1억7천만불 상당의 군수물자를 현금으로 지원해 줄 것을 요청하고 있으며, 만약 아국의 형편상 현금지원으로의 저환이 안될 경우 이를 대미지원 액수 총액에서 삭제하겠다는 방침을 갖고 있는 것으로 보임.

o 대영국 지원을 위한 전용문제는 기본적을 아국 정부가 결정할 문제이지 미국 정부가 이를 수락 또는 거부할 성질이 아니라는 관점에서 미측은 명확한 답변을 계속 유보할 것으로 보이는 바, 본부에서 최종 입장 결정후 미측에 통보하는 형식을 취하는 것이 좋을 것으로 사료됨.

(전선국 및 주변국 지원)

o 금번 재정공여국 조정위는 전쟁 종식후 처음 열린 회의로서 각국이 약속한 원조액의 조속한 집행을 촉구하기 위한것 뿐만아니라 걸프역내 국가의 항구적 경제발전이 지역 평화유지에 긴요하다는 취지에서 단기적 원조를 포함, 장기적인 경제원조 계획이 필요하다는 분위기가 크게 나타났으며, 이를 위해서는 GCC 국가를 중심으로한 역내 국가의 이니시아티브가 중요하다는데 의견의 일치를 보이고 있음.

o 또한 금후 조정국 회의의 성격과 관련 이를 제도화하는 것보다는 회의 운영상 유연성을 확보하기 위해 앞으로 1-2회 정도는 현재와 같은 형태로 지속할 것으로 보임.

o 회의시 발표된 집행 실적표에 의하면 아국의 원조 집행 실적이 여타 국가에 비해 가장 저조한 것으로 나타났는 바, 수원국의 국내사정을 이유로 집행 실적이 저조하다는 설명은 더이상 설득력을 가질수 없음. 따라서 차기 회의시까지는 아국도 집행 실적을 어느정도의 수준 까지는 높여야 할 것으로 사료됨.

첨 부 : 걸프사태 재정지원 현황. 끝.

예 고 : 91.12.31.일반

0155

Table 1

GULF CRISIS FINANCIAL ASSISTANCE *
COMMITMENTS FOR 1990–91
DISBURSEMENTS THROUGH 3/11/91

(US$ Millions)

Donor/Creditor	Egypt/Turkey/Jordan		Other States 1/		TOTAL	
	Commitments	Disbursements	Commitments	Disbursements	Commitments	Disbursements
GCC STATES	6348	3230	3180	2384	9528	5614
Saudi Arabia	2848	1788	1578	1203	4426	2991
Kuwait	2500	855	1184	763	3684	1618
UAE	1000	587	418	418	1418	1005
EC	2531	1109	184	1	2715	1110
EC Budget	805	624	0	0	805	624
Bilateral:	1726	485	184	1	1910	486
France	200	0	30	0	230	0
Germany	1190	360	144	0	1334	360
Italy	150	37	9	0	159	37
Other EC 2/	186	88	1	1	187	89
JAPAN	2126	800	0	0	2126	800
ALL OTHERS	398	96	99	62	497	158
Korea	83	5	17	2	100	7
Norway	24	7	82	60	106	67
Switzerland	120	17	0	0	120	17
Other 3/	171	67	0	0	171	67
TOTAL COMMITMENTS	11403	5235	3463	2447	14866	7682

* All commitments and disbursements are bilateral economic assistance and do not include contributions to the multinational force.
Totals may not equal sum of components due to rounding. Based on data submitted to the Gulf Crisis Financial Coordination Group.
1/ For Bangladesh, Djibouti, Lebanon, Morocco, Pakistan, Somalia, and Syria.
2/ Other EC includes Belgium, Denmark, Ireland, Luxembourg, Netherlands, Portuagal, Spain, and the U.K.
3/ Austalia, Austria, Canada, Finland, Iceland, and Sweden.

0156

Table 2

GULF CRISIS FINANCIAL ASSISTANCE *
COMMITMENTS FOR 1990–91
DISBURSEMENTS THROUGH 3/11/91

(Millions of U.S. Dollars)

nor/Creditor	Egypt		Turkey		Jordan		Humanitarian/ Unallocated 1/		TOTAL		Other States 2/		GRAND TOTAL	
	Commit	Disb. to Date	Commit	Disb. to Date	Commit	Disb. to Date	Commit	Disb. to Date	Commit	Disb. to Date	Commit	Disb. to Date	Commit	Disb. to Date
GCC STATES 3/	3123	2363	2995	800	0	0	230	67	6348	3230	3180	2384	9528	5614
EC	1222	398	533	287	559	362	217	62	2531	1109	184	1	2715	1110
EC Budget	254	207	240	193	214	173	96	51	804	624	0	0	804	624
Bilateral 4/	968	191	293	94	345	189	121	11	1727	485	184	1	1911	486
JAPAN	629	336	720	218	717	186	60	60	2126	800	0	0	2126	800
ALL OTHERS 5/	100	3	55	7	105	23	138	63	398	96	99	62	497	158
TOTAL COMMITMENTS	5074	3100	4303	1312	1381	571	645	252	11403	5235	3463	2447	14866	7682

* All commitments and disbursements are bilateral economic assistance and do not include contributions to the multinational force. Totals may not equal sum of components due to rounding. Based on data submitted to the Gulf Crisis Financial Coordination Group.

1/ Humanitarian and unallocated commitments to Egypt, Turkey, and Jordan.

2/ For Bangladesh, Djibouti, Lebanon, Morocco, Pakistan, Somalia, and Syria.

3/ Saudi Arabia, Kuwait, and the UAE.

4/ Belgium, Denmark, France, Germany, Ireland, Italy, Luxembourg, Netherlands, Portugal, Spain, and the U.K.

5/ Australia, Austria, Canada, Finland, Iceland, Korea, Norway, Sweden, and Switzerland.

0157

TABLE A

GULF CRISIS FINANCIAL ASSISTANCE *

($ Billions – as of 3/11/91)

Donor/Creditor	Commitments
GULF STATES	9.5
EUROPEAN COMMUNITY	2.7
JAPAN	2.1
OTHER	0.6
TOTAL	14.9

* Includes all commitments to date for extraordinary economic assistance in 1990 and 1991. Does not include contributions to the multinational force, existing bilateral assistance, or funds made available by the IMF and World Bank.

0158

TABLE B

GULF CRISIS FINANCIAL ASSISTANCE *

($ Billions - as of 3/11/91)

Donor/Creditor	Total Commitments	1990-91 Commitments		Other States
		Egypt/Turkey/Jordan	Humanitarian**	
GULF STATES	9.5	6.1	0.2	3.2
EUROPEAN COMMUNITY	2.7	2.4	0.1	0.2
JAPAN	2.1	2.0	0.1	0.0
OTHER	0.6	0.3	0.2	0.1
TOTAL	14.9	10.8	0.6	3.5

* Includes all commitments to date for extraordinary economic assistance in 1990 and 1991. [illegible]s not include contributions to the multinational force, existing bilateral [illegible]stance, or funds made available by the IMF and World Bank.

** Includes both unallocated commitments and multilateral humanitarian assistance.

0159

TABLE C

GULF CRISIS FINANCIAL ASSISTANCE *

($ Billions – as of 3/11/91)

Donor/Creditor	Commitments	Disbursements
GULF STATES	9.5	5.6
EUROPEAN COMMUNITY	2.7	1.1
JAPAN	2.1	0.8
OTHER	0.6	0.2
TOTAL	14.9	7.7

* Includes all commitments to date for extraordinary economic assistance in 1990 and 1991. Does not include contributions to the multinational force, existing bilateral assistance, or funds made available by the IMF and World Bank.

0160

對쿠웨이트 地域 經濟制裁 解除

1991. 3. 18.

外 務 部

> 이라크 및 쿠웨이트에 대하여 90.8.9부터 實施中인 經濟制裁措置中 쿠웨이트 地域에 대한 經濟制裁措置를 91.3.18부로 解除하였음을 아래 報告드립니다.

1. 解除 事由

   o 쿠웨이트 地域에 대한 經濟制裁措置 繼續 事由 消滅

   o 유엔安保理 決意 第686號 第6項은 쿠웨이트復舊 協調를 위해 모든 適切한 措置를 유엔 會員國이 취할 것을 要請

2. 解除 措置內容

   o 쿠웨이트 地域으로 부터의 原油輸入禁止 解除

   o 쿠웨이트와의 商品交易禁止 解除

   o 쿠웨이트 地域에 대한 建設受注 中止解除

3. 向後 計劃

   o 이라크地域에 대해서는 유엔의 經濟制裁 解除決意가 없음에 비추어 狀況進展을 보아 追後 經濟制裁 解除를 檢討 豫定. 끝.

심의관: 2

공고	중동1과	91년 3월 18일	담 당	과 장	국 장	차관보	차 관	장 관
			가	하-	[signature]			

0161

관리번호 91-385

기 안 용 지

분류기호 문서번호	통일 2065-	(전화 :)	시 행 상 특별취급	
보존기간	영구. 준영구 10. 5. 3. 1.	차 관	장 관	
수 신 처 보존기간				
시행일자	1991. 3. 16.			

보조기관		협조기관		문서통제
국 장		제1차관보		
심의관		제2차관보		
과 장		아중동국장		
기안책임자	김 상윤			발 송 인

경 유 수 신 참 조	내부결재	발신명의		
제 목	대쿠웨이트 경제제재 해제			

1. 정부는 지난 90.8.9 국무총리주재 관계부처 장관회의에서 유엔안보리 결의 제661호 (대이라크 제재)를 지지하여 아래와 같이 이라크 및 쿠웨이트 지역에 대한 경제제재 조치를 취한 바 있읍니다.

- 아 래 -

가. 이라크와 쿠웨이트 지역으로부터 오는 원유 수입은 금지한다.

나. 이 지역과의 상품교역도 의약품등 인도적인 소요에 해당하는 물품을 제외하고는 수입과 수출을 공히 금지한다.

유엔 결의에는 특히 무기 수출 금지를 요청하고 있는 바,

/// 계 속

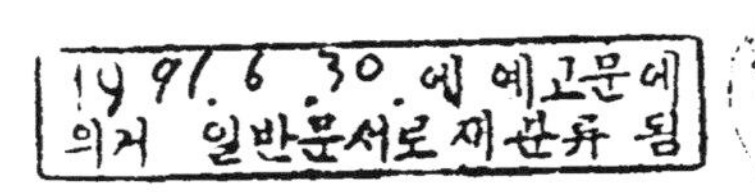
1991.6.30. 에 예고문에 의거 일반문서로 재분류 됨

0162

한국은 무기를 수출한 적도 없고 앞으로도 수출하지 않는다.

다. 이 양 지역에 있어서 건설 공사는 수주하지 않는다.

라. 이라크와 쿠웨이트 정부 자산의 동결 요청에 대하여는 이러한 자산이 한국내에는 없음을 확인한다.

2. 현재 걸프전쟁 종결로 쿠웨이트 지역에 대한 경제제재 조치 계속 사유가 소멸되었을 뿐만 아니라 유엔안보리 결의 686호 제6항은 쿠웨이트 복구협조를 위해 모든 적절한 조치를 유엔회원국이 취할 것을 요청하고 있는바, 이에따라 쿠웨이트 지역에 대한 아국의 경제제재조치를 아래와 같이 해제할 것을 건의하오니 재가하여 주시기 바랍니다.(영국은 3.13 쿠웨이트 자산 동결해제 조치를 취했으며, 일본도 3.18, 대쿠웨이트 경제제재조치를 해제할 예정)

- 아 래 -

가. 해제조치 내용

(1) 쿠웨이트지역으로부터의 원유 수입금지 해제

(2) 쿠웨이트와의 상품교역금지 해제

(3) 쿠웨이트 지역에 대한 건설수주 중지 해제

/// 계 속

0163

나. 관계국 통보 및 대외발표

o 미국 및 쿠웨이트에 대해서는 상기 조치계획을 사전에 통보

o UN 에 대해 경제제재 해제 조치내용 통보

o 대외발표문(안)

- 정부는 쿠웨이트 지역에 대한 경제제재 조치
사유가 소멸되었으므로 동 지역에 대하여 90.8.9일부터
실시중인 경제제재 조치를 91.3.18부로 해제한다.

3. 상금 이라크 지역에 대해서는 UN 의 경제제재 해제 결의가 없음에
비추어 상황진전을 보아 추후 경제제재조치 해제를 검토할 것을
건의합니다. 끝.

0164

원 본

암호수신

외 무 부

종 별 :

번 호 : UNW-0587　　　　일 시 : 91 0315 1520

수 신 : 장관 (김의기 중근동과장)

발 신 : 주 유엔 대사 (원종찬 배상)

제 목 : 업연

대: WUN-0538

1. 대호 유엔사무국 및 관련국 대표부에 문의한 결과는 아래와 같음.

가. 안보리의 명시적 조치는 없었으나, 쿠웨이트 점령 종결 및 686 호 결의(6항)에 비추어 661 호에 의한 대 쿠웨이트 제재조치는 이미 해제되었다고 보는것이 일치된 해석임. (동 해제기점을 사실상의 점령종결 시점 또는 686 결의 채택 시점으로 할것인지에 대해서는 논의가 있으나 3.2. 686 결의 채택을 기준으로 하는것이 다수의견 이라고함)

나. 대 쿠웨이트 해제를 위한 안보리의 별도 조치 필요 문제에 관해 제재위원회에서 논의가 있었으나 동 제재조치의 실효가 자명하다고 보고, 별도의 조치는 취하지 않기로 양해되었다고 함. (다만 추후 안보리의 후속결의 채택 과정에서 본건 해제의 재확인 언급 가능성은 있다고함)

다. 이와 관련 EC 는 회원국들이 각자 필요한 조치를 취하기로 하였으며 미,일 등도 필요한 국내절차를 밟고 있다함.

2. 건승 기원함. 끝

중아국

PAGE 1　　　　91.03.16 06:02
외신 2과 통제관 CE

0165

공보관실
90. 8. 9.
19:30시

유종하 외무부차관 발표문

(총리주재 관계 부처 장관 대책회의 내용)

유엔 안보이사회 결의 661호와 관련한 "데 꾸에아르" 유엔사무총장의 요청을 받고, 정부는 8.9. 오후 총리 주재하에 관계 부처 장관 회의를 개최하였음. 이 회의에는 부총리,안기부(차장), 외무(차관), 재무, 국방, 상공, 동자, 건설, 노동, 교통부와 공보처 장관이 참석하였음.

이 회의에서 정부는 유엔 안보이사회 결의에 충분히 부응하는 조치가 필요하다는 결정을 내리고 구체적으로 다음 분야에 있어서 즉시 조치를 취하기로 하였음.

1. 이라크와 쿠웨이트 지역으로 부터 오는 원유 수입은 금지한다.

2. 이 지역과의 상품교역도 의약품등 인도적인 소요에 해당하는 물품을 제외하고는 수입과 수출을 공히 금지한다.
   유엔 결의에는 특히 무기 수출 금지를 요청하고 있는 바, 한국은 무기를 수출한 적도 없고 앞으로도 수출하지 않는다.

3. 이 양 지역에 있어서 건설 공사는 수주하지 않는다.

4. 이라크와 쿠웨이트 정부 자산의 동결 요청에 대하여는 이러한 자산이 한국내에는 없음을 확인한다.

이와 별도로 오늘 회의에서는 현지 근로자를 포함한 우리 진출 인원의 안전 대책을 세밀히 검토하였는 바, 현지와 긴밀히 연락하여 모든 가능한 안전 조치를 강구해 나가기로 하였음.

이러한 제재 조치의 이행과 현지 교민의 안전 대책을 위하여 외무부 權丙鉉 본부대사를 장으로 하고 관계 부처 국장으로 구성되는 대책반을 설치 금 8.9. 부터 운영키로 하였음. 끝.

0166

31 CFR Part 570

Kuwaiti Assets Control Regulations

AGENCY: Office of Foreign Assets Control, Department of the Treasury.

ACTION: Final rule, amendments.

SUMMARY: This rule amends the Kuwaiti Assets Control Regulations, 31 CFR part 570 ("KACR"), published in the Federal Register on November 30, 1990 (55 FR 49356) to correct inadvertent errors and to clarify sections that may be ambiguous. The amendments delete inaccurate references, change two sections to clarify that a blocked account must be maintained in a U.S. financial institution, modify a reporting requirement, and expand the description of penalties that may apply to a violation of the KACR. The Office of Management and Budget approval for the information collections contained in the KACR is also added.

EFFECTIVE DATE: February 11, 1991.

FOR FURTHER INFORMATION: Contact William B. Hoffman, Chief Counsel, Tel.: (202) 535-6020, or Steven I. Pinter, Chief of Licensing, Tel.: (202) 535-9449, Office of Foreign Assets Control, Department of the Treasury, Washington, DC.

SUPPLEMENTARY INFORMATION: The KACR were published on November 30, 1990, to implement the sanctions imposed by the President in Executive Orders 12723 and 12725. Section 570.205 includes a reference to other regulatory sections that license exportations from the United States to Kuwait. A reference to § 570.519 was mistakenly included and is deleted with this rule. Section 570.301 defines the term, "blocked account." This section is amended to clarify that the authorization for any transaction involving a blocked account must come from the Office of Foreign Assets Control. Section 570.408(a) is amended to insert the word "in" which was mistakenly left out. Section 570.504 requires that funds paid or delivered to the Government of Kuwait be paid into a blocked account. This section is amended to clarify that the blocked account must be in a U.S. financial institution. Section 570.507 is amended to correct an inaccurate reference to Department of Commerce regulations. Section 570.512 is amended to modify the reporting requirement. Section 570.518(a) (2) (ii) is amended to remove an inaccurate reference to the appendix. Section 570.701 describes the penalties that apply to violations of the KACR. The United Nations Participation Act of 1945 (22 U.S.C. 287c(b)) permits forfeiture of property to the U.S. Government for violations of the KACR. This information is added to the description of penalties contained in section 570.701. Section 570.801(b) is amended to eliminate references to an application form which has proved to be unnecessary. Finally, § 570.901 is being amended to insert notice of approval of information collection provisions by the Office of Management and Budget.

Because the KACR involve a foreign affairs function, the provisions of the Administrative Procedure Act (5 U.S.C. 553), requiring notice of proposed rulemaking, opportunity for public participation, and delay in effective date, are inapplicable. Because no notice of proposed rulemaking is required for this rule, the Regulatory Flexibility Act (5 U.S.C. 601, *et seq.*) does not apply. Because the Regulations arissued with respect to a foreign affairs function of the United States, they are not subject to Executive Order 12291 of February 17, 1981, dealing with Federal regulations.

List of Subjects in 31 CFR Part 570

Iraq, Kuwait, Blocking of assets, Imports, Exports, Penalties, Reporting and recordkeeping requirements.

For the reasons set forth in the preamble, 31 CFR part 570 is amended as follows:

PART 570—KUWAITI ASSETS CONTROL REGULATIONS

1. The authority citation for part 570 continues to read as follows:

Authority: 50 U.S.C. 1701 *et seq.*; 50 U.S.C. 1601 *et seq.*; 22 U.S.C. 287c; Pub. L. 101-513, 104 Stat. 2047-55 (Nov. 5, 1990); 3 U.S.C. 301; E.O. 12722, 55 FR 31803 (Aug. 3, 1990); E.O. 12723, 55 FR 31805 (Aug. 3, 1990); E.O. 12725, 55 FR 33091 (Aug. 13, 1990).

Subpart B—Prohibitions

§ 570.205 [Amended]

2. Section 570.205 is amended by removing the reference to § 570.519.

0167

Subpart C—General Definitions

§ 570.301 [Amended]

3. Section 570.301 is amended by adding the phrase, "from the Office of Foreign Assets Control," after the words, "pursuant to an authorization or license."

Subpart D—Interpretations

§ 570.408 [Amended]

4. Section 507.408(a) is amended by adding the word "in" after the word "property."

Subpart E—Licenses, Authorizations, and Statements of Licensing Policy

§ 570.504 [Amended]

5. Section 570.504 (a) (1) is amended by adding the phrase, "in a U.S. financial institution," after the words, "blocked account."

§ 570.507 [Amended]

6. Section 570.507(a) (1) is amended to correct two references, as follows:

"15 CFR 371.6" is corrected to read "15 CFR 771.6," and "15 CFR 371.13" is corrected to read "15 CFR 771.13."

§ 570.512 [Amended]

7. Section 570.512(b) (2) is revised to read as follows:

* * * * *

(b) * * *

(2) Transactions conducted pursuant to this section must be reported to the Office of Foreign Assets Control, Blocked Assets Section, in a report filed no later than 10 business days following the last business day of the month in which the transactions occurred.

§ 570.518 [Amended]

8. Section 570.518 (a) (2) (ii) is amended by removing the words, "'Not Controlled/Not Restricted' or."

Subpart G—Penalties

§ 570.701 [Amended]

9. Section 570.701(c) is redesignated 570.701(d), Section 570.701(b) is redesignated 570.701(c), and Section 570.701(b) is added to read as follows:

* * * * *

(b) Section 5(b) of the United Nations Participation Act of 1945 (22 U.S.C. 287c(b)) provides, in part, that any property, funds, securities, papers, or other articles or documents, or any vessel, together with her tackle, apparel, furniture, and equipment, or vehicle, or aircraft, concerned in a violation, attempted violation, or evasion of any order rule, or regulation issued by the President pursuant to Section 5(a) of the United Nations Participation Act of 1945, shall be forfeited to the United States.

* * * * *

Subpart H—Procedures

§ 570.801 [Amended]

10. Section 570.801(b)(2) is amended by removing the words, "on an application form."

Section 570.801(b)(3) is amended by removing the words, "and/or forms."

Subpart I—Paperwork Reduction Act

11. The word "[Reserved]" is removed from Section 570.901 and this section is added to read as follows:

§ 570.901 Paperwork Reduction Act Notice.

The information collection requirements in §§ 570.202(d), 570.503, 570.509–570.512, 570.517, 570.518, 570.520, 570.521, 570.571, 570.602, 570.603, 570.703, and 570.801 have been approved by the Office of Management and Budget and assigned control number 1505–0127.

Dated: January 28, 1991.

R. Richard Newcomb,

Director, Office of Foreign Assets Control.

Approved: January 29, 1991.

John P. Simpson,

Acting Assistant Secretary (Enforcement).

[FR Doc. 91–3128 Filed 2–6–91; 8:15 am]

BILLING CODE 4810–25–M

0168

UNW(FI)-046 10303 0230
(국연 중근동 해기. 기정) 사본: 노창희 대사
<

Security Council

PROVISIONAL

686호

S/22298
1 March 1991

ORIGINAL: ENGLISH

United States of America: draft resolution

The Security Council,

Recalling and reaffirming its resolutions 660 (1990), 661 (1990), 662 (1990), 664 (1990), 665 (1990), 666 (1990), 667 (1990), 669 (1990), 670 (1990), 674 (1990), 677 (1990), and 678 (1990),

Recalling the obligations of Member States under Article 25 of the Charter,

Recalling paragraph 9 of resolution 661 (1990) regarding assistance to the Government of Kuwait and paragraph 3 (c) of that resolution regarding supplies strictly for medical purposes and, in humanitarian circumstances, foodstuffs,

Taking note of the letters of the Foreign Minister of Iraq confirming Iraq's agreement to comply fully with all of the resolutions noted above (S/22275), and stating its intention to release prisoners of war immediately (S/22273),

Taking note of the suspension of offensive combat operations by the forces of Kuwait and the Member States cooperating with Kuwait pursuant to resolution 678 (1990),

Bearing in mind the need to be assured of Iraq's peaceful intentions, and the objective in resolution 678 (1990) of restoring international peace and security in the region,

Underlining the importance of Iraq taking the necessary measures which would permit a definitive end to the hostilities,

Affirming the commitment of all Member States to the independence, sovereignty and territorial integrity of Iraq and Kuwait, and noting the intention expressed by the Member States cooperating under paragraph 2 of Security Council resolution 678 (1990) to bring their military presence in Iraq to an end as soon as possible consistent with achieving the objectives of the resolution,

Acting under Chapter VII of the Charter,

2882E

21-1

199 P01 LENINPROTOCOL '91-03-03 16:34

0169

1. Affirms that all twelve resolutions noted above continue to have full force and effect;

2. Demands that Iraq implement its acceptance of all twelve resolutions noted above and in particular that Iraq:

(a) Rescind immediately its actions purporting to annex Kuwait;

(b) Accept in principle its liability under international law for any loss, damage, or injury arising in regard to Kuwait and third States, and their nationals and corporations, as a result of the invasion and illegal occupation of Kuwait by Iraq;

(c) Immediately release under the auspices of the International Committee of the Red Cross, Red Cross Societies, or Red Crescent Societies, all Kuwaiti and third country nationals detained by Iraq and return the remains of any deceased Kuwaiti and third country nationals so detained; and

(d) Immediately begin to return all Kuwaiti property seized by Iraq, to be completed in the shortest possible period;

3. Further demands that Iraq:

(a) Cease hostile or provocative actions by its forces against all Member States ~~and other parties~~, including missile attacks and flights of combat aircraft;

(b) Designate military commanders to meet with counterparts from the forces of Kuwait and the Member States cooperating with Kuwait pursuant to resolution 678 (1990) to arrange for the military aspects of a cessation of hostilities at the earliest possible time;

(c) Arrange for immediate access to and release of all prisoners of war under the auspices of the International Committee of the Red Cross and return the remains of any deceased personnel of the forces of Kuwait and the Member States cooperating with Kuwait pursuant to resolution 678 (1990); and

(d) Provide all information and assistance in identifying Iraqi mines, booby traps and other explosives as well as any chemical and biological weapons and material in Kuwait, in areas of Iraq where forces of Member States cooperating with Kuwait pursuant to resolution 678 (1990) are present temporarily, and in the ~~Gulf~~ adjacent waters;

4. Recognizes that during the period required for Iraq to comply with paragraphs 2 and 3 above, the provisions of paragraph 2 of resolution 678 (1990) remain valid;

0170

21 — 2

199 P02 LENINPROTOCOL '91-03-03 16:35

immediately

5. Welcomes the decision of Kuwait and the Member States cooperating with Kuwait pursuant to resolution 678 (1990) to provide access and to commence the release of Iraqi prisoners of war as required by the terms of the Third Geneva Convention of 1949, under the auspices of the International Committee of the Red Cross;

6. Requests all Member States, as well as the United Nations, the specialized agencies and other international organizations in the United Nations system, to take all appropriate action to cooperate with the Government and people of Kuwait in the reconstruction of their country;

7. Decides that Iraq shall notify the Secretary-General and the Security Council when it has taken the actions set out above;

8. Decides that in order to secure the rapid establishment of a definitive end to the hostilities, the Security Council remains actively seized of the matter.

21-3

0171

199 PO

(총 / 매)

주 영 대 사 관

UKW (F) - 0158 DATE: 10314 1700

수 신 : 장 관 (기협, 중근동)

발 신 : 주 영 국 대 사

제 목 : 쿠웨이트 재산 동결 해제

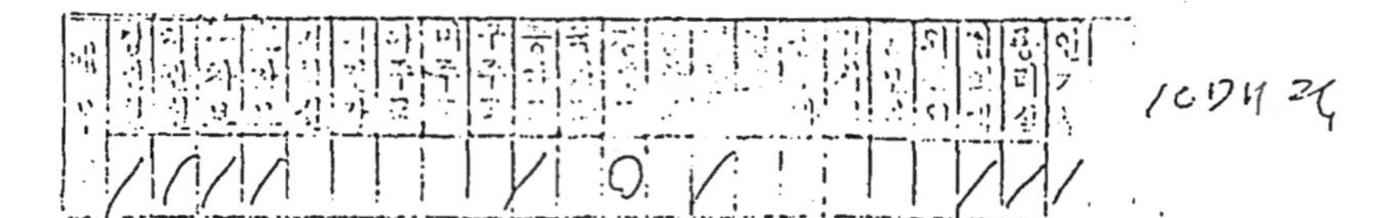

THE FINANCIAL TIMES (1991. 3. 14)

UK lifts freeze on Kuwaiti assets

By Stephen Fidler, Euromarkets Correspondent

THE UK Treasury yesterday lifted the order freezing Kuwaiti assets in Britain, imposed on August 2 to prevent the Iraqi seizure of Kuwaiti assets following its invasion of Kuwait.

The freeze of Iraqi assets imposed by the government at the same time and designed as a punitive rather than protective measure, remains in place.

Britain is thought to be the second main western government to unfreeze Kuwaiti assets, after France.

Since its imposition, the Bank of England, which has been responsible for administering the freeze, agreed a number of relaxations. It allowed the Kuwait Investment Office, which is based in London, and the Kuwait Petroleum Corporation to operate, although, under some restrictions. It also freed accounts to allow Kuwaiti individuals access to funds.

In the last two weeks, the UK and the US have allowed Kuwait's domestic banks access to their accounts to settle outstanding liabilities.

The total amount affected by the UK freeze is not known, but the gross sum on deposit with banks in Britain at the end of last year was $12.46bn.

According to the Treasury, there were no known breaches of the freeze, which was intended to cover gold, securities, payments and credits.

0172

91-383

협조문용지

분류기호 문서번호	통일 2065-383	(2193, 2194)	결재	담 당	과 장	심의관
시행일자	1991. 3. 18.					
수 신	국제기구조약국장	발신	동상국장			(서명)
제 목	대쿠웨이트 경제제재 해제					

1. 이라크 및 쿠웨이트에 대하여 90.8.9부터 실시중인 경제제재조치중 쿠웨이트 지역에 대한 경제제재조치를 3.8부로 해제하는 것에 대해 별첨과 같이 장관님 결재를 득하였는 바, 대유엔 통보등 필요한 조치를 취하여 주시기 바랍니다.

2. 상금 이라크 지역에 대해서는 유엔의 경제제재 해제 결의가 없음에 비추어 상황진전을 보아 추후 경제제재조치 해제를 검토할 예정인 바, 참고하시기 바랍니다.

첨부 : 동 재가문서 사본 1부. 끝.

1991.6.30.에 예고문에 의거 일반문서로 재분류 됨

0173

분류기호 문서번호	동일 2065- 625	기 안 용 지 (전화:)	시 행 상 특별취급	지 급
보존기간	영구. 준영구 10. 5. 3. 1.	장 관		
수 신 처 보존기간				
시행일자	1991. 3. 18.			

보조기관			협조기관		문서통제
	국 장	전결			검인 1991. 3. 18 통제관
	심의관				
	과 장				
기안책임자		김 상윤			발 송 인

경 유 수 신 참 조	수신처참조	발신명의		1991. 3. 18 외무부
제 목	대쿠웨이트 지역 경제제재 체제			

1. 쿠웨이트 지역에 대한 경제제재조치를 아래와 같이 91.3.18부로 해제하였는 바, 이에 따른 필요한 조치를 취하여 주시기 바랍니다.

- 아 래 -

가. 해제사유

o 쿠웨이트 지역에 대한 경제제재조치 계속 사유 소멸

o 유엔안보리 결의 제686호 제6항은 쿠웨이트복구 협조를 위해 모든 적절한 조치를 유엔회원국이 취할 것을 요청

/ 계 속 /

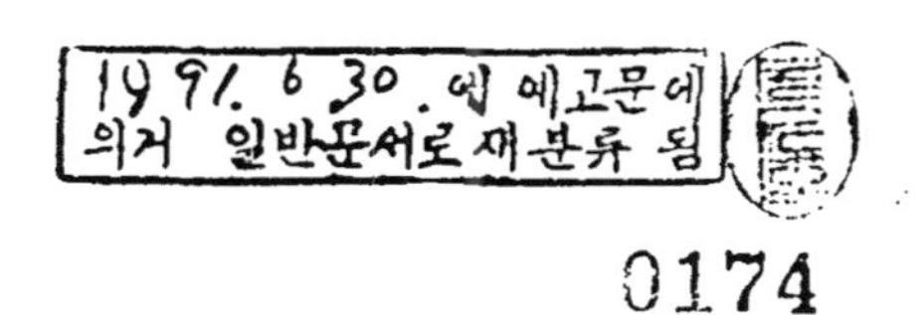
1991. 6. 30. 에 예고문에 의거 일반문서로 재분류 됨

0174

나. 해제조치 내용

o 쿠웨이트 지역으로 부터 원유수입금지 해제

o 쿠웨이트와의 상품교역 금지 해제

o 쿠웨이트 지역에 대한 건설수주 중지 해제

2. 상금 이라크 지역에 대해서는 유엔의 경제제재 해제 결의가 없음에 비추어 상황 진전을 보아 추후 경제제재 해제를 검토 예정임을 참고로 알려드립니다. 끝.

수신처 : 경제기획원, 재무부, 국방부, 상공부, 동자부, 건설부, 노동부, 교통부장관, 국가안전기획부장(사본: 대통령비서실장(경제, 외교.안보), 국무총리 행정조정실장)

0175

보 도 자 료

외 무 부

제 91- 호 문의전화 : 720-2408~10 보도일시 : 91 . 3 . 18 . 16 : 00 시

제 목 : 대쿠웨이트 지역 경제제재 해제

통상1과

1. 유엔안전보장이사회는 지난 90.8.2 이라크에 의한 쿠웨이트 점령과 관련, 90.8.6 이라크 및 쿠웨이트 지역에 대한 경제제재조치를 결의(제661호)한 바 있으며 정부는 동 유엔안보리 결의를 존중하여 이라크의 점령하에 있는 쿠웨이트 지역에 대해 90.8.9부로 경제제재조치를 취한 바 있다.

2. 쿠웨이트가 이라크로 부터 해방됨에 따라 쿠웨이트지역에 대한 경제제재 조치 사유가 소멸되었으므로 정부는 91.3.18부로 쿠웨이트 지역에 대한 경제제재조치를 해제한다. 끝.

앙고재	통상1과	91 년 월 8 일	담 당	과 장	국 장	차관보	차 관	장 관
			[signature]	[signature]	전결 [signature]	[signature]		

0176

보 도 자 료

외 무 부

제 91-75 호 　 문의전화 : 720-2408~10 　 보도일시 : 91 · 3 · 18 · 16 : 00 시

제 목 : 대쿠웨이트 지역 경제제재 해제

통상1과

1. 유엔안전보장이사회는 지난 90.8.2 이라크에 의한 쿠웨이트 점령과 관련, 90.8.6 이라크 및 쿠웨이트 지역에 대한 경제제재조치를 결의(제661호)한 바 있으며 정부는 동 유엔안보리 결의를 존중하여 이라크의 점령하에 있는 쿠웨이트 지역에 대해 90.8.9부로 경제제재조치를 취한 바 있다.

2. 쿠웨이트가 이라크로 부터 해방됨에 따라 쿠웨이트지역에 대한 경제제재 조치 사유가 소멸되었으므로 정부는 91.3.18부로 쿠웨이트 지역에 대한 경제제재조치를 해제한다. 끝.

0177

발 신 전 보

분류번호	보존기간

번 호 : AM-0067 910318 1710 FH 종별 :

수 신 : 주 전재외공관장 대사.총영사 (주미,주쿠웨이트대사 제외)

발 신 : 장 관 (통일)

제 목 : 대쿠웨이트 경제제재 해제

이라크 및 쿠웨이트에 대하여 90.8.9부터 실시중인 경제제재 조치중 쿠웨이트 지역에 대한 경제제재 조치를 91.3.18부로 해제하였음을 통보함. 끝.

(통상국장 김 삼 훈)

보 안 통 제	

앙 고 재	91년 3월 18일	통상1과	기안자 성 명		과 장	심의관	국 장		차 관	장 관
							전결			

외신과통제

0178

中東질서 재편과 韓國의 利害

걸프戰후 중동지역에 대한 우리의 시각은 복구공사 수주와 같은 극히 근시안적 차원을 벗어나지 못하고 있다. 그러나 급변하는 중동질서의 재편을 보면서 우리는 단기적인 이해에 집착하여 희비할 것이 아니라 장기적으로 우리의 국익을 최대로 확보하는 방안이 무엇인지를 진지하게 모색해야 할 것이다. 이를 위해서는 먼저 걸프전 참여에 대한 功過를 따져보고 앞으로의 대응을 폭넓게 논의해야 한다.

> 걸프戰후 전개되고 있는 중동질서재편에 우리는 어떻게 대처해야 할 것인가. 이를 위해 전비지원 軍의료진파견등 非전투분야로 전쟁에 참여했던 우리의 功過를 냉정히 따져보고 국익 확보방안을 찾아야 할 것이다. 충북대 吉壽鍾교수는 최근 열린 한국중동학회 세미나에서 이러한 내용을 담은 논문을 발표했다. 다음은 논문의 요약. <편집자>

이論文

걸프戰간접지원 아랍에 상처남겨
장기적國益차원서 다각 대처할때

지금 중동에는 새로운 질서가 전개되고 있다. 제2차대전이후 최근까지의 냉전의 양극화시대에는 이지역이 어느 누구도 일방적으로 영향력을 행사할 수 없는「힘의 空白地帶」로 남겨져 있었다. 그러나 이번의 걸프戰은 중동의 위상에 큰 변화를 가져왔다.

그 특징을 보면 첫째 '중동이 종래의「힘의 공백지대」로부터 미국의 절대영향지대로 변했다는 점이다. 둘째,'아랍민족주의가 퇴색되었다는 것이다. 또 이스라엘과 중동아랍간의 팽팽한 긴장이 변화조짐을 보이고 있는가 하면 일부국가에서 유지돼오던 아랍의 전통왕정체제도 일대위기를 맞고 있는 것이 戰前과는 다른 중동현실이다.

따라서 걸프전은 중동질서재편에 있어 하나의 분수령이 되었다고해도 과언이 아니다. 이것이 부시 美대통령이 계속 주창해오고 있는 신국제질서의 실체인지는 확인할 수 없지만 팍스 아메리카나 (PAX AMERICANA)의 중동판임에는 의심의 여지가 없다.

한국은 걸프전을 지원함으로써 미국의 이익과 직결된 新중동질서구축에 본의아니게 휩쓸려 들어가고 만 것이다. 역사적으로 볼때 한국과 아랍간에는 싸운 전례가 없어 적대감정을 가질 아무런 이유가 없다.

吉壽鍾 <忠北大교수>

그러나 우리가 걸프전에 직접 참전은 하지 않았지만 다국적군 비용지원, 軍의료진과 공군수송기 파견등 아랍민중의 가슴에 큰 상처를 줌으로써 앞으로 중동권과의 우호증진에 큰 장애로 작용할 것임에는 틀림이 없다.

그렇다고 해서 미국으로부터 큰 환영을 받은 것도 아니다. 나름대로 지원은 한껏 했으면서도 소극적인 자세때문에 참전국 대열에 끼이지 못했던 결과 전후 지분보다 발언권리들에서 소외를 면치 못하고 있는 것이다.

한국의 걸프전지원은 미국의 UR협상타결요구 시장개방등 통상관계 압력으로부터 한숨이나마 벗어날 수 없을까 하는 마음에서, 그리고 전후복구사업에서 소외됨이 없이 몫을 보장받기 위한 고육책이었다. 우리는 이처럼 미국이 걸프전을 통해 구축하고 있는 新중동질서에 나름대로 기여했으면서도 전후 경제적 實利배분에서는 철저히 외면당한 느낌이 있을 뿐 아니라 韓美간 현안인 통상마찰해소에서마저 기대했던 배려를 얻어내지 못하고 있다.

그대신 미국의 눈치에 어쩔 수 없이 끼어든 걸프전에의 어설픈 간접참여와 전비지원 때문에 3억인구의 아랍에는 씻기 어려운 적대감만 심어놓은 꼴이 되고만 것이다. 이번 전쟁에서 미국편을 든 중동국가도 많지만 일부국가마저 정권의 의사와 국민의 감정은 별개라는 점에서 볼때 더욱 그러하다.

미국은 이번 걸프전에서 명분을 앞세워 유엔결의를 이끌어내고 각국의 병력을 모았는가 하면 전비를 초과할만큼의 전쟁지원금을 받아내 전쟁을 치렀으면서도 전리품은 독식하는 횡포를 거침없이 자행하고 있다. 따라서 우리가 지원의 대가로 기대했던 전후복구 참여에 대한 지분주장은 너무 순진한 발상의 산물로 귀착되어지는 감을 느끼게 한다.

결과론이지만 차라리 영국이나 프랑스처럼 아예 적극 참여를 하거나 아니면 대만같이 중립으로 일관하는 것이 오히려 낫지 않았겠나 하는 생각도 든다. 물론 지금도 상황이 진행중인데다 자료나 정보가 거의 공개되지 않은 상태에서 한국의 걸프전 참여에 대한 功過를 섣불리 평가하는 것은 자칫 오류를 범할 우려도 없지 않다.

그러나 당장의 계산으로는 별로 얻어지는 것은 없고 대신 3억 아랍민중의 가슴에 지우기 어려운 상처를 남긴 것은 큰 손실이다. 지금 우리가 對美관계에서 걸프전에의 기여를 내세워 실리를 찾는 것도 중요하지만 아랍에 대해 섭섭함을 풀어주는 것은 더욱 중요한 일이다.

중동질서재편에 있어 장기적인 우리의 국익은 지금부터 우리가 어떻게 하느냐에 달려 있음을 명심해야 할 것이다.

동 아 (91. 4.2.24)

조수중 교수께,

지난 4.2.자 동아일보에 「중동질서 재편과 한국의 이해」라는 제목하에 소개된 조 교수의 논문 요지를 읽어 보았습니다.

조 교수의 논문 전문을 읽어보지 않고 신문에 소개된 내용만을 보고 소감을 밝힌다는 것이 적절할지는 모르겠으나, 걸프사태 발생이후 다국적군 국가와 걸프 주변국 지원문제를 담당했던 실무 과장으로서 몇가지 느낀 점을 말씀 드리고자 합니다.

우선 걸프사태를 보는 시각은 다양할 수 있겠읍니다만, 국제사회가 대체적으로 공유하고 있는 인식은 이라크가 동서간의 냉전체제가 와해된 후 새로운 국제질서가 형성되는 과정에서 발생한 힘의 공백상태를 이용하여 중동지역의 패권을 추구하기 위해 쿠웨이트를 무력으로 불법 침공하므로써, 동 지역은 물론 세계의 안정과 평화를 위협하였으며, "가진자와 가지지 못한자"의 문제를 내세워 자유 서방세계 경제안보를 위협하려 했다는 것입니다.

역사적으로 유례를 찾기 어려울 정도로 미.소.중국을 포함한 세계의 대다수 국가와 아랍 제국들이 유엔 안전보장이사회에서의 결의를 포함한 공동 노력에 협력했던 것은 이번 사태의 본질을 잘 설명해 주고 있읍니다.

만약 이라크의 행동이 국제사회에서 용인됐을 경우, 향후 다른 지역에서의 유사한 사태 발생 가능성을 더욱 증가시켰을 것이며, 이는 세계평화와 안정을 크게 위협하는 결과를 가져오는 것입니다.

0180

독일 통일로 상징되는 유럽에서의 냉전 종식에도 불구하고 한반도에는 아직도 대립과 반목의 냉전질서가 엄존하고 있는 상황을 생각하면, 불법적인 무력침략에 대해 유엔을 중심으로 한 세계 각국과의 협력을 통하여 걸프지역에서 평화와 안정회복을 회복시킨 것은 한반도 정세 안정을 위해서도 크게 다행한 일인 것입니다.

이와 같은 고려에서, 국제사회가 요구하고 있는 우리의 국제적 위치에 상응하는 책임을 분담하며, 나아가서 세계평화와 안정유지를 목표로 하고 있는 유엔 안전보장이사회의 결의를 존중하기 위하여 우리의 현실적 능력 범위내에서 지원을 한 것입니다. 조 교수께서 미국의 UR 협상타결 요구나 시장개방 등 통상관계 압력으로부터 한순간이나마 벗어날 수 없을까 하는 마음에서, 그리고 전후 복구사업에서 소외됨이 없이 몫을 보장받기 위한 고육책으로 지원했던 것이 아니냐고 우려하신 것은 우리 정부의 의지를 제대로 이해하지 못한데서 나온 것으로 생각됩니다. 아울러 우리가 미국의 신중동질서 구축에 본의 아니게 휩쓸려 들어간 것이 아니라는 점도 확실히 말씀드리고 싶습니다.

조 교수도 지적하셨다시피 이번 걸프전을 계기로 아랍 민족주의는 변화하고 있으며, 과거와 같이 아랍 민족주의라는 기치 아래 다수의 아랍인들이 사담 후세인의 행동을 지지하고 있지 않다는 것도 잘 나타나고 있읍니다. 오히려 이번 걸프사태가 아랍인들로 하여금 중동지역을 포함한 국제정세에 대해 보다 객관적이고 현실적인 인식을 갖게 됨으로써 중동지역의 역내 발전뿐 아니라 아랍국가들과 역외 비아랍국가들간의 관계개선을 위해서도 긍정적인 영향을 미쳤다고 보고 있읍니다.

따라서 미국의 눈치를 보고 어쩔수 없이 끼어든 걸프전에의 어설픈 간접 참여와 전비지원 때문에 3억 아랍인에게 씻기 어려운 적대감만 심어 놓은 꼴이 되고 말았다는 조 교수의 지적은 받아 들이기 어렵습니다.

0181

또한 우리의 지원에 대해 미국이 시큰둥하게 생각하고 있다거나, 우리의 소극적인 자세 때문에 참전국 대열에 끼이지도 못하고 전후 지분 확보와 발언권 획득에서 소외를 면치 못하고 있다는 조 교수의 지적도 사실과는 많은 괴리가 있다는 점만을 지적하고자 합니다. 특정 국가간의 관계나 국제사회에서 어느 국가의 위치는 일과성 과시적 조치로 결정될 수 없고, 또한 상업적 거래와 같은 방식으로 이루어 지는 것이 아니라는 것은 조 교수께서도 잘 아실 것으로 믿습니다.

세계는 지금 숨가쁘게 변하고 있습니다. 동북아시아도 오랜 동면에서 깨어난 듯이, 곧 미.일.중.소간에도 정상회담이 개최되는 등 역내 국가간 관계 변화가 가속화될 조짐을 보이고 있습니다.

변화는 항상 불안정과 불확실성을 수반합니다. 우리는 한반도를 비롯한 동북아는 물론, 전 세계적으로 불확실한 시대에 살고 있읍니다. 이러한 때 일수록 자그마한 단기적 이해관계나 일방적 피해의식에서 벗어나 역사와 국제정세의 큰 흐름을 냉정히 파악하여 국제사회에서 우리가 해야 할 응분의 역할과 책임을 능동적으로 수행함으로써 장기적으로 우리의 국익을 최대로 확보해 나가는 노력을 게을리하지 말아야 할 것이라는 점을 마지막으로 말씀드립니다.

91. 4. 4

외무부 북미과장

송 민 순

0182

한·미 외무장관 회담자료

중 동 2 과

양 고 재	중 동 2 과	91년 4월 4일	담 당	과 장	심의관	국 장
			허덕행			보고필

0183

3. 걸프사태 지원 및 전후문제에 관한 한·미 협력

가. 걸프사태 관련 한국의 지원

ㅇ 한국 政府는 유엔安保理 決議에 입각한 多國籍軍의 걸프事態 終熄 努力에 同參함으로써 이지역 平和回復에 寄與하기 위해 多國籍軍 및 周邊被害國에 대한 財政支援을 決定한 바 있음.

ㅇ 我國은 걸프事態 關聯 周邊避害國에 대한 經濟援助로 1억1,500만불 美國등 多國籍軍 支援을 위해 3억8,500만불등 總 5억불의 財政支援을 進行中에 있으며, 이와는 別途로 軍醫療支援團 및 輸送團을 派遣 한바 있음.

ㅇ 周邊國 經濟支援額 總額 1억1,500만불중 2,123만불이 執行되었거나 조만간 執行될 豫定에 있으며 國會審議를 거쳐 確保된 同 支援金의 早期執行을 위해 政府調査團을 2회 派遣하였으며 受援國의 駐在公館을 통해 受援國의 品目選定등 具體的 推進을 督勵하고 있으나 그나라들의 行政이 느려 시간이 걸리고 있음.

ㅇ 多國籍軍에 대한 支援額 總3억8,500만불중 美國에 대해 1억4,400만불 (37%)이 이미 支援되었음. 잔여 2억4,100만불도 금년 상반기중 國會 審議을 거쳐 豫算을 確保하는대로 支援 豫定임.

0184

참고자료

1. 1차 걸프사태 지원계획

(단위 : 만불)

구분 년도	다국적군 지원	주변국 경제지원	계
'90	8,000	9,000	17,000
'91	2,500	2,500	5,000
계	10,500	11,500	22,000

2. 2차 걸프사태 지원계획 : 다국적군 지원 2.8억원

- 대미 현금지원 : 1.5억불
- 대미 수송지원 : 1억원
- 대영 전비지원 : 3천만불

3. 주변국 경제지원 계획의 원조형태

(단위 : 만불)

구분 년도	물자지원	EDCF 차관	쌀	기 타	계
'90	3,700	4,000	1,000(현물)	예비(200) IOM (50) 행정(50)	9,000
'91	500	2,000			2,500
계	4,200	6,000	1,000	300	11,500

0185

3. Korea's Gulf Crisis Assistance Programme and Korea US Cooperation on the post Gulf War issues.

A. Korea's Gulf Crisis Assistance Programme.

o The Korean Government decided to provide the multinational force and the frontline states affected by the Gulf Crisis with financial assistance in order to contribute to the restoration of peace in the Gulf area through participation in the multinational efforts for an early settlement of the Crisis within the framework of the UNSC resolution.

o Thus, Korea has committed a total of 500 millon dollars of financial assistance, of which 115 million dollars is assigned as economic assistance to the frontline states affected by the Gulf Crisis, and 385 million dollars is assigned as financial contribution to the Multinational forces with US forces as major receiver. In addition, Korea also dispatched Military Medical Supporting Group and a transportation Unit during the Gulf War.

0186

o From a total of 115 million dollars allocated for economic assistance to the frontline states, 21.2 million dollars has already been or is scheduled to be disbursed in quite near future.
To expedite the full disbursement of financial assistance programme, Korea sent two high ranking Government delegations to the front - line states and discussed the assistance programme with them . And Korean missions resident in those countries are also discussing with the Governments of their residence ways of speeding up the procedure. However we regret that Korea's disbursement schedule has been delayed by those country's administrative in efficiency.

o From a total of 385 million dollars of financial assistance pledged by Korea for the multinational forces, a total of 144 million dollars has been provided to the US to date. The rest amount of 241 million dollars is also expected to be disbursed during the first half of this year. To meet this schedule, We are ready to floor additional budget bill on the National Assembly for approval.

0187

다. 한국의 대이집트 및 시리아 수교추진

o 中東地域에서 我國과 公式外交關係가 없는 나라는 이집트와 시리아 뿐 임.

o 이집트와는 1961년 領事關係를 樹立한 以來 今年에는 30주년이 되며 시리아와는 아직 아무런 公式關係가 없는 實情임. 我國은 理念과 體制를 넘어 世界 모든國家와 友好協力關係를 樹立하고자 하며 이를 위해 이집트, 시리아와의 國交樹立을 推進하고 있음.

o 韓國과 이들 兩國과의 修交問題는 北韓과의 旣存 軍事協力關係가 그동안 遲延된 主要原因으로 보임. 또한 我國經濟의 根幹인 民間 企業이 未修交國에의 進出을 꺼리고 있으므로 修交가 될 경우 兩國間 經濟協力은 급속히 增大될 展望이므로 韓國과의 修交는 北韓의 軍事的 影響力에 대한 牽制 및 戰後 中東地域 經濟復興 次元에서도 크게 寄與할 것으로 사료되는바 韓國의 修交努力에 대한 美國의 側面支援이 要望됨.

o 我國은 未修交國임에도 불구 걸프事態 被害國 支援 次元에서 이집트에 대해서는 物資無償援助 1,500만불, EDCF 차관 1,500만불등 3,000만불 상당의 經濟援助를, 시리아에 대해서는 物資無償援助 1,000만불을 提議한바 있음.

0188

참고자료

1. 한 · 이집트 관계

61.12. 5. 영사관계수립

62. 5. 1. 주 카이로 한국 총영사관 개설

63. 8. 북한 · 이집트 외교관계 수립

89. 5.16. 이집트, 주일 이집트 대사관을 한국영사 관할 공관으로 지정

2. 대 이집트 수교추진

90. 1. 미국방차관보, 이집트 방문시 무바라크 대통령에게 수교문제 거론

90. 1. 외무차관, 그레그 주한 미대사를 통하여 미측의 측면지원요청

90. 2. 외무장관, 수교관련 친서 발송

90. 2. 이집트 외무장관, 무바라크 대통령에게 수교건의서 상신

3. 한 · 시리아 관계

1961.10.20. 한국, 시리아 신정부 승인

1966.10. 북한 · 이집트 외교관계 수립

4. 대 시리아 수교추진

1988. 주 요르단 대사 시리아 방문, 통상대표부 설치문제 협의

1991. 2. 주 이란 시리아 대사, 한 · 시리아 관계개선을 위해 시리아측은 외교관계 전단계로서 통상대표부 상호설치를 희망한다는 시리아측 입장전달

0189

C: Korean efforts to establish diplomatic relations with Egypt and Syria.

- o Now Korea has established diplomatic relations with all Middle East countries except Egypt and Syria.

- o This year marks 30th anniversary since Korea opened consular relations with Egypt in 1961, and with Syria Korea has not yet establised any official ties.

- o It is our basic foreign policy to maintain friendly relations with all countries transcending political systems and ideologies, and in this regards Korea wishes to establish diplomatic relations with Egypt and Syria.

- o It seems that the military cooperation between North Korea and the two countries has been functioning as one of main obstacles to our efforts to establish diplomatic relations with Egypt and Syria.

- o Since private enterprises as the backbone of Korean Economy are reluctant to do business in such countries as having no offcial ties with Korea, We believe the establishment of official ties will greatly accelerate economic cooperation between Korea and the two countries. The vigorous business activities of Korean private

0190

enterprises will contribute to the economic development and rehabilitation in those Middle East countries and we also belive that Korea as an balancing power to the North Korean influence in such countries will also contribute to the peace and security in the Middle East. In this connection, we expect the US help and advice in our efforts to establish diplomatic relations with Egypt and Syria.

o Though Korea has no official ties with Egypt and Syria, we offered those two countries to provide economic assistance of 40 million dollars in grant and loan in our Gulf Crisis Financial Assistance Programme. To Egypt, economic assistance of 30 million dollars is scheduled to be provided, which consists of 15 million dollars of goods and 15 million dollars of soft loan. As to Syria, materials of 10 million dollars is also scheduled to be provided in grant.

0191

라. 韓國의 對이스라엘 關係 問題 (美側 提起時)

ㅇ 이스라엘은 78.2. 豫算上 事情을 이유로 駐韓 常駐 大使館을 撤收하고 日本에서 兼任하고 있음 (실제로는 우리의 對아랍政策에 대한 不滿 表示).

ㅇ 그후 이스라엘은 80.5. 以來 줄곧 駐韓 常駐 大使館의 再開를 要請해 오고 있으나 我國은 全般的인 中東情勢와 關聯한 對아랍 내지 回教圈 關係 및 北韓의 逆宣傳 可能性등을 감안 이에 同意하지 않고 있음.

ㅇ 특히, 我國의 유엔加入 申請을 앞둔 現時點에서 이스라엘 大使館의 再開를 許容하기는 어려운 立場이며 향후 팔레스타인 問題를 包含한 아랍- 이스라엘 關係가 改善될 展望이 보이고 我國의 유엔加入이 實現 되면 同 大使館 再開問題를 包含한 對이스라엘 關係를 轉向的으로 檢討할 豫定임.

ㅇ 非政治的 分野 및 民間部門에서의 兩國間 實質協力關係는 政府의 介入 없이 자연스럽게 增進되어가고 있음.

參考資料

※ 한·이스라엘 外交關係

62. 4.	外交關係樹立
64. 8.	駐韓 이스라엘 常駐大使館 設置
69. 4.	駐 이스라엘 我國 兼任大使 任命(駐이태리大使)
69 9.	初代 駐韓 이스라엘 常駐大使 부임

0192

71. 3.以來 駐 이스라엘 我國 兼任大使 任命 保留

78. 2. 이스라엘, 豫算上 이유로 駐韓 大使館 閉鎖(駐日大使가 兼任)

80. 5.以來 이스라엘, 駐韓 常駐大使館 再開 許容 要請

89. 7.以來 駐日 이스라엘 大使館 公使 1명, 서울에 사실상 常駐

※ 팔레스타인 問題에 대한 我國立場

- 中東紛爭의 平和的 方法에 의한 解決
- 유엔決議로 確認된 "팔"人의 自決權과 獨立國家 創設權 尊重
- 이스라엘의 1967년이후 占領한 아랍 領土로 부터 撤收
- PLO의 "팔" 代表權 認定
- 유엔主管下에 中東平和 國際會議 開催
- "팔" 獨立國家 承認은 時機尙早로 保留立場

※ 日本·이스라엘 關係

- 相互間 常駐大使館 維持
- 91.3.20-24간 美國을 訪問한 日本外相은 中東平和를 促進한다는 意味에서 外相의 이스라엘 訪問 計劃 및 日·이스라엘 實質關係 增進努力 言及
- 中東平和를 위한 國際會議 開催 支持
- 4.4. 美·日 頂上會談時 이스라엘 問題 解決에 積極的인 자세表明 豫定

※ 中國·이스라엘 關係

- 中國은 이스라엘이 아랍 占領地로부터 撤收하지 않는한 兩國關係 改善은 不可能하다는 旣存立場을 견지
- 兩國은 外交特權을 향유치 못하는 連絡事務所를 非公式 名稱下에 90 년초 相互交換 開設하였으나 兩國間 交流는 미미한 形便
- 3.27. 外交部長, 記者會見에서 이스라엘과의 外交關係 問題를 論議할 時期아니라고 言及

0193

* 아시아 主要國의 이스라엘 關係에 대한 美國立場

- 韓國을 包含한 제3국과 이스라엘간의 關係改善 問題는 基本的으로 該當國間의 兩者問題임.
- 그러나 韓, 中, 日등 아시아 主要國과 이스라엘과의 關係改善이 이루어 진다면 아랍·이스라엘 問題 解決을 위한 國際環境 助成에 도움이 될 것으로 봄.

0194

Relations between Korea and Israel

(To be mentioned when raised by the U.S side)

ㅇ Israeli Government had closed down its Embassy in Seoul in February 1978, ostensibly due to its budgetary restrictions, but in reality to show its displeasure to the Korean Government which had been pursuing to promote good relations with the Arab countries. Since then, the Isralei Embassy in Tokyo had been assuming the jurisdiction over Korea.

ㅇ Israeli Government has been asking us to allow it to reopen its Embassy in Seoul since May 1980. However, we have not given them the permission because it was regarded more important for us to maintain good relations with the Arab countries, considering our overall interests in the Middle East region. We also had to take into account of the possibility that the North Korea would launch a propaganda in order to destablize our overall relations with the Arab nations, if we agreed on the reopening of the the Israeli Embassy in Seoul.

0195

ㅇ As we intend to submit our application to the United Nations Membership this year, it is particularly difficult for us to accept a strengthening of relations with Israel at the governmental level for the time being. As the progress is made in Arab-Israeli relations, and once we secured our seat in the UN, however, we will consider the ways to improve the relations with Israel including the reopening of the Israeli Embassy in Seoul.

ㅇ I should note however that there has been a steadfast tendency of increasing cooperations in various non-political areas between the two countries even in the absence of governmental encouragements.

0196

정 리 보 존 문 서 목 록					
기록물종류	일반공문서철	등록번호	2021010237	등록일자	2021-01-28
분류번호	721.1	국가코드	XF	보존기간	영구
명 칭	걸프사태 : 대책 및 조치, 1990-91. 전11권				
생 산 과	중동1과/북미1과	생산년도	1990~1991	담당그룹	
권 차 명	V.8 비상대책본부 구성 및 종료				
내용목차					

0001

경 재 기 획 원

산사 10440- 209 (503-9077) 1990. 8. 29
수신 외무부 장관
제목 『페르시아』만 사태관련 특별위원회 구성 통보

패르시아만 사태 관련 관계장관회의 ('90. 8. 25)에서 페르시아만 사태가 진정 해결될 때까지 사태진전 상황에 따라 범부처적으로 신속·적절하게 대응하여 나감으로써 국민경제에 대한 충격을 최소화하기 위하여 『페르시아』만 사태관련 특별위원회를 구성·운영하기로 결정하였는 바, 아래와 같이 통보하오니 업무에 차질없으시기 바랍니다.

- 아 래 -

1. 구 성
   - 위원장 : 부총리
   - 위 원 : 외무, 재무, 상공, 건설, 동자부장관, 경제수석비서관

2. 기 능
   - 사태추이의 점검 (관련정보의 종합·분석)
   - 사태진전에 따른 국민경제적 영향 분석
   - 석유수급안정, 에너지절약 등 주요 과제별 장단기 대응책 강구

3. 관계부처 협조사항
   - 부처별로 소관사항별 대책반을 구성·운영하는 등 면밀하게 대응하고 주요활동 사항을 정리하여 매주 토요일까지 경제기획원(정책조정국)에 제출
   - 부처별로 수집한 주요정보는 익일 오전 09:30까지 경제기획원에 송부
   - 특별위원회에서 논의되어야 할 주요정책사항에 대하여 경제기획원에 제출하고 관련부처간 협의를 거친 후 위원회에 상정
     o 보고사항 또는 긴급사항의 경우는 관련부처협의 생략 가능. 끝.

경 제 기 획 원 장

24427

0002

AUG 31 '90 11:17 E.P.B. 503-9033 2686 (외무부 중근동과) P.1

기 안 용 지

분류기호 문서번호	산사 10440 - 301	(전화 : 503-9077)	시행상 특별취급	
보존기간	영구·준영구. 10. 5. 3. 1.	차관	장관	
수신처 보존기간		후결		
시행일자	'90. 8 29			

보조기관		협조기관		문서통제
차관보	8/28	기획국장		경제 1990. 8. 29
국장		물가국장		
과장		대조실 제1협력관		발송인 1990. 8. 29
기안책임자	안 영 호			

경유 수신 참조	수신처 참조 외무부 중근동과 검사기관	발신명의	
제목	『페르시아』만 사태관련 특별위원회 구성 통보		

페르시아만 사태 관련 관계장관회의 ('90. 8. 25)에서 페르시아만사태가 진정 해결될 때까지 사태진전 상황에 따라 범부처적으로 신속·적절하게 대응하여 나감으로써 국민경제에 대한 충격을 최소화하기 위하여 『페르시아』만 사태관련 특별위원회를 구성·운영하기로 결정하였는 바,

아래와 같이 통보 하오니 업무에 차질없으시기 바랍니다.

0003

1505-25(2-1) 일(1)갑 190mm×268mm 인쇄용지 2급 60g/㎡

- 아 래 -

1. 구 성

- 위원장 : 부총리

- 위 원 : 외무, 재무, 상공, 건설, 동자부장관, 경제수석비서관

2. 기 능

- 사태추이의 점검 (관련정보의 종합·분석)

- 사태진전에 따른 국민경제적 영향 분석

- 석유수급안정, 에너지절약 등 주요 과제별 장단기 대응책 강구

3. 관계부처 협조사항

- 부처별로 소관사항별 대책반을 구성·운영하는 등 면밀하게 대응하고 주요활동 사항을 정리하여 매주 토요일까지 경제기획원(정책조정국)에 제출

- 부처별로 수집한 주요정보는 익일 오전 09:30까지 경제기획원에 송부

0004

1505-25(2-2) 일(1)갑
85. 9. 9. 승인

190mm×268mm 인쇄용지 2급 60g/m²

- 특별위원회에서 논의되어야 할 주요정책사항에 대하여 경제기획원에 제출하고 관련부처간 협의를 거친 후 위원회에 상정

o 보고사항 또는 긴급사항의 경우는 관련부처협의 생략 가능. 끝.

수신처 : 외무부 장관, 재무부 장관, 상공부 장관, 건설부 장관, 동자부 장관, 경제수석비서관.

0005

전언 통신문

문서 번호 : 산사 10440-88

수 신 : 외무부장관

제 목 : 회의 개최

1. 산사 10440-287 (90. 8. 29)의 관련

2. 이호로 구성된 페르시아만 사태관련 특별위원회 제 1차 회의를 아래와 같이 개최코자 하오니 참석하여 주시기 바랍니다.

- 아 래 -

가. 일 시 : 1990. 9. 8(토) 10시

나. 장 소 : 과천 정부종합청사 1동 부총리실

다. 참석범위 : 부총리(위원장, 외무부장관, 재무부장관, 상공부장관, 건설부장관, 동자부장관, 경제수석비서관). 끝.

0006

분류기호 문서번호	중근동 720-	기 안 용 지 (720-2327)	시 행 상 특별취급	
보존기간	영구.준영구 10. 5. 3. 1	차 관	장 관	
수 신 처 보존기간				
시행일자	1990.10.20.			

보조기관		협조기관		문 서 통 제
국 장			기획관리실장 제1차관보 제2차관보 대책반장 미주국장 국제경제국장 총무과장	
심의관				
과 장	7h			
기안책임자				발 송 인
경 유 수 신 참 조	내 부 결 재			

제 목	페르시아만 사태 대책반 운영

페르시아만 사태에 효율적으로 대처하기 위해 아래와 같이 대책반을 편성하고 아래 직원을 90.10.22(월)-12.31한 한시적으로 페만 사태 관련 아국의 지원집행의 업무를 우선적으로 수행하도록 대책반에 배치할 것을 건의하오니 재가하여 주시기 바랍니다.

- 아 래 -

1. 대책반 편성 : 별첨

2. 대책반 실무 요원

경협2과 정용칠 서기관 (경제 지원 업무) / 계속 . . .

0007

북 미 과 홍석규 사무관 (다국적군 지원 업무)

마그레브과 서승열 사무관 (외교, 행정 지원 업무)

첨 부 : 대책반 편성표. 끝.

0008

(별 첨)

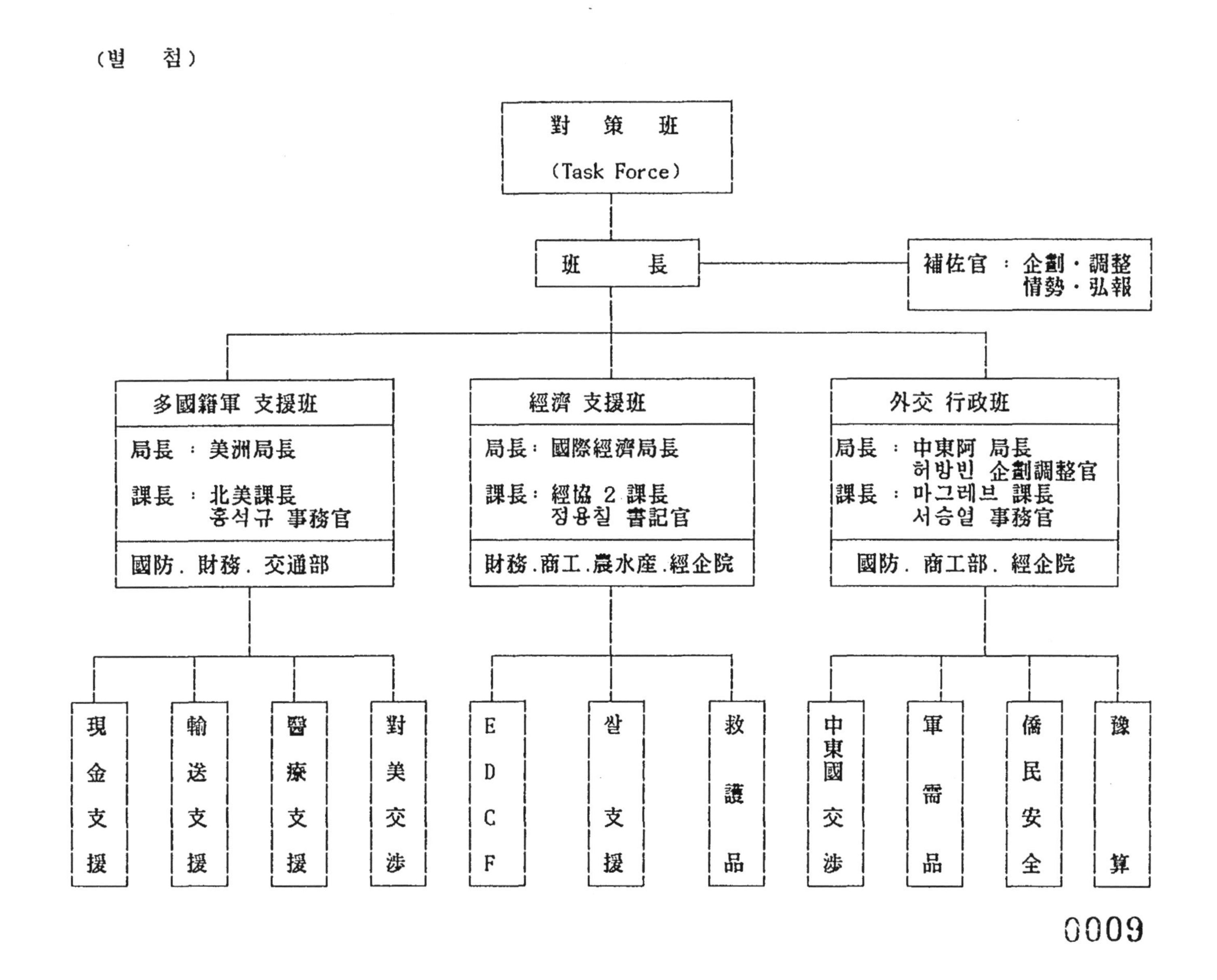

對 策 班
(Task Force)
班 長
補佐官 : 企劃・調整
情勢・弘報
多國籍軍 支援班
局長 : 美洲局長
課長 : 北美課長
홍석규 事務官
國防. 財務. 交通部
經濟 支援班
局長: 國際經濟局長
課長: 經協 2 課長
정용칠 書記官
財務.商工.農水産.經企院
外交 行政班
局長 : 中東阿 局長
허방빈 企劃調整官
課長 : 마그레브 課長
서승열 事務官
國防. 商工部. 經企院
現金支援
輸送支援
醫療支援
對美交涉
EDCF
쌀 支援
救護品
中東國交涉
軍需品
僑民安全
豫算

0009

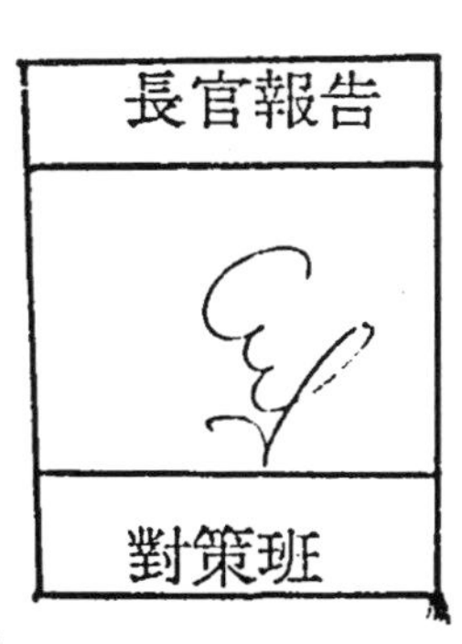

이락. 쿠웨이트事態 対策班 運営 結果 報告

1990.12.3

對策班 設置運營:

1990.8.9-12.3間 運營(3個月25日間)

構成: 班長: 권병현 本部大使

構成: 外務部, 經企院, 安企部, 財務, 國防 商工, 動資, 建設, 勞動, 交通部의 局課長級으로 構成

이준화 補佐官(參事官)

主要 任務遂行事項

1. 僑民安全對策: 이락. 쿠웨이트 僑民 總1,327名中 12.2 現在 1,197名 撤收, 130名 殘留

2. 事態展望 및 對策樹立 報告書 作成

第1次 綜合報告(8.26)

第2次 綜合報告(9.24)

第3次 綜合報告(9.28)

第4次 아랍圈의 版圖(10.1)

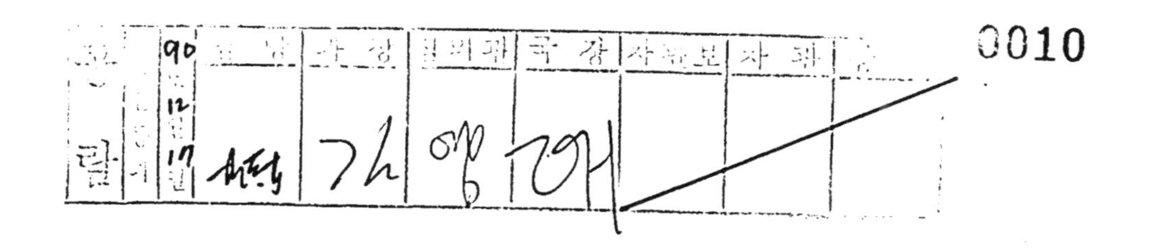

0010

3. 對策會議 召集 主宰

第1次會議: 僑民撤收 重点(8.16)

第2次會議: 制裁費用分擔對策(9.3)

第3次會議: 支援問題(9.13)

第4次會議: 支援執行計劃(9.27)

第5次會議: 支援執行計劃(10.22)

第6次會議: 被害 公館員 對策(10.24)

4. 對策班長의 訪美, 로마出張(2回)

訪美出張: 第2次 調整國會議 參席(10.10-15)

로마 및 터키出張: 第3次 調整國 會議 參席 및 수원국 出張(11.2-8)

5. 其他 業務遂行

1) 副總理 主宰 閣僚級 對策會議 陪席

2) 國會, 政黨等 輿論對策

3) 言論對策 參與等

앞으로의 課題

1. 和.戰 양경우에 대한 Contingency Plan 作成 必要. 특히 軍事的 行動에 對備한 對策을 早期에 作成해 두어야 하며, 이에는 다음사항 包含 必要

1) 殘餘僑民 最大限 撤收等 安全對策

2) 支援 追加負擔 要求에 대한 對備策 樹立

3) 醫療支援團 派遣問題 檢討

4) 에너지 對策

5) 앞으로의 對中東 中長期 對策

0011

2. 에너지 需給. 특히 등유 確保를 위한 外交的 側面 支援
   - 특히 등유 400萬 배럴 輸入確保 努力

3. 被害 公館員에 대한 補償策을 制度的 裝置로 마련 必要

4. 對策班 機能 - 定規組織으로 흡수
   이준화 參事官 再配置問題

添附: 1. 對策班 構成表
   2. 美國에 대한 등유 供給 要請(動資部 要請)
   3. 對策班 經費使用 內譯書

0012

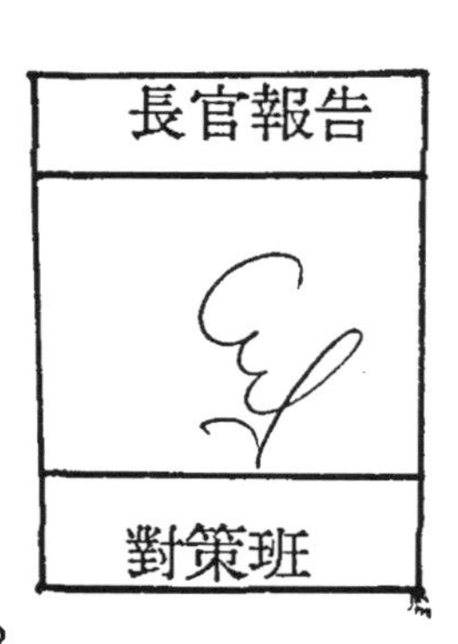

이락. 쿠웨이트事態 対策班 運営 結果 報告

1990.12.3

對策班 設置運營:

1990.8.9-12.3間 運營(3個月25日間)

構成: 班長: 권병현 本部大使

構成: 外務部, 經企院, 安企部, 財務, 國防 商工, 動資, 建設, 勞動, 交通部의 局課長級으로 構成

이준화 補佐官(參事官)

主要 任務遂行事項

1. 僑民安全對策: 이락. 쿠웨이트 僑民 總1,327名中 12.2 現在 1,197名 撤收, 130名 殘留

2. 事態展望 및 對策樹立 報告書 作成
   - 第1次 綜合報告(8.26)
   - 第2次 綜合報告(9.24)
   - 第3次 綜合報告(9.28)
   - 第4次 아랍圈의 版圖(10.1)

0013

3 . 對策會議 召集 主宰

第1次會議: 僑民撤收 重点(8 . 1 6)

第2次會議: 制裁費用分擔對策(9 . 3)

第3次會議: 支援問題(9 . 1 3)

第4次會議: 支援執行計劃(9 . 2 7)

第5次會議: 支援執行計劃(1 0 . 2 2)

第6次會議: 被害 公館員 對策(1 0 . 2 4)

4 . 對策班長의 訪美, 로마出張(2 回)

訪美出張: 第2次 調整國會議 參席(1 0 . 1 0 - 1 5)

로마 및 터키出張: 第3次 調整國 會議 參席
및 수원국 出張(1 1 . 2 - 8)

5 . 其他 業務遂行

1) 副總理 主宰 閣僚級 對策會議 陪席

2) 國會, 政黨等 輿論對策

3) 言論對策 參與等

앞으로의 課題

1 . 和.戰 양경우에 대한 Contingency Plan
作成 必要. 특히 軍事的 行動에 對備한 對策을
早期에 作成해 두어야 하며, 이에는 다음사항 包含
必要

1) 殘餘僑民 最大限 撤收等 安全對策

2) 支援 追加負擔 要求에 대한 對備策 樹立

3) 醫療支援團 派遣問題 檢討

4) 에너지 對策

5) 앞으로의 對中東 中長期 對策

0014

2. 에너지 需給. 특히 등유 確保를 위한 外交的 側面 支援

- 특히 등유 400萬 배럴 輸入確保 努力

3. 被害 公館員에 대한 補償策을 制度的 裝置로 마련 必要

4. 對策班 機能 - 定規組織으로 흡수
이준화 參事官 再配置問題

添附: 1. 對策班 構成表
2. 美國에 대한 등유 供給 要請(動資部 要請)
3. 對策班 經費使用 内譯書

0015

이라크·쿠웨이트 사태 대책반

관계부처	대 책 반(주무부서)	전화번호	F A X	비 고
외 무 부 (대책본부)	대책반장 권병현 본부대사 중동아프리카국장 이두복 (중근동 과장 정무삼) 미주국장 반기문 국제경제국장 최대화 통상국장 김삼훈 영사교민국장 허리훈	720-2340 722-1663 720-4480 720-2327 720-2045 720-3909 720-2343	720-2686	
경제기획원	제1협력관 이강두 (협력 정책 과장 변재진)	503-9142	503-9138	
[illegible]				
재 무 부	국제금융국장 신명호 (외환 정책 과장 한택수)	503-9262	503-9324 9250	
국 방 부	정책 기획관 윤용남 (국외 정책 과장 신일순) 방산국장 지창호 (국제 협력 과장 김우양)	795-7462 793-6024		
상 공 부	상역국장 황두연 (수출 1과장 유영상)	500-2372 2374	503-9437	
동력자원부	지원정책실장 지계식 (원유 과장 이승웅)	503-9642	503-9649	
건 설 부	건설 경제 국장 최석윤 (해외 건설 과장 박유철)	503-7398	503-7409	
노 동 부	직업 안정 국장 손원식 (해외 지도 과장 김완숙)	503-9750	503-9771	
교 통 부	항공 국장 이헌석 (운항 과장 석풍진)	392-9705	392-9809	

0016

미국에 대한 등유공급 요청

1. 우리나라의 등유(Kerosene)수급 상황

o '90년 월동기('90.10 - '91.3) 등유수요는 전년대비 65.4% 증가한 25백만배럴로 전망되며 현재 10월말 현재 22백만배럴을 확보하여 금년 12월까지는 수급상 문제점이 없으며 내년 1-3월중 약 3백만배럴의 추가수입이 필요한 상황이나

o 이락.쿠웨이트 사태로 인한 사우디,쿠웨이트의 등유수출 중단으로 국제시장 가격이 폭등(배럴당 60$수준)하고 물량확보에 어려움이 있음.

2. 미국에의 등유공급 요청사항

o 물 량 : 3백만B

o 시 기 : '91. 1 - 3중

o 방 법 : 미국정부가 미국정유사에 한국의 정유사와 Commercial base로 reasonable한 가격 범위내에서 거래가 이루어질수 있도록 측면 지원 요청

< 참 고 > 우리나라의 등유규격 (Kerosene Specification)

Flash point : 38℃ 이상

Sulfur Content : 0.13% 이하

Smoke Point : 18 mm 이상

Color : +18 Saybolt 이상

0017

공 란

분류기호 문서번호	중근동 720-	기 안 용 지	시 행 상 특별취급	
보존기간	영구.준영구 10. 5. 3. 1	차 관	장 관	
수 신 처 보존기간				
시행일자	1990.12.18.			
보조기관 국 장		협조기관	제1차관보	문 서 통 제
심의관			제2차관보	
과 장			미주국장	
			국제경제국장	
기안책임자	박 종 순		통상국장	발 송 인
			영사교민국장	
경 유 수 신 참 조	건 의	발신명의		
제 목	걸프전쟁 발발 대비 비상대책(안)			

1. 최근 걸프사태는 걸프 역내에 ~~45~~ 100만명의 이라크군과 35만명의 다국적군이 대치하고 있고, 11.29. 유엔 안보리가 대이라크 무력 사용을 승인 함으로 군사적 긴장이 고조되고 있는 가운데, 미국과 이라크 측간에 직접협상이 시도되고 있어, 사태의 평화적 해결 가능성이 보이고 있으나, 협상 일정에 대한 미.이라크간 상호 이견 노출로 양측이 강경히 맞서고 있어, 이들 양국간 협상이 실패할 경우에는 돌발적인 전쟁 발발 가능성도 매우 크므로 이러한 전쟁 발발에 대비한 비상대책(안)을 별첨과 같이 수립코져 건의 하오니 재가하여 주시기 바랍니다.

/ 계속 . . .

0019

2. 동 비상 대책(안)은 해당 공관 및 관련 부처에도 송부할 예정 입니다.

첨 부 : 동 비상대책(안). 끝.

0020

걸프 전쟁 발발 대비 비상 대책(안)

1990. 12. 16.

외 무 부

0021

목 차

0022

1. 상　　황

가. 걸프사태는 11.29. 유엔 안보리가 대이락 무력 사용을 승인 하였음에도 불구하고 부시 미국 대통령이 12.1. 이락에 직접 협상을 제의하고 이락이 이를 수용하는 동시에 곧이어 서방인질 전원의 석방을 결정 하므로서 평화적 해결의 전망이 밝아지는듯 하였으나 베이커 장관의 이락 방문 일자를 놓고 양측이 강경히 맞서고 있어 다시금 대단히 유동적인 국면을 마지하고 있음.

나. 미국과 이락간의 협상이 실패할 경우 미국은 어차피 무력사용이 이락의 군사력 약화라는 미국의 전략 목표를 가장 확실하게 보장 하는 방법이 되겠으므로 안보리의 무력사용 승인 결의를 배경으로 전쟁을 수행할 가능성이 있다고 봄.

다. 무력사용의 경우 이는 기습적, 전격적, 단기적인 대량 공격이 될 것으로 예상됨. 1월 초순까지는 다국적군 약 55만, 이락군 약 45만이 배치될 것으로 봄.

라. 이러한 전망 하에서 무력충돌에 대비한 비상대책을 수립해 두고자 하는것이 본 대책(안)의 배경임.

2. 기본적 고려사항

전쟁 발발시 아국의 기본적인 고려사항은 다음이 될 것임.

가. 아국인 안전 및 신속 철수

나. 이락내 아국의 경제이익 보호

다. 안정적 원유 확보

라. 국제적 평화 유지 활동 참여

마. 북한의 도발 가능성에 대비한 경계 태세의 강화

0023

3. 기본 방침

이상 고려사항을 염두에 두고 대책을 마련함에 있어 다음을 기본 방침으로 삼고자 함.

가. 관계부처간 협조체제의 확립

나. 현지 공관의 활동 지원

다. 진출업체와 협력

라. 우방과 긴밀협의 및 협조

4. 대 책

가. 교민 안전 및 철수 문제(공관원, 가족 포함)

1) 현 황

가) 쿠웨이트 잔류인원 9명은 개인 사업상 철수 불원

나) 이라크 잔류인원 120명은 공관원 및 가족과 업체소속 필수 요원임.

2) 대 책

가) 단계적 철수 추진

1단계 (사태악화 예상시)

① 이라크 잔류인원 철수 (필수요원 제외)

② 인접국 체류교민 자진철수 권장

2단계 (개전 임박 판단시)

① 이라크 잔류 필수요원도 철수

② 주이라크 대사관 인원 감축 (우방국과 ~~공동 보조~~ 긴밀협의)

③ 인접국 체류 교민 자진 철수 계속 권장

1-2단계는 구분不可.

㈏ 주변지역 철수도 중요.

0024

3단계 (전쟁 발발시)

① 주이라크 대사관 완전 철수

- 우방국과 공동 보조

- 잔류교민 보호, 미수금 문제, 장기적 경제 이익등도 감안

나) 철수 대비 사전 조치

① 1.10. 전후 상황 판단 실시

② 공관수준 긴급 철수계획 수립

③ 업체별 철수 계획은 공관의 종합 계획과 연계

④ 현지공관 및 업체 비상연락망 구성

⑤ 비상 대피시설 확보

⑥ 출국 허가 획득

⑦ 비상식품, 의약품 특별지원 방안 강구

⑧ 주이라크 및 인접 공관에 비상금 확보

⑨ 관련공관에 화생방 장비 지원 (11월 기조치)

⑩ 교민용 화생방 장비는 업체별로 지원

나. 경제적 이익 보호 문제

1) 건설분야

가) 이라크 신규공사 수주 금지

나) 미수금에 따른 진출회사의 자금 압박 완화 지원 ?

다) 공사 중단에 따른 분쟁소지 제거

라) 미수금 현황

① 이 라 크 : 7개사 972 백만불

② 쿠웨이트 : 3개사 63 백만불

0025

2) 교역분야

가) 교역 손실 극소화 방안 강구

나) 수출 보험 강화 방안 강구

다) 전후 역내 예상수요에 대비

라) 대이라크 경제 제재 조치로 예상되는 수출 차질액
(90.8-12월 기준)

① 이 라 크 : 110 백만불

② 쿠웨이트 : 80 백만불

다. 원유 공급 문제

1) 유가 인상에 따른 추가 부담 예상

가) 25불 기준시 1차년도 15-30 억불

나) 배럴당 1불 인상시 연간 330 백만불

2) 대 책

가) 단계별 원유 공급

① 1단계 : 정유사 도입 물량으로 충당

② 2단계 : 정부 비축 및 정유사 재고 활용(70:30)

③ 3단계 : 원유 확보상태를 보아 비축, 사용계획 조정

나) 전쟁 장기화 대비 중장기 대책 수립

라. 군비 추가 부담 문제

1) 지원 현황

가) 1990년 다국적군 95 백만불
주변국 경제지원 75 백만불

나) 1991년 다국적군 25 백만불
주변국 경제지원 25 백만불

0026

2) 요청 있을때 고려사항 (주로 외교적 측면)

가) 아국의 대이락 및 대아랍권 정치, 경제적 이익

나) 이집트, 시리아등 미수교국과의 수교 측면지원 가능성

다) 타국의 추가 지원 현황

라) 의무단 파견등 여타 방법 지원 가능성

마. 군 의무단등 비전투요원 파견 문제

1) 사우디측에 ~~일단 가~~ 제의했~~으나 상금 회신 미접~~ 한 결과, 환영 입장 표명

2) 고려사항 (주로 외교적 측면)

가) 사태 평정후 대이락 관계 불편

나) 의무단 파견이 연계선이 된 파병 가능성

다) 경제적 부담

바. 북한의 도발 가능성 문제

1) 동서 화해로 생긴 힘의 공백을 이용한 제3세계 지도자들의 모험주의 대두

2) 강력한 군사력, 내부불만등 이락과 북한의 유사성

3) 걸프만 전쟁 발발시 한반도 및 주변 미군의 부분적 이동 가능성

5. 당면 조치 사항

가. 각급 비상대책반 운영

1) 외무부 비상대책반(중동아국 중심 24시간 운영)

2) 정부 합동 대책반 (1차보 주재 관계부처 국장급)

3) 주이라크 대사관 관민 대책회의 (대사 주재 진출업체 포함)

4) 중동 공관장 회의 (1월 초순, 리야드 개최)

나. 비상대책 관련 예산 확보

0027

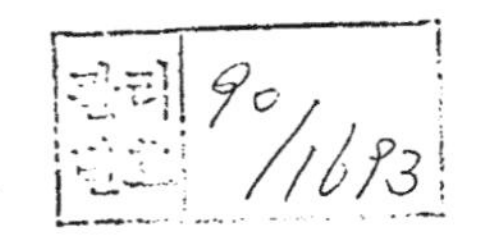

정파편 — 내 송부?

분류기호 문서번호	중근동 720-1756	기 안 용 지 (720-2327)	시 행 상 특별취급	
보존기간	영구.준영구 10. 5. 3. 1	장 관		
수 신 처 보존기간		가		
시행일자	1990. 12.22.			

보조기관	국 장		협조기관		문 서 통 제
	심의관				1990.12.24
	과 장	전결			
기안책임자		박 종 순			발 송 인

경 유 수 신 참 조	수신처 참조	발신명의		발송 1990.12.24 외무부
제 목	걸프전쟁 발발 대비 비상대책안			

연 : WMEM-0040

연호 관련, 표제 비상대책안을 별첨과 같이 송부하오니 관련사항에 대해 필요한 준비를 취하여 주시기 바랍니다.

1991.6.30.

첨 부 : 동 비상대책안 1부. 끝.

수신처 : 주 이락, 바레인, 카타르, 사우디, 요르단, UAE, 이란, 오만, 예멘 대사, 주 젯다총영사

예 고 : 1991. 6. 30. 일반

0028

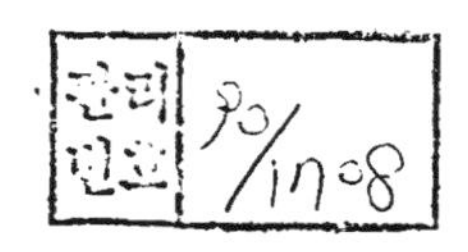

분류기호 문서번호	중근동 720-1801	기 안 용 지	시 행 상 특별취급	
보존기간	영구.준영구 10. 5. 3. 1	장 관		
수 신 처 보존기간		2월		
시행일자	1990.12.21.			

보조기관		협조기관		문서통제
국 장	전결			
심의관				
과 장				
기안책임자	박 종 순			발 송

경 유 수 신 참 조	수신처 참조	발신명의	
제 목	걸프전쟁 발발 대비 비상대책안 송부		

최근 걸프사태는 걸프역내 ~~51~~ 45만명의 이라크군과 36만명의 다국적군이 대치하고 있고 11.29. 유엔 안보리가 대이라크 무력사용을 승인함으로 군사적 긴장이 고조되고 있는 가운데, 미국과 이라크측간에 직접 협상이 시도되고 있어 사태의 평화적 해결 가능성이 보이기도하나, 협상일정에 대한 미.이라크간 이견으로 양측이 강경히 맞서고 있어 이들 양국간 협상이 실패할 경우에는 돌발적인 전쟁발발 가능성이 매우 크므로 이러한 전쟁 발발에 대비한 비상 대책안을 별첨과 같이 수립 하였기에 이를 송부합니다.

/ 계속 . . .

0029

첨 부 : 동 대책안 1부. 끝.

수신처 : 청와대 비서실장, 국무총리실 행정조정실장, 안전기획부장,
경제기획원, 재무, 상공, 동자, 건설, 보사, 노동, 교통부 장관

예고문 : 첨부물 분리시 일반 재분류

91.6.30. 일반 재분류

0030

30
30

걸프戰爭 勃発対備 非常対策(案)

1990. 12. 22

外　　務　　部

0031

目　　次

0032

1. 状 況

가. 걸프 事態는 11.29 유엔 安保理가 對이락 武力 使用을 承認하였음에도 불구하고 부시 美國 大統領이 12.1. 이락에 直接 協商을 提議하고 이락이 이를 受容하는 同時에 곧이어 西方人質 全員의 釋放을 決定함으로써 平和的 解決의 展望이 밝아지는듯 하였으나 베이커 長官의 이라크 訪問日字를 놓고 兩側이 強硬히 맞서고 있어 다시금 대단히 流動的인 局面을 맞이 하고 있음.

나. 美國과 이락間의 協商이 失敗할 경우 美國은 어차피 武力使用이 이락의 軍事力 弱化라는 美國의 戰略目標를 가장 確實하게 保障하는 方法이 되겠으므로 安保理의 武力使用 承認 決議를 背景으로 戰爭을 遂行할 可能性이 있다고 봄.

다. 武力使用의 경우 이는 奇襲的, 電擊的, 短期的인 大量 攻擊이 될 것으로 豫想됨. 1月 初旬까지는 多國籍軍 約 55萬, 이락軍 約 45萬이 配置될 것으로 봄.

라. 이러한 展望下에서 武力衝突에 대비한 非常對策을 樹立해 두고자 하는 것이 本 對策(案)의 背景임.

0033

2. 基本的 考慮事項

戰爭勃發時 我國의 基本的인 考慮事項은 다음이 될 것임.

가. 我國人 安全 및 迅速 撤收

나. 이락內 我國의 經濟利益 保護

다. 安定的 原油 確保

라. 國際的 平和維持 活動 參與

마. 北韓의 挑發 可能性에 對備한 警戒態勢의 強化

3. 基本方針

以上 考慮事項을 염두에 두고 對策을 마련함에 있어 다음을 基本 方針으로 삼고자 함.

가. 關係部處間 協調體制의 確立

나. 現地 公館의 活動 支援

다. 進出業體와의 協力

라. 友邦과 緊密 協議 및 協調

0034

4. 対 策

가. 僑民 安全 및 撤收問題(公舘員, 家族 包含)

1) 現 況

가) 쿠웨이트 殘留人員 9名은 個人事業上 撤收 不願

나) 이락 殘留人員 115名은 公舘員 및 家族과 業體所屬 必須要員임.

2) 對 策

가) 段階的 撤收 推進

1段階(開戰 臨迫 判斷時)

(1) 이락 殘留 人員 撤收

(2) 駐이락 大使館 人員 減縮(友邦國과 緊密協議)

(3) 隣接國 滯留 僑民 自進撤收 勸奬

2段階(戰爭 勃發時)

(1) 駐이락 大使館 完全 撤收

- 友邦國과 緊密協議
- 殘留僑民 保護, 未收金 問題, 長期的 經濟利益等도 勘案

0035

나) 撤收 對備 事前措置

(1) 1.10. 前後 狀況 判斷 實施
(2) 公館 水準 緊急 撤收計劃 樹立
(3) 業體別 撤收計劃은 公館의 綜合計劃과 連繫
(4) 現地公館 및 業體 非常連絡網 構成
(5) 非常 待避施設 確保
(6) 出國許可 獲得
(7) 非常食品, 醫藥品 特別支援方案 講究
(8) 駐이락 및 隣接 公館에 非常金 確保
(9) 關聯 公館에 化生放 裝備 支援(11月 既措置)
(10) 僑民用 化生放 裝備는 業體別로 支援

나. 經濟的 利益保護 問題

1) 建設分野

가) 이락 新規工事 受注 禁止
나) 未收金에 따른 進出會社의 資金壓迫 緩和 支援
다) 工事 中斷에 따른 紛爭 소지 除去
라) 未收金 現況
(1) 이 락 : 7個社 972百萬弗
(2) 쿠웨이트 : 3個社 63百萬弗

0036

2) 交易分野

가) 交易 損失 極小化 方案 講究
나) 輸出保險 強化方案 講究
다) 戰後 域內 豫想 需要에 對備
라) 對이라크 經濟制裁措置로 豫想되는 輸出 차질액
(90.8-12月 基準)
(1) 이 락 : 110百萬弗
(2) 쿠웨이트 : 80百萬弗

다. 原油供給問題

1) 油價引上에 따른 追加負擔 豫想

가) 25弗 基準時 1次年度 15-30億弗
나) 배럴當 1弗 引上時 年間 330百萬弗

2) 對 策

가) 段階別 原油 供給
1段階 : 精油社 導入 物量으로 充當
2段階 : 政府 備蓄 및 精油社 在庫 活用(70:30)
3段階 : 原油 確保狀態를 보아 備蓄, 使用
計劃 調整

나) 戰爭 長期化 對備 中長期對策 樹立

0037

라. 軍備 追加負擔問題

1) 支援 現況

가) 1990年 多國籍軍 95百萬弗
周邊國 經濟支援 75百萬弗
나) 1991年 多國籍軍 25百萬弗
周邊國 經濟支援 25百萬弗

2) 要請 있을때 考慮事項(주로 外交的 側面)

가) 我國의 對이락 및 對아랍圈 政治, 經濟的 利益
나) 이집트, 시리아等 未修交國과의 修交 側面支援 可能性
다) 他國의 追加支援 現況
라) 醫務團 派遣等 余他 方法 支援 可能性

마. 軍 醫務團等 非戰鬪要員 派遣問題

1) 사우디側 回信(12.19)에 대해 肯定的 檢討中
2) 考慮事項(주로 外交的 側面)
가) 事態 平靜後 對이락 關係 不便
나) 醫務團 派遣이 연계선이 된 派兵 可能性
다) 經濟的 負擔

바. 北韓의 挑發 可能性 問題

1) 東西和解로 생긴 힘의 空白을 이용한 第3世界 指導者들의 冒險主義 대두

0038

2) 強力한 軍事力, 内部不滿等 이락과 北韓의 유사성

3) 걸프灣 戰爭勃發時 韓半島 및 周邊 美軍의 部分的 移動 可能性

5. 当面措置事項

가. 各級 非常對策班 運營

1) 政府 合同 對策本部(1次補 主宰 關係部處 局長級)

2) 外務部 非常對策班(中東阿局 中心 24時間 運營)

3) 駐이락 大使舘 官民 對策會議(大使主宰 進出業體 包含)

4) 中東 公舘長會議(1月 初旬, 리야드 開催)

나. 非常對策 關聯 豫算 確保

0039

분류기호 문서번호	중근동20005-356	협 조 문 용 지 ( )	결재	심의관		
				담 당	과 장	국 장
시행일자	1990.12.26.			강	김	김 (서명)
수 신	수신처참조	발 신	중동아프리카국장			
제 목	페만사태 관련 비상근무					

최근 유엔안보리의 대 이라크 무력사용승인으로 페르시아만에서 전쟁 발발 가능성이 높아짐에 따라, 당국은 90.12.25부터 비상근무조를 편성, 아래와 같이 비상대책반을 운영~~코자하니~~ 하고 있으니 업무연락등 참고하시기 바랍니다.

- 아 래 -

1. 비상근무실 : 중동아프리카국 중근동과 610호

   전화 : 720-2327, 3969 (구내: 2168, 2169)

2. 비상근무시간 : 24시간 근무를 원칙으로 하나 돌발사태가 없는한 91.1.10.까지는 07:00-23:00 간 ~~근무~~ 운영하고 이후 부터는 24시간 ~~비상근무실을~~ 운영 /계속.../

0040

1505 - 8 일 (1)
85. 9. 9 승인 "내가아낀 종이 한장 늘어나는 나라살림"

190㎜×268㎜(인쇄용지 2급 60g / ㎡)
가 40-41 1990. 7. 9.

3. 근무직원 : 중동아프리카국 직원의 순번제 근무

4. 근무조 구성~~(3인 1조)~~

ㅇ 조 장 : 과장 ~~및~~ 또는 서기관

ㅇ 조 원 : 1인(휴일은 타자원 1명 추가)

수신처 : 장관실, 차관실, 제1.2차관보실, 각실·국장실, 공보관실,

감사관실, 비상계획관실, 정특반장실, 총무과장. 끝.

0041

1505-25(2-2) 일(1)을
85. 9. 9.승인 "내가아낀 종이 한장 늘어나는 나라살림" 190㎜×268㎜ 인쇄용지 2급 60g/㎡
가 40-41 1989. 12. 7.

분류기호 문서번호	중근동20005- 356	협 조 문 용 지 ( )	결 재	심의관 담 당	과 장	국 장
시행일자	1990.12.26.					
수 신	수신처참조	발 신	중동아프리카국 (서명)			
제 목	폐만사태 관련 비상근무					

최근 유엔안보리의 대 이라크 무력사용승인으로 페르시아만 에서 전쟁 발발 가능성이 높아짐에 따라, 당국은 90.12.25부터 비상 근무조를 편성, 아래와 같이 비상대책반을 운영하고 있으니 업무 연락등 참고하시기 바랍니다.

- 아 래 -

1. 비상근무실 : 중동아프리카국 중근동과 610호

전화 : 720-2327, 3969 (구내: 2168, 2169)

2. 비상근무시간 : 24시간 근무를 원칙으로 하나 돌발사태가 없는한 91.1.10.까지는 07:00-23:00 간 운영하고 이후 부터는 24시간 운영

/계속.../

0042 ~~0041~~

1505 - 8일(1) 190mm×268mm(인쇄용지 2급 60g/m²)
85. 9. 9 승인 "내가아낀 종이 한장 늘어나는 나라살림" 가 40-41 1990. 7. 9.

3. 근무직원 : 중동아프리카국 직원의 순번제 근무

4. 근무조 구성

o 조 장 : 과장 또는 서기관

o 조 원 : 1인(휴일은 타자원 1명 추가)

수신처 : 장관실, 차관실, 제1.2차관보실, 각실·국장실, 공보관실,

감사관실, 비상계획관실, 정특반장실, 총무과장실. 끝.

0043

공 란

공 란

폐만 대책본부 업무 분장

1.	대책본부 지원 업무 o 본부장 보좌 o 회의 소집	김은석 (성문업)
2.	교민 철수	박종순, 박규옥 (이태로)
3.	일반 정세 자료등	김동억, 이병현 (한원중)
4.	섭외, 국장 보좌	최형찬 (구본우)
5.	예산, 서무	강금구, 이종섭(서무)
6.	방 독 면	장석철 (오세천)
7.	타 자	유미선, Miss안, 각과 교대 근무

0046

✓ 고속복사기

o 기본 20,000매당
₩600,000

추가 1매당 ₩20.

(Tel) (Home) 922-5494 (고사장)
(Office) 333-6650.

90.1.13. 11:00

0047

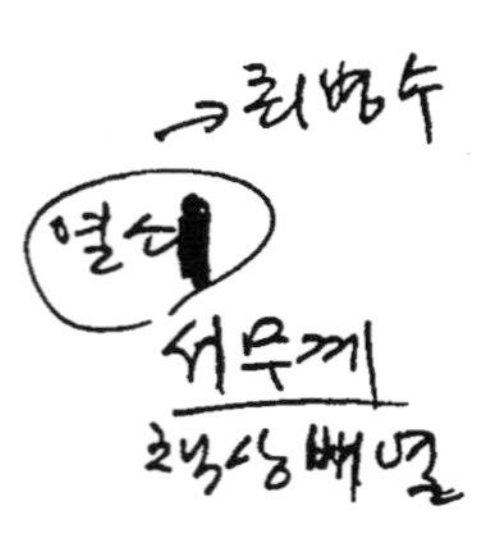

비상 대책반 행정 지원

지 원 내 용	소 요 경 비	비 고
1. 고속복사기 2대 (임차)		소회의실 비치
2. 침대 및 침구 (각 2개)		. Sleeping Bag 포함 . 고려무역에 요청
3. 전기히터 4대		"
4. 전화 가설 (일반 3대) (구내 3대)		. 총무처와 협조
5. 타자수 2명 (보 수) (식 대)		
6. 화일캐비넷(2)		
7. 냉장고(1)		
8. 옷장용 캐비넷(2)		
9. 책 장(2)		

(참 고)

- 책상 및 의자는 현재 보유분 활용

(기 타)

- 필기도구, 음료, 식품등 준비

0048

폐만사태 대비 비상 근무 편성조

. 평일 : 야간근무 일요일 : 주.야간근무
. 주간근무 : 09:00-17:00
. 야간근무 : 17:00-23:00

요일	일 자	조 장	조 원	타 자 수
화	25	김의기	강금구	유미선
		김의기	강금구	
수	26	한원중	최형찬	
목	27	김동억	서승렬	
금	28	이병현	박규옥	
토	29	강선용	성문업	
일	30	신국호	이태로	이수정
		장석철	이종섭	
월	31	구본우	황광호	
화	1	허덕행	오세천	김정희
		유시야	김영채	
수	2	김의기	서승렬	장요숙
		한원중	박규옥	
목	3	신국호	강금구	
금	4	이병현	최형찬	
토	5	김동억	이종섭	
일	6	김의기	이태로	유미선
		구본우	김영채	
월	7	장석철	황광호	
화	8	허덕행	오세천	
수	9	강선용	성문업	

0049

요일	일 자	조 장	조 원	타 자 수
목	10	박종순	서승렬	
금	11	유시야	박규옥	
토	12	한원중	최형찬	
일	13	김동억	이종섭	장요숙
		이병현	김영채	
월	14	구본우	강금구	
화	15	강선용	이태로	
수	16	장석철	오세천	
목	17	신국호	황광호	
금	18	허덕행	성문업	
토	19	박종순	서승렬	

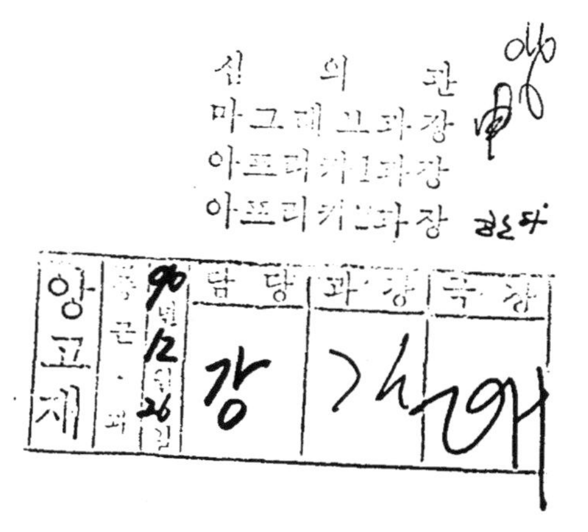

0050

보 도 참 고 자 료

정부는 1.11. 페르시아만 사태 비상대책본부(본부장 : 李祺周 외무부 제2차관보)를 설치, 운영키로 하였음.

동 대책본부는 아래와 같이 관련부처 국장급으로 구성함.

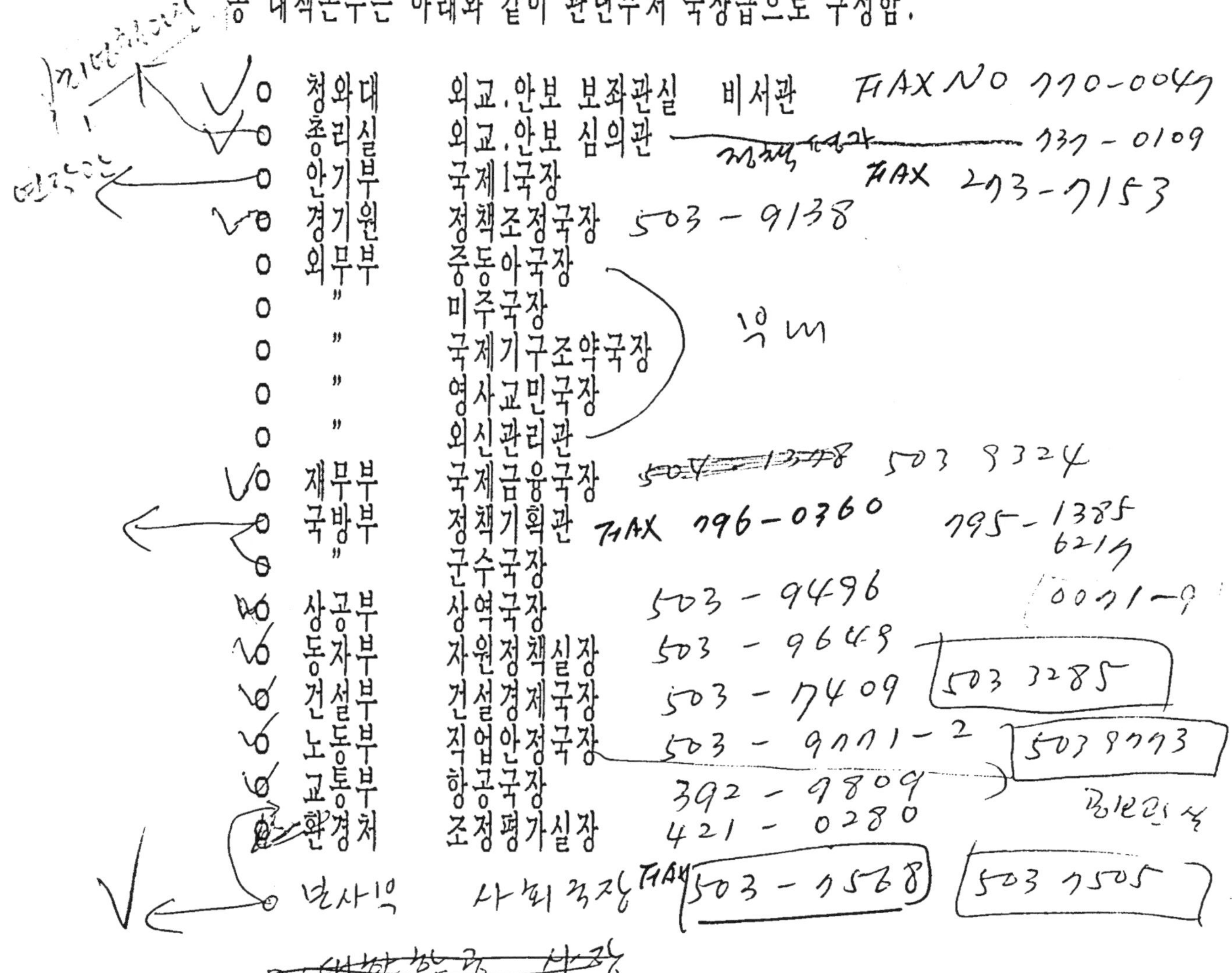

o 청와대 외교.안보 보좌관실 비서관
o 총리실 외교.안보 심의관
o 안기부 국제1국장
o 경기원 정책조정국장
o 외무부 중동아국장
o " 미주국장
o " 국제기구조약국장
o " 영사교민국장
o " 외신관리관
o 재무부 국제금융국장
o 국방부 정책기획관
o " 군수국장
o 상공부 상역국장
o 동자부 자원정책실장
o 건설부 건설경제국장
o 노동부 직업안정국장
o 교통부 항공국장
o 환경처 조정평가실장

0051

걸프事態 報告

(1991.1.11)

I. 걸프事態 對策班 運營

II. 僑民 撤收 및 安全對策

外　　務　　部

0052

I. 페湾 事態 対策班 運営

1. 페灣 事態 非常 對策班

- 90.8.2 事態 發生 直後 構成
- 班長: 外務部 本部 大使
- 主 任務는 이라크 및 쿠웨이트 滯留 僑民 緊急 撤收
- 그후 外務部 第1次官補로 班長 交替

2. 外務部 自體 對策班 別途 運營

- 中東아프리카局 中心 24時間 非常 勤務中

II. 僑民 撤収 및 安全対策

1. 僑民 現況

- 이라크 96名(大使館 6, 建設業體 90)
- 쿠웨이트 9名(個人事業上 殘留 希望者)
- 周邊 危險地域 約 6,100名
  . 사우디, 요르단, 바레인, 카타르, UAE(5個國)
  . 大使館 및 業體 約 3,700名, 現地 就業者等 純粹僑民 約 2,400名

0053

2. 撤收 推進 現況

- 이라크 및 쿠웨이트
  . 8.2 現在 約 1,300名中 1,200名 撤收 完了
  . 建設業體 職員: 1.15한 全員 撤收 指示 (90.12.27)
  . 大使館員: 1.9한 必須要員 除外 職員 및 家族 撤收 指示(91.1.4)
  . 必須要員 5名(大使, 派遣官, 外信官, 韓國人 雇傭員 2名) 1.14 撤收 前提로 準備하되 他國 公館 撤收動向 및 現地 情勢 判斷 綜合하여 大使가 決定, 第3國으로 臨時 待避토록 指示(91.1.7)

- 周邊 危險地域
  . 滯留僑民: 自進 撤收 勸誘토록 該當 公館에 指示(90.12.27)
  . 大使館員: 事態 推移 觀望하여 決定키로 함

3. 今後 撤收 對策

- 90.8月 이라크. 쿠웨이트 僑民 撤收時 KAL 特別機 運航과 原則的으로 같은 方式의 特別機 運航(GCC 公館長 會議 建議)

0054

- 事態 推移에 따라 運航時期, 機種, 回數, 經路等은 伸縮性있게 運營

- 細部事項은 페灣事態 對策班 및 實務 會議에서 協議토록 함

4. 防毒面 支給

- 公館員 및 家族
  . 防毒面等 化學戰 裝備 約 200人分 支援 (90.11月)
  . 使用法 示範敎育 實施(90.12月 關係官 2名 現地 派遣)
- 進出業體 職員
  . 業體別로 約 1,600個 購入, 支援
  . 外務部 행랑便 送付(90.8月-現在)
- 純粹僑民
  . 約 2,000個 政府 豫算으로 購入, 支援 推進
  . 物量은 確保, 預備費 措置中

5. 戰爭 危險地域 旅行 制限

- 外務部 海外旅行 安全對策班은 이라크, 사우디等 11個 戰爭 危險地域에 대한 我國人 旅行 自制 勸告
- 旅行 不可避時는 公館에 申告 및 連絡 維持 當付

0055

분류기호 문서번호	중근동 720-	협조문용지 ( )	결재	담당	과장	국장
시행일자	1991. 1. 12.					
수 신	수신처 참조	발 신	중동아프리카국장 (서명)			
제 목	페만사태 비상 대책본부 회의 개최					

페만사태 관련, 91.1.11. 대통령 주재 관계부처 장관

회의 결정에 따라 정부는 비상 대책본부를 설치 운영키로

하였는바, 동 회의를 아래와 같이 개최코자 하오니 회의에

필히 참석하여 주시기 바랍니다.

- 아 래 -

가. 회의 일시 : 91.1.12.(토) 15:00

나. 장 소 : 외무부 817호실

다. 주 재 : 이기주 제2차관보

라. 주요 토의사항 :

하기 사항에 대한 정부 차원의 종합 대책 수립

1) 전쟁 위험지역 교민 철수 및 신변안전 대책

2) 의료 지원단 파견 문제

3) 원유의 안정적 공급 문제 / 계속 ...0056

1505-8일(1) 190㎜×268㎜(인쇄용지 2급 60g/㎡)
85. 9. 9 승인 "내가아낀 종이 한장 늘어나는 나라살림" 가 40-41 1990. 7. 9.

4) 건설 미수금 및 손실액 회수 문제

5) 대중동 교역 문제

별첨 : 관련 부처 관계관. 끝.

수신처 : 미주국장, 국제기구조약국장, 국제경제국장, 통상국장,

영사교민국장, 외신관리관.

0057

분류기호 문서번호	중근동 720-	협조문용지 ( )	결재	담당	과장	국장
시행일자	1991. 1. 12.					
수 신	수신처 참조	발 신	중동아프리카국장 (서명)			
제 목	페만사태 비상 대책본부 회의 개최					

페만사태 관련, 91.1.11. 대통령 주재 관계부처 장관

회의 결정에 따라 정부는 비상 대책본부를 설치 운영키로

하였는바, 동 회의를 아래와 같이 개최코자 하오니 회의에

필히 참석하여 주시기 바랍니다.

- 아 래 -

가. 회의 일시 : 91.1.12.(토) 15:00

나. 장 소 : 외무부 817호실

다. 주 재 : 이기주 제2차관보

라. 주요 토의사항 :

하기 사항에 대한 정부 차원의 종합 대책 수립

1) 전쟁 위험지역 교민 철수 및 신변안전 대책

2) 의료 지원단 파견 문제

3) 원유의 안정적 공급 문제 / 계속 ..0058

1505 - 8 일 (1)
85. 9. 9 승인 "내가아낀 종이 한장 늘어나는 나라살림"
190㎜×268㎜(인쇄용지 2급 60g/㎡)
가 40-41 1990. 7. 9.

4) 건설 미수금 및 손실액 회수 문제

5) 대중동 교역 문제

별첨 : 관련 부처 관계관. 끝.

수신처 : 미주국장, 국제기구조약국장, 국제경제국장, 통상국장,

영사고민국장, 외신관리관.

0059

1505-25(2-2) 일(1)을 "내가아낀 종이 한장 늘어나는 나라살림" 190mm×268mm 인쇄용지 2급 60g/m²
85. 9. 9. 승인 가 40-41 1988. 9. 23

분류기호 문서번호	중근동 720- 466	기안용지	시행상 특별취급	
보존기간	영구.준영구 10. 5. 3. 1	장 관		
수신처 보존기간				
시행일자	1991.1.12.			
보조기관 국장		협조기관		문서통제
심의관				1991. 1. 12
과장				
기안책임자	김 동 억			발 송 인
경유 수신 참조	수신처 참조	발신명의		1991. 1. 12
제목	폐만사태 비상 대책본부 회의 개최			

1. 폐만사태 관련, 91.1.11. 대통령 주재 관계부처 장관 회의시 결정에 따라 정부는 비상 대책본부를 설치 운영키로 하였는바, 동 회의를 아래와 같이 개최코자 하오니 관계관은 필히 참석하여 주시기 바랍니다.

2. 참석자는 소관사항에 대한 보고자료를 작성, 3부씩 지참하여 주시기 바랍니다.

- 아 래 -

가. 회의 일시 : 1991.1.12.(토) 15:00

나. 장 소 : 외무부 817호실

/ 계속 . . .

0060

다. 주 재 : 이기주 외무부 제2차관보

라. 주요토의사항 : 하기 사항에 대한 정부차원의 종합대책수립

1) 전쟁 위험지역 교민 철수 및 신변 안전대책

2) 의료지원단 파견 문제

3) 원유의 안정적 공급 문제

4) 건설 미수금 및 손실액 회수 문제

5) 대중동 교역 문제

수신처 : 별첨

0061

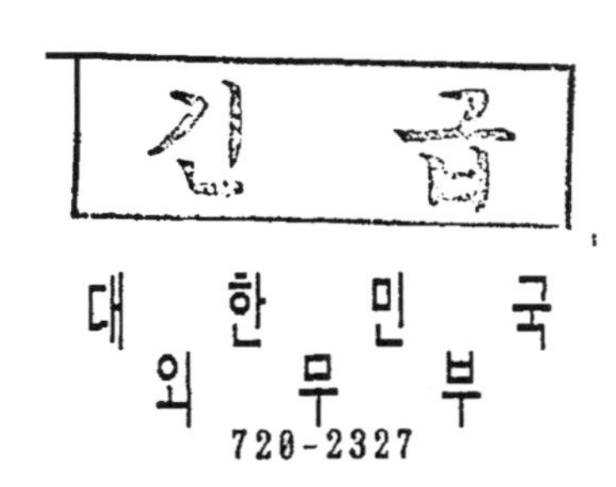

대 한 민 국
외 무 부

중근동 720-766 720-2327 1991. 1 .12 .

수 신 : 수신처 참조

참 조 :

제 목 : 페만사태 비상 대책본부 회의 개최

1. 페만사태 관련, 91.1.11. 대통령 주재 관계부처 장관 회의시 결정에 따라 정부는 비상 대책본부를 설치 운영키로 하였는바, 동 회의를 아래와 같이 개최코자 하오니 관계관은 필히 참석하여 주시기 바랍니다.

2. 참석자는 소관사항에 대한 보고자료를 작성, 3부씩 지참하여 주시기 바랍니다.

- 아 래 -

가. 회의 일시 : 1991.1.12.(토) 15:00

나. 장 소 : 외무부 817호실

다. 주 재 : 이기주 외무부 제2차관보

라. 주요토의사항 : 하기 사항에 대한 정부차원의 종합대책수립

1) 전쟁 위험지역 교민 철수 및 신변 안전대책

2) 의료지원단 파견 문제

3) 원유의 안정적 공급 문제

4) 건설 미수금 및 손실액 회수 문제

5) 대중동 교역 문제

수신처 : 별첨

외 무 부 장 관

중동아프리카국장

0062

1202733

수 신 : 대통령비서실장 (참조 : 외교안보보좌관)

국무총리비서실장 (참조 : ~~총리행정조정실장~~) 행정조정 " " 심의관

경제대학 심의관 김용 바꾸었다함

안기부장 (참조 : 국제 1국장)

경제기획원장관 (참조 : 정책조정국장)

재무부장관 (참조 : 국제금융국장)

국방부장관 (참조 : 정책기획관)

(참조 : 군수국장)

상공부장관 (참조 : 상역국장)

동자부장관 (참조 : 자원정책실장)

건설부장관 (참조 : 건설경제국장)

노동부장관 (참조 : 직업안정국장)

교통부장관 (참조 : 항공국장)

보사부장관 (참조 : 사회국장)

환경처장관 (참조 : ~~조정평가실장~~) 대기보존국장

해운항만청장 " 해운국장

대한항공사장

0063

공 란

灣事態 非常 對策本部 會議 資料

1991. 1. 12.

外 務 部

0065

會議概要

1. 日時 : 1991. 1.12. 15:00

2. 場所 : 정부 제1종합청사 817(외무부 회의실)

3. 討議事項

- 醫療 支援團 派遣 問題
- 原油의 安定的 供給 問題
- 建設 未收金 및 損失額 回收 問題
- 對中東 交易 問題
- 僑民 撤收 및 安全 對策
- 周邊 海域의 我國 船舶 保護
- 各部處 對策班 運營 및 對策本部와의 協調
- 對테러 對策
- 金融關係

4. 參席者 : 名單 別添

0066

걸프 地域 滯留僑民 撤收 및 安全 對策

僑民 撤收 對策

1. 僑民 現況 (91.1.10. 현재)

國 家 別	總 滯 留 者 數	公館員, 商社, 建設業體 勤勞者	純 粹 僑 民 (現地就業者等)
사 우 디	4,980 (사우디大使館管轄 : 3,622 (젯다總領事館 管轄 : 1,358)	3,070 (公館員 147, 業體 2,923)	1,910
이 라 크	103 (쿠웨이트 僑民 9명 包含)	94 (公館員 6, 業體 88)	9 (쿠웨이트 殘留 僑民 9명 包含)
요 르 단	66	21 (公館員 12, 業體 9)	45
바 레 인	335	278 (公館員 14, 業體 264)	57
카 타 르	77	19 (公館員 13, 業體 6)	58
U. A. E.	650	329 (公館員 19, 業體 310)	321
總 6個地域	6,211	3,811	2,400

0067

2. 撤收 對策(案)

가. 基本 方針

1) 90.8月 下旬 이락.쿠웨이트 僑民 撤收時 特別機를 運航 할때와 原則的으로 같은 方式으로 推進(當時 延 5回 運航)

2) 進出業體別 自體 撤收計劃과 連繫 推進

3) 事態 推移에 따라 運航時期, 機種, 回數等은 伸縮性있게 運營

4) 搭乘 集結地를 選定, 投入

5) 經費는 事後 精算

나. 特別機 搭乘 對象 豫定 人員 : 約 6,300名

1) 第1次 撤收 對象者 : 2,600여명

o 公館員 家族 約 100名 (6個 公館)

o 純粹僑民等(自進撤收 志願者)

2) 第2次 撤收 對象者 : 3,600여명

o 進出業體 所屬 職員

o 進出業體와 協議, 搭乘 對象人員 選定

3) 第3次 撤收 對象者 (最終)

o 걸프地域 駐在 公館員 約 100名

다. 特別機 運航 方案

1) 運航 時期

o 第1段階

- 戰爭 臨迫 判斷時 (이락, 요르단等 最 危險地域으로부터 始作)

- 第1次 撤收 對象者 輸送

0068

o 第2段階

- 事態 推移 勘案 段階的 運航

- 第2次, 第3次 撤收 對象者 輸送

2) 投入 場所 (集結地)

o 我國 公館 所在地 : 바그다드(이락), 암만(요르단), 마나마(바레인), 다란.리야드.젯다(사우디), 도하(카타르), 아부다비(UAE), 테헤란(이란)

o 搭乘 豫定者는 我國 公館 所在地에 集結, 公館員 引率下에 搭乘

o 現地 進出業體 所屬 職員은 支社長 責任 아래 集結

3) 特別機 機種(KAL 特別 전세기)

o B747 (400名 收容) 및 DC-10 (250名 收容)

o 서울-트리폴리間 KAL 定期 航空便의 運航 스케쥴 變更 特別 運航

4) 運航 經路

o 最 危險地域 : 서울 → 바그다드 → 암만 → 서울

o 次 危險 周邊地域 : 서울 → 마나마 → 사우디 3個 集結地 → 서울

o 其他 周邊地域 : 서울 → 사우디 → 도하 → 아부다비 → 테헤란 → 서울

o 리비아 취항기 迂廻 運航 : 狀況에 따라 決定

5) 運航回數, 經路等은 狀況 展開에 따라 融通性있게 KAL側과 協議 實施

0069

라. 所要 豫算 : 約 $ 150 萬弗 推定(純粹 航空賃만 計算)

1) 算出根據 : 航空賃 $1,000×약 1,500名 基準

2) 支出 項目 : 豫備費 申請

3) 航空賃 精算

ㅇ 航空賃은 後拂로 하고 KAL측에 事後 精算

ㅇ 公館員 및 家族, 個別就業者 및 純粹僑民中 支拂 能力이 없는자 : 政府 負擔

ㅇ 其他 搭乘人員 : 受益者 負擔

3. 問題點(관계부처 협조사항)

가. 특별기 운항 : 교통부, 대한항공

나. 自進 撤收 督勵 : 상공, 건설, 노동부, 해당 재외공관

다. 僑民撤收 所要經費 支援 : 경기원

ㅇ 약 150만불 推定

ㅇ 豫備費 支出

라. 航空賃 事後精算 : 교통부, 대한항공

ㅇ 大韓航空側 協調

ㅇ 受益者 負擔原則(단 공관원, 가족 및 순수교민중 항공임 지불 무능력자 제외)

마. 撤收僑民 事後對策 講究等 : 보사부

ㅇ 歸國後 臨時 住居 支援等

ㅇ 生活定着 安定對策

0070

殘留僑民 安全 對策

1. 防毒面 支給

가. 對象 人員

- 公館員 및 家族
  - . 防毒面等 化學戰 裝備 약 200인분 支給 (90.11월)
  - . 使用法 示範敎育 實施(90.12월 관계관 2명 현지 파견)
- 進出業體 職員
  - . 業體別로 약 1,600개 購入, 支援
  - . 外務部 행랑편 送付(90.8월-현재)
- 純粹僑民
  - . 약 2,000개 政府 豫算으로 購入, 支援 推進
  - . 物量은 國防部 在庫分 活用

나. 支援 內譯

- 1인당 防毒面 및 皮膚除毒劑 각 1개, 解毒劑킷 3개 購入

다. 所要 經費 : 2억 6,768만원

- 外務部가 豫備費로 使用 申請

라. 送付 方案

- 현지 送付는 外交 행낭, 軍用機, 僑民撤收, 專貫機等 最善 方案中 公館別로 選別的 選擇

0071

2. 殘留 僑民 身邊 安全 措置 講究

가. 現地 公館別 自體 非常 安全 對策 依據 推進

1) 非常 連絡網 體制 維持

2) 非常食品 確保

3) 自體 自衛力 强化(대피소 시설 확보등)등

0072

(別 添)

青瓦臺	外交安保補佐官室 秘書官
總理室	經濟科學 審議官
安企部	國際1局長
經企院	政策調整局長
外務部	中東阿局長
	美洲局長
	國際機構條約局長
	通商局長
	國際經濟局長
	領事僑民局長
	外信管理官
財務部	國際金融局長
國防部	政策企劃官
	軍需局長
商工部	商易局長
動資部	資源政策室長
建設部	建設經濟局長
勞動部	職業安定局長
交通部	航空局長
保社部	企劃管理室長
環境處	大氣保存局長
港灣廳	海運局長
大韓航空	社長

0073

페만사태 비상대책본부 회의결과

1. 일시 및 장소 : 1991. 1. 12(土) 15:30-17:20

2. 회의주재 : 외무부 제2차관보 (본부장)

3. 참 석 자 : 명단별첨

4. 주요토의내용

가. 대책본부장 개회인사

1.11. 대통령 주재로 열린 관계 부처 장관회의에서의 페만 사태 관련 비상 대책 실무 본부 조직 지시에 따라 오늘 회의가 개최되게 됨.

현재 예측 불허의 위기 상태가 고조되고 있어 전쟁 발발을 전제로 대책을 수립해야 할 것으로 사료되며 전쟁이 발발할 경우 6,000여명의 교민 신변 안전, 건설 공사, 주변 해역 아국 선박, 테러 위협 등 아국 국가이익이 심각한 타격을 받을 것으로 예상되고 있어 예상 문제점을 실무적으로 한가지씩 검토, 대책을 수립코자하니 충분한 의견 교환이 있기를 희망함.

우선 담당 국장인 외무부 이해순 중동아국장의 페만 사태 전반 현황 보고 청취후 각 항목별로 토의를 진행코자 함.

나. 걸프 정세 및 전망(이해순 중동아 국장 보고)

1.9 미.이락 제네바 외무장관 회담에서 양측은 종래 자기 입장만을 주장함으로써 미.이락 양자간의 직접적인 평화 해결 노력은 불발로 끝남.

현재 케이아르 유엔 사무총장, 미테랑 불대통령, 소련, EC등 제3자에 의한 일말의 평화 해결 가능성이 남아있기는 하나 이는 미국의 양해하에 1.15까지의 시한적인 노력인바 여기에 큰 기대를 하기는 어려운 형편임.

0074

물론 이락이 마지막 순간에 일방적으로 부분 또는 완전 철수를 감행함으로써 새로운 사태 반전을 예상할 수도 있으나 1.15까지의 모든 노력이 실패하면 1.15이후에는 전쟁 발발이 언제라도 가능한 상황이 될 것으로 판단됨. 우리로서는 이러한 전제하에 만반의 준비를 갖춰야 할 것임.

다. 교민 철수 및 안전 대책

1) 교민 철수

1 현 황

ㅇ 91.1.12 현재 사우디를 비롯한 걸프지역 6개국에 진출한 아국 교민은 6,211명이며 이중 공관원 가족, 상사 직원 및 근로자가 3,811명이고 개인 취업 또는 개인 사업자가 2400명임.

ㅇ 현재 이락에서 철수하여 암만에 도착한후 발이 묶여있는 88명과 사우디 근로자중 583 명이 철수를 희망하고 있는 것으로 파악되고 있음.

2 문제점

ㅇ 각건설회사 발주처와의 문제 때문에 정확한 철수 희망 근로자 파악 어려움(노동부)

- 현재까지 사우디 동부지역 체류 근로자 731, 간호원 107, 개별 취업자 286중 583명이 철수 희망 의사 표명

- ARAMCO 의관리를 받고 있는 사우디 동부지역 근로자의 젯다 철수가 발주처의 반대로 불가능해지자 자체 방위 수단으로 미사일 공격을 대피키 위해 방공호를 파고 있는 상황임

ㅇ 발주처의 출국 동의서 및 Visa 획득 문제

ㅇ 집결 장소 압축(리야드, 암만, 아부다비 등)

- 집결지 공항 지상 조업 가능성 여부 파악(리야드 공항)

ㅇ 경유지의 영공 통과, 이착륙 허가 획득

ㅇ 특별기 파견에 따르는 예산

- 특별기 1편당 100만불

· 항공 운임 34만불

0075

· 민간인 보험료 30만불

· 의료진 보험료 60만불

· 중동지역 5시간 이상 체재시 보험료 2배

- 보험료에 대한 정부 보증

o 항공일정 48시간 이전 확정

- 승무원 편성 문제

- 항공기 투입 스케줄 문제(1.14, 18, 21, 23, 25 B747 가능)

* 젯다 왕복 소요시간 26시간 30분

다란 왕복 소요시간 24시간

리야드 왕복 소요시간 24시간 45분

o 전쟁 발발시, 공항 폐쇄 및 민간기 공역 진입 금지

o 선박 이용 철수 가능성

- 주변 해역 정박중인 아국 선박은 곤란(LPG 선 승객 탑승 부적절)

- 사우디 동부지역 근로자 아카바항 통해서 홍해로 철수 가능성

③ 대 책

o 1.14 대한 항공 특별기 투입 결정

- 공관 직원 가족 및 희망 근로자 철수

- 의료진 조사단 탑승 파견

- 방독면 2,000개 수송

o 집결지, 리야드 및 암만으로 결정

o 해당지역 공관 사전 필요 조치

- 특별기 영공 통과, 이착륙 허가

- 탑승자 파악

- 특별기 운항 일정 확정

1.14(월)	12:00	출발 (B747)
	19:40	리야드 도착
	21:10	리야드 출발
	23:30	암만 도착

0076

24:50 암만 출발

1.15(화) 21:30 서울 도착

- 향후 특별기 항로 계획 수립

서울-방콕-다란-방콕(이후 정기 항로 이용 귀국)

2) 안전대책

① 방독면지원 : ㅇ 90.11. 6개공관 직원, 가족용 201개 지급

ㅇ 진출업체직원, 업체별로 1,600개 외교행랑편 송부

ㅇ 각업체는 사우디동부, 이라크지역, 기지급 724개 1.15.이전에 전량 지급토록함.

1.14.12:00 2,000개 확보 송부가능

② 문 제 : ㅇ 생산공장과 물물교환 사후 조치 보증 필요

ㅇ 전방부대에 지급된 물량을 수거 이동시켜야 되기 때문에 시간이 소요

③ 대 책 : ㅇ 특별기편에 송부(1.14. 대한항공 특별기편)

ㅇ 국방부가 1.14(월) 10:00 이전 김포 대한항공 화물 보관 창고에 전달

라. 통신망 구성 문제

유사시 대비, 비상 통신망을 2중, 3중으로 편성, 본부와 재외공관과의 연락 체계유지를 위한 대책을 수립

마. 의료지원단 파견문제

26명의 의료지원 조사단을 1.14 출발하는 특별기편에 파견함으로써 프랑크 푸르트 미군 군용기 사용계획은 취소하고 미측에 통보키로 함.

추후 파견시에는 군수송기를 사용할 예정이며 이 경우 외무부에서 해당국에 영공 통과, 기착지 이착륙 허가 신청획득 협조 요망.

의료지원 조사단의 사우디 입국 비자 미취득인바 도착시 공항에서 입국비자 취득 조치가 필요함.

0077

바. 대 테러 문제

현재 아국의 의료단 파견이 발표되었는바 향후 아국의 페만 사태 개입도가 심화될 경우에는 아국인에 대한 테러 가능성이 높아질것으로 생각함.

동 테러 가능성을 감안하여 현재 언론에 보도되고 있는 아국의 군사 개입 문제는 신중히 취급되어야 하며 언론에 보도된 아국의 파병 계획이 사실 무근임을 전재외공관을 통해 홍보하고(미주국 조치) 국내언론기관을 통해서도 파병 계획이 오보임을 재홍보함.(국방부)

1.12. 미국대사관측과 향후 대테러 정보의 긴밀한 교환 협조 체계를 유지키로 합의하였으며 이와 관련하여 엄격한 입국 심사가 실시되어야 할것으로 보이는 바 외무부에서 전재외공관을 통해 사증발급에 철저를 기하도록 지침을 내리기로 함.(중동아국)

사. 각부처 페만 대책반 운영

각부처별로 비상대책반을 조직하여 위치 및 전화번호를 외무부에 통보토록 함.

전쟁발발시에는 각부처에서 외무부 비상대책본부에 1명씩을 파견하여 외무부에 입수되는 정보가 즉각적으로 관계부처에 전파되는 유기적인 연락망을 구축키로함.

1.14(월)부터 외무부는 각부처들로부터 취합한 페만사태 관련 정보를 청와대 및 국무총리실에 매일 1-2회씩 보고함.

아. 주변해역 아국선박 보호

항만청과 긴밀히 협의하여 선박이동 사항을 수시점검 파악하여 주변해역 아국 선박 보호에 만전을 기하도록 함.

자. 원유의 안정적 공급

전쟁발발시 사우디, 카타르, 중립지대, UAE 등으로 부터의 원유도입은 즉각적으로 중단될 것으로 보여 중동에 원유수입을 80% 의존하고 있는 현상태에서 원유도입 60% 가 차질을 빚을것으로 예상됨.

0078

남미제국으로 부터의 원유도입을 검토하고 있으나 성분상 문제가 있어 도입선 변경이 용이치 않은 형편이며 전쟁이 장기화될 경우 석유소비 절약, 배급제등 까지 검토하고 있음.

차. 건설미수금 및 손실액 회수문제

전쟁발발경우 막대한 손실이 있을 것으로 예상되는바 철수시 현장사진 촬영 보존, 적정서류구비, 발주처에 불가항력 상황 통보등으로 최대한의 형식적 절차를 취할 예정임.(특히 사우디 동부지역)

외무부에서도 동관련 상대국에 불가항력 상태 설명 협조하기로 함.

카. 대중동 교역

90.8.2. 이후 상사들이 선별적으로 수주를 헤오고 있어 문제점을 최대한 방지 해오고 있으며 91.1.11부터는 선적을 중단한 상태로 있어 큰문제는 생기지 않을 것으로 예상하고 있으나 페만사태가 교착상태로 빠지면서 수출이 완전중단 되고 있어 무역수지에 큰 영향을 미치고 있음.

쿠웨이트 국영석유공사에 대한 유류 대금 4,400만불이 미지불 상태인바 이는 사태가 완전해결될 때까지 지불을 보류하기로함.

타. 페만사태 총리실 시각

민주화로 야기된 사회 무질서가 지자제 선거로 더욱 악화될 가능성이 있는 것으로 우려되는바 전쟁발발 경우 이를 국민안보의식을 강화하는 계기로 활용하는 방안을 검토중임.

페르시아만 전쟁발발을 이용한 대대적 홍보로 현재 우리 국민들의 들뜬 분위기를 가라앉히는 방안을 검토함.

0079

폐만사태 비상대책본부 회의참석자 명단

1991.10.12(토) 15:00

외무부 817호실

부 처	참 석 자
대통령 비서실	김재섭 비서관
국무총리 비서실	최영철 심의관
경제기획원	임상규 산업 4과장
외 무 부	이해순 중동아국장
	반기문 미주국장
	문동석 국제기구조약국장
	이종무 국제경제국장
	김삼훈 통상국장
	허리훈 영사교민국장
	이광열 외신관리관
재 무 부	신명호 국제금융국장
국 방 부	조성태 정책기획관(소장)
	이근택 군수국장(소장)
상 공 부	황두연 상역국장
동 자 부	이동규 석유조정관
건 설 부	박유철 해외건설과장
보 사 부	엄영진 행정관리담당관
노 동 부	김완숙 해외고용과장
교 통 부	이헌석 항공국장
환 경 처	김종석 대기보전국장
해운항만청	서재국 해운국장
대한항공	최원표 상무

0080

심의관

협 조 문 용 지

분류기호 문서번호	중근동 720-15	( )	결재	담 당	과 장	국 장
시행일자	1991. 1. 13.					(서명)
수 신	수신처 참조	발 신	중동아프리카국장			
제 목	폐만 사태 비상대책 본부 설치					

폐만 사태 비상 대책본부 (본부장 : 제2차관보) 가 1.12. 부터 810호실에 설치, 운영되고 있으며 연락 전화번호는 아래와 같으니 참고하시기 바랍니다.

- 아 래 -

1. 일반전화 : 730-8283/5, 720-2411
2. 구내번호 : 2240
3. Fax : 730-8286. 끝.

수신처 : 장.차관실, 각.실.국장, 총무과장, 외교안보연구원장

0081

심의관

협 조 문 용 지

분류기호 문서번호	중근동 720-15	( )	결재	담 당	과 장	국 장
시행일자	1991. 1. 13.					
수 신	수신처 참조	발 신	중동아프리카국장 (서명)			
제 목	폐만 사태 비상대책 본부 설치					

폐만 사태 비상 대책본부 (본부장 : 제2차관보) 가 1.12. 부터 810호실에 설치, 운영되고 있으며 연락 전화번호는 아래와 같으니 참고하시기 바랍니다.

- 아 래 -

1. 일반전화 : 730-8283/5, 720-2411

2. 구내번호 : 2240

3. Fax : 730-8286. 끝.

수신처 : 장.차관실, 각.실.국장, 총무과장, 외교안보연구원장

0082

분류번호	보존기간

발 신 전 보

번 호 : AM-0009 910113 1727 CG 종별 :

수 신 : 주 전재외공관장 대사,,/총영사

발 신 : 장 관(중근동)

제 목 : 페만 비상대책 본부

페만 비상 대책 본부 (본부장 : 제2차관보) 가 1.12.부터 본부내 설치 되어 24시간 운영중이며 전화번호는 730-8283/5, fax 730-8286 임. 끝.

(중동아프리카국장 이 해 순)

보 안 통 제	

앙 고 재	91년 1월 13일	과	기안자 성명		과 장	심의관	국 장		차 관	장 관
							전결			

외신과통제

0083

분류기호 문서번호	중근동 720-~~35874~~ 0125-8	기 안 용 지	시 행 상 특별취급	
보존기간	영구.준영구 10. 5. 3. 1	장 관		
수 신 처 보존기간		2에		
시행일자	1991.1.14.			

보조기관	국 장	전결	협조기관		문 서 통 제
	심의관				
	과 장	가			
기안책임자		이 병 현			발 송 인

경 유 수 신 참 조	~~내부결재~~ 수신처 참조	발신명의		
제 목	페만사태 관련 비상대책			

1. 90.1.11. 대통령께서 주재하신 페만사태 관련 관계장관 회의 결정에 따라 당부는 1.12. "페만사태 비상대책 본부"를 설치하여 24시간 운영하고 있습니다.

2. 상기 비상대책본부는 1.13. 제1차 회의를 갖고 관계부처에서도 실무 국장급을 반장으로 하는 자체 대책반을 설치, 운영토록 결정 한바 있습니다. 따라서 귀부(처,청)에서도 자체 대책반을 조속 설치, 운영하여 주시기 바라며, 페만사태 관련 대책 수립 또는 조치 내용을 아래 당부 대책본부로 매일 통보하여 주시기 바랍니다.

/ 계속 . . .

0084

- 아 래 -

가. 전화번호 : 730-8283/5 (직통)

738-9601/5 (교환) 2331/3

나. FAX : 730-8286

3. 이와관련, 귀부(처,청)의 전쟁 발발시 대응책을 조속 수립하여 당부 "페만 비상 대책본부"로 1.16한 FAX 송부하여 주시기 바랍니다. 끝.

수신처(참조) : 국가안전기획부장(국제1국장), 경제기획원장관 (정책조정국장), 재무부장관(국제금융국장), 국방부(정책기획관, ~~군수국장~~), 상공부장관(상역국장), 동자부장관(자원정책실장), 건설부장관(건설경제국장), 노동부장관(직업안정국장), 교통부장관(항공국장), 보사부장관(사회국장), 공보처장관(공보조사국장), 환경처장관(대기보존국장), 해운항만청장(해운국장), ~~대한항공사장~~

처 274

청 1

계 1074

0085

페르시아灣 事態 報告

Ⅰ. 페灣 事態 動向

Ⅱ. 醫療支援團 派遣

Ⅲ. 1次 僑民撤收

Ⅳ. 撤收現況 및 向後計劃

外　　　務　　　部

페 灣 非 常 對 策 本 部

0086

페르시아灣 事態 報告

I. 페灣 事態 動向

1. 外交動向

가. 제네바 會談 決裂

ㅇ 1.9. 제네바 開催 美·이라크 外務長官 會談에서 兩側은 從來의 自己立場과 主張만 反復함으로서 成果없이 끝남.

ㅇ 美·이라크 兩國間의 直接的인 平和的 解決 可能性은 사라짐.

나. 美上·下院, 페灣 武力使用 承認 (1.12)

- 부쉬 大統領에 대한 議會의 白紙 委任狀

다. 케야르 事務總長 仲裁努力 (1.13. 사담 후세인과 會談)

ㅇ 케야르 主張 平和 5個案

① 유엔 撤軍 時限以前 이라크軍의 쿠웨이트 撤收

② 國際社會의 對이라크 不攻擊 保障

0087

③ 多國籍軍 撤收

④ 유엔 옵서버단 撤軍 監視

⑤ 可能한 빠른 時日內에 中東平和會議 開催

ㅇ 케야르·후세인 會談結果 詳細는 常今까지 알려지지 않았으나 成果없었던 것으로 推測됨.

라. 불란서, EC, 소련의 仲裁努力

ㅇ 미테랑 불란서 大統領 中東平和 國際會議 仲裁 表明

- 基本的으로 美國의 立場과 努力을 支持(1.15이후 武力行動 參與 可能性 시사)

- 이라크가 主張하는 中東平和 國際會議 開催를 위해 알제리 등 國家와 積極的 仲裁意思 表明

ㅇ 소련, EC 諸國의 別途 仲裁努力

- 큰 期待를 걸기 어려운 狀況

0088

2. 軍事對峙 動向

가. 軍事力 對峙現況

	多國籍軍 (27個國)	이라크軍
兵 力	676,130	定規軍 : 510,000 豫備軍 : 480,000 民兵隊 : 850,000
戰鬪機	1,782	500
탱 크	3,673	4,000
艦 母	149 (航母 6 包含)	15

0089

나. 多國籍軍 編成現況

- 미 국 : 430,000 명 (1월말까지 配置完了 豫想)
- 사우디 : 61,000 명
- 이집트 : 14,000 명 (5,000명 追加 派兵 豫定)
- 영 국 : 34,000 명
- 불란서 : 10,000 명
- 바레인 : 33,500 명
- 오 만 : 25,000 명
- 시리아 : 5,000 명
- U A E : 43,000 명
- 터 키 : 100,000 명 (國境 配置)
- 모로코 : 1,700 명
- 방글라데시 : 2,000 명 (3,000 명 追加 派兵 豫定)
- 파키스탄 : 2,000 명 (3,000 명 追加 派兵 豫定)
- 其他 아르헨티나, 불가리아, 캐나다, 체코등 27個國

총 676,130 명

0090

3. 이라크 緊急 議會(1.4) 開催

가. 萬場一致로 聖戰 促求 決議

나. 戰爭危險 高調

4. 戰爭 씨나리오

가. 美國은 奇襲, 大量 爆擊, 短期戰 試圖 豫想

- 主要目標 : 化學武器, 核武器, 미사일 基地
- 豫想時期 : 2월초 以後 3.17. (라마단)以前

나. 이라크는 이스라엘에 대한 미사일 攻擊

- 이스라엘 戰爭 介入
- 아랍의 對이스라엘 聖戰化 試圖
- 美國의 對이라크 攻擊과 동시 世界的인 테러 敢行
- 油田 爆破

다. 人命被害, 世界 經濟에 深大한 影響 招來

- 美國內 反戰與論 沸騰
- 反이라크 聯合의 結束 弛緩
- 豫測하기 어려운 局面 展開豫想

0091

Ⅱ. 醫療支援團 派遣 反對論 및 對應論理

1. 反對論

- 美壓力 屈服.(請負 戰爭論)
- 戰鬪兵力 派遣 前段階 (越南戰 再版論)
- 南北關係 進展 障碍
- 第3世界로 부터의 外交的 孤立 招來
- 아랍 民族主義 刺戟 憂慮
- 派遣 醫療陣 安全問題
- 日本 自衛隊 派兵 빌미로 利用될 可能性

2. 對應論理

- 醫療支援團 派遣의 當爲性
  - 힘에 의한 支配를 容認치 않는 유엔 安保理 諸決議 精神을 支持하는 我側 立場과 符合
  - 伸張된 國力에 副應한 國際平和 維持 努力 同參 必要性 (經濟的 利益만 追求한다는 國際的 非難 回避)

0092

- 韓半島 有事時 國際社會 共同介入 期待
- 韓半島에서의 武力 挑發 可能性 事前 豫防効果
- 한·미 安保協力 態勢 再確認 意味
- 韓國戰爭時 유엔軍 參戰에 대한 道義的 考慮
- 大多数 中東諸國과의 友好關係強化

ㅇ 戰鬪要員 追加 不派兵

- 我國 人的支援은 사우디등 多國籍軍에게 絶對的으로 不足한 醫療分野 支援에 限定
- 戰鬪要員 派兵은 檢討도 한적없으며 國會同意도 醫療支援團에 局限됨.

ㅇ 最少費用의 最大効果 對處方案

- 戰爭勃發 경우 追加 負擔要請 막는 効果 (醫療團 駐屯地는 非戰鬪地域)
- 戰後 復舊事業 參與 誘導
- 對美 通商外交上 美國의 對韓 認識 好轉

0093

ㅇ 아랍 및 第3世界에 대한 外交効果

- 國際社會 責任있는 一員으로서 人道的 趣旨에 立脚한 獨自的 決定
- 我國經濟에 큰 利害關係를 가지고 있는 中東諸國의 平和와 安定回復을 위한 작은 寄與

0094

Ⅲ. 1次 僑民 撤收

1. 特別機 派遣

가. 目 的

o 公館職員 家族 및 僑民撤收

o 防毒面 (2,000개) 輸送

o 醫療支援團 現地 調査團 輸送

나. 日程 : 1.14(월) 12:00 出發

1.16(수) 06:20 到着 (豫定)

* 1.15(화) 서울시간 17:00 現在 바레인 到着 推定

다. 集結地 및 搭乘者數 (301명)

o 리야드 : 200명

o 암 만 : 53명

o 바레인 : 48명

0095

Ⅳ. 撤收現況 및 向後計劃

1. 撤收現況

(91.1.15.현재)

國 別	滯留者数	旣撤收者	殘留者	追 加 撤收希望者	最終 殘留者数
사 우 디	4,980	200 (特別機 撤收:200)	4,780	젯다: 50명 리야드:把握中	4,730
이 라 크	96	45 (特別機 撤收:37)	51	27	24
쿠웨이트	9	0	9	0	9
요 르 단	66	40 (特別機 撤收:16)	26	0	26
카 타 르	82	14	68	17	51
바 레 인	335	76 (特別機 撤收:48)	259	0	259
U. A. E.	650	142	508	31	477
총 7개국	6,218	375 (特別機 撤收:301)	5,843	125	5,718

0096

2. 向後 措置 計劃

o 걸프地域 駐在公館으로 부터 報告되는 追加 撤收 希望僑民数 檢討, 今明間 KAL 特別機 追加 投入 豫定

- 運航回数, 經路등은 搭乘者数, 狀況 展開에 따라 融通性 있게 對處

- 商事 및 建設業體에 自社 駐在員 및 勤勞者의 最大한 自進 撤收 慫慂

o 殘留僑民 身邊 安全措置 講究

- 現地 公館別 自體 非常對策에 의거 推進

- 戰爭 勃發時에 대비, 非常連絡 體制 維持, 非常食品 確保

- 부득이한 事情으로 撤收가 당분간 어려운 僑民들에 대하여는 待避所 施設 確保등 자체 自衛力 強化토록 推進

0097

페灣 事態 報告

1991. 1. 16.

Ⅰ. 事態의 趨移와 展望

Ⅱ. 外交的 對應策

外 務 部

0098

I. 事態의 趨移와 展望

1. 마지막 外交 努力

ㅇ 작년 11.29. 安保理의 武力使用 決議 직후 美國이 電擊的으로 提議한 美·이間 直接 協商은 迂餘曲折 끝에 1.9. 제네바 兩國 外相會談의 形態로 成事되어 平和的 解決 可能性에 대한 一抹의 期待를 갖게 하였으나 결국은 양측이 從來의 立場과 主張을 反復함으로써 成果없이 끝났음.

ㅇ 會談 결렬에도 불구 美側은 平和的 解決에 대한 希望을 버리지 않았다고 함으로써 關聯 諸國의 平和 努力에 期待를 表示하였음.

ㅇ 두드러진 仲裁努力을 기울인 人士로서 케야르 유엔 事務總長, 샤들리 알제리 大統領, 미테랑 불란서 大統領이 있는바, 케야르 總長의 이락 訪問은 失敗하였고 유엔이 정한 時限이 다한 이 時點에서 미테랑 大統領의 仲裁 努力에 마지막 期待를 걸수밖에 없는 狀況이 되었음. 알제리 大統領의 役割은 全面에 浮上되지는 않았으나 미테랑 大統領의 仲裁案은 알제리, 예멘을 包含한 中途 내지 親이락 아랍 國家들의 意見도 反映된 것으로 보는것이 옳을 것임.

0099

o 이 仲裁案은 1.14. 밤 召集된 유엔 安保理에서 提示 되었는바, 그 要旨는 아래와 같음.

① 이락의 撤軍 日程 提示

② 撤軍의 國際 監視 및 아랍 平和軍의 配置

③ 對 이락 不可侵 保障

④ 페灣 事態의 平和的 解決을 위한 아랍國間 會議 開催

⑤ 팔레스타인 問題 및 아랍·이스라엘 紛爭의 解決을 위한 國際會議 開催

o 독일을 包含한 대부분의 EC 國家는 同 平和案을 支持하고 이라크도 比較的 好意的인 反應을 보이고 있는것으로 알려져 있는 반면, 美國은 일단 同 仲裁案이 事實上 條件附 撤收를 意味하는 것이므로 이에 反對 立場을 表明하고 있는것으로 알려짐.

o 다만 美國은 이 仲裁案이 多國籍軍에 參與중인 EC 諸國과 아랍권의 確實한 支持를 받고, 이라크가 받아들인다면 이를 無視하기는 어려울 것임.

o 이러한 狀況下에서 今後 事態의 展開는 세가지 可能性을 豫想할수있음.

0100

2. 平和的 解決 可能性

ㅇ 兩側이 미테랑 大統領의 仲裁案을 受諾하는 境遇에는 平和的 解決이 可能함.

ㅇ 또하나의 可能性은 사담 후세인 大統領이 1.15. 時限을 넘김으로써 對內外的으로 最小限의 體面을 살리고 一方的으로 劇的인 撤收를 決定할수도 있음. 사담 후세인이 1.14. 이라크 議會로 하여금 聖戰을 促求하는 決議를 採擇토록 한것은 자신에 대한 國民의 支持를 對內外的으로 誇示한 다음 一方 撤收 決定의 効果를 劇化하기 위한 포석일 수도 있음.

ㅇ 美國은 이라크가 平和的 解決에 同意하더라도 이라크가 莫強한 軍事力을 유지하는한 사우디등 걸프地域의 安保를 維持한다는 名分 아래 어떠한 形態로든 美軍을 이 地域에 계속 駐屯시키고자 할것임.

3. 開戰 可能性

ㅇ 外見上으로는 상기 이라크 議會의 聖戰 促求 決議와 1.13. 美國議會의 武力使用 承認 決議는 케야르 總長의 仲裁 努力의 失敗와 더불어 開戰 可能性을 한층 짙게하는 事態의 發展임.

0101

o 또한 유엔이 定한 時限이 이라크에 의해 無視당한채 經過 되었다는 事實은 多國籍軍으로 하여금 아무때라도 戰爭을 遂行할수 있는 名分을 준것과 같다고 할수 있음.

o 상기와 같은 狀況的 背景 외에도 戰爭 不可避論의 論據는 이라크의 核武器 開發 및 軍事的 覇權 追求로 인한 중동의 勢力 均衡 破壞와 석유의 武器化 憂慮, 이스라엘 安保에 대한 威脅등을 考慮할때 現 段階에서 사담 후세인을 除去하는것이 바람직하다는 것임.

o 開戰의 경우 美國은 戰爭이 招來할 막대한 人命 被害, 世界 經濟에 미칠 破局的 影響과 이스라엘의 介入으로 인한 擴戰을 막기위해 奇襲, 大量 空襲 및 速戰速決의 戰略을 驅使하여 化學武器, 核施設 및 미사일 基地등 戰略 要衝地를 初期에 無力化하고자 할것임.
美國으로서는 國內의 反戰與論이 沸騰하기전에 그리고 多國籍軍의 結束이 弛緩되기 전에 또 日氣가 戰爭遂行을 위해 不利해지기 전에 戰爭을 끝내는 것이 重要함.

0102

o 이라크는 攻擊을 받는 즉시 이스라엘을 미사일로 攻擊하여 이스라엘의 參戰을 誘導함으로써 戰爭을 아랍권의 聖戰으로 變化시키고 同時 多發的인 테러를 全世界的으로 敢行 함으로써 厭戰論을 불러 일으키고자 할것임. 또한 戰爭을 長期化하여 美國의 反戰與論과 多國籍軍의 結束을 崩壞시키고자 할것임.

4. 部分 撤收 및 事態의 長期化 可能性

o 美國이 가장 곤경에 빠질수 있는 可能性은 이라크가 撤收 時限을 넘긴후 攻擊이 臨迫했다고 判斷할때, 루마일라 油田과 걸프灣의 부비얀, 와르바 2개 島嶼만 남기고 쿠웨이트에서 撤收하는 소위 部分 撤收 可能性임.

o 이 可能性은 이라크가 쿠웨이트 占領後 줄곧 主張해온 페灣事態와 팔레스타인 問題와의 連繫論에 비추어 그 可能性이 크다고 볼수 있음. 즉, 이스라엘이 아직도 요르단 西岸, 골란高原, 가자地區등 아랍 領土를 占領하고 있음에 비추어 今後 중동 平和會議에서 協商 카드로 利用하기 위해서는 一部 領土의 占領이 必要하다는 判斷일 것임.

o 이 경우 당분간 非戰 非和의 狀態가 계속 될것임.

0103

Ⅱ. 外交的 對應策

1. 外交網 非常體制 稼動 (既措置)

ㅇ 페灣 事態 非常 對策本部 設置 運營 (政府차원)

- 有關部處 局長級 (本部長 : 外務部 第 2次官補)

ㅇ 外務部 對策班 非常 勤務 (24時間)

ㅇ 中東地域 公館 및 主要公館 非常 勤務 體制 確立

- 事態 推移 및 展望分析등 關聯 情報蒐集 活動 強化
- 原油, 原資材 市場등 經濟關係 情報蒐集도 並行

2. 國際平和 努力 同參

ㅇ 유엔 安保理 決議 支持

- 聲明 發表
- 對 이라크 經濟制裁 參與

ㅇ 多國籍軍 支援 및 周邊 被害國 經濟援助

- 對美 支援 8천만불 包含 2억2천만불

ㅇ 醫療支援團 사우디 派遣

ㅇ 韓·美間 緊密 協力 維持

0104

3. 僑民保護 및 撤收對策

ㅇ 8.2. 事態 勃發 직후 公館別 自體 僑民保護 및 安全對策 樹立 施行

ㅇ 危險地域 僑民撤收 및 安全對策 施行

- 自進 撤收 勸告
- 僑民撤收위한 特別機 계속 投入
- 空港 閉鎖時 隣接 海域 航海 我國 油槽船 및 漁船利用 待避
- 사우디 東北部 地域 勤勞者 安全地帶 待避
- 駐 이라크 大使館員 隣接國 撤收(1.15)

ㅇ 危險地域 勤勞者 및 公館員에 대한 戰爭保險 加入 推進

ㅇ 防毒面 供給

- 걸프地域 僑民 및 公館員用 3,800착

ㅇ 危險地域에 대한 我國人 旅行 自制 勸告

ㅇ 船舶

ㅇ 對 테러 對策

- 아랍인 및 非 아랍 回教徒 테러 可能性 對備
- 비자 發給 및 出入國 審査 強化
- 友邦國과 對 테러 情報 交換 協調
- 아랍인을 僞裝한 北韓의 테러 可能性 對備

4. 危險地域 航海 我國 船舶保護

0105

5. 事態 解決後 對中東 中長期 對策 樹立

ㅇ 對外關係에 있어서의 中東의 重要性 勘案

- 原油依存度 약 70%
- 建設進出 80% (受注額 基準)
- 前後 復舊事業 參與 可能性
- 國際舞臺에서의 아랍 내지 回教國의 支持 緊要

ㅇ 페湾事態 이후 中東勢力 再編에 對備 事前 對策 講究

- 사담 후세인의 政權 維持 與否
- 걸프地域 王政 崩壞 可能性
- 시리아, 이란의 軍事 強國化등 새 版圖 形成에 對備

0106

폐만 비상대책본부 제2차 회의개최 결과보고

1991. 1. 16.

외 무 부

0107

페만 비상대책본부 제2차 회의개최 결과보고

1. 일　　시 : 1991. 1. 15(화) 17:00-18:30

2. 장　　소 : 외무부 회의실 (817호)

3. 참 석 자 : 명단별첨

4. 주요토의내용 :

1) 본부장 개회사

ㅇ 1.14. 특별기가 출발하여 현재 301 명의 교민을 철수중에 있으며 페만사태에 대비하여 대책본부 및 각부처별 대책반이 현재 잘 가동되고 있음.

ㅇ 철군 시한은 우리시간 1.16. 오후 2시로 현재 약20시간이 남아 있으나 여전히 중재노력은 성공을 거두지 못하고 있으며 긴박상태가 계속 고조되고 있음.

ㅇ 오늘 회의는 우선 이해순 외무부 중동아국장이 페만사태 동향에 대하여 간단히 설명드린후 각 부처별 대책 조치상황을 간략히 약 5분이내로 설명하는 형식으로 진행코자하며 향후 고민철수 대책에 대한 의견을 교환코자함.

2) 외무부 중동아국장

ㅇ 1.14. 소집된 유엔안보리 특별위 소집시 불란서 제안 5개 평화안 설명
- 안보리 설명형식 발표
- 미테랑 불 대통령, 파리주재 이라크 대사 초치 요담
- 평화해결을 위한 마지막 노력

0108

① 이라크 철군 시간표 제시

② 철군 국제적 감시

③ 이라크 불가침 보장

④ 아랍 평화회의 소집

⑤ 사태해결후 팔레스타인 문제 해결위한 국제회의 추후 개최

ㅇ 1차 교민철수 현황 설명

3) 교통부

ㅇ 항공 보안대책 강화 조치

- 한국에 취항하는 외국항공사 및 지상조업사등 24개업체

- 대한항공 및 아시아나 항공사

ㅇ 항공 특별 대책본부 설치

4) 해운항만청

ㅇ 호르므즈 해역 아국선박 운항 현황

- 총 8척 (해역내 3, 인접해역 5)

ㅇ 선박 안전운항 조치

- 페만사태관련 선박운항 대책 통보(11.1)

- 페만내 기뢰 부설(4개) 통보(1.11)

- 사우디 주베일항 항로 축소 통보(1.15)

ㅇ 해운항만청 페만대책반 설치

- 국적선 운항 동정파악 및 안전운항 정보 전파

- 국적선 사고발생시 보고 및 긴급조치

- 비상연락체제 유지

5) 보사부

ㅇ 철수교민 생활안정대책 수립

- 재해구호법상의 이재민에 준하여 적용검토

- 무의탁교민 숙소제공 및 생계비 지급 (3개월)

0109

- 문제점
  - · 철수교민 생활안정 대책은 현행 국내법상 근거가 없음.
  - · 철수교민중 국내 무연고자 인적사항 파악

ㅇ 보사부 비상대책반 설치

* 본부장 : 무의탁 교민에 대한 임시거처 및 생계구호가 가장 시급한 문제인바 보사부에서 특별대책 강구바람.

6) 경제기획원

ㅇ 페만 비상대책반 설치

- 개전 경우 아국경제에 미칠 영향 검토

ㅇ 특별기 파견 소요경비 사후처리 예정

7) 재무부

ㅇ 비상대책반 설치

- 중동지역 금융기관 파견 3명, 자금관리 주재원 9명과 연락체제유지
- 현지 금융기관 동향, 금융사정 입일점검 체제수립

ㅇ 국내수출 및 건설업체 세제혜택 부여 방안 검토중

ㅇ 유가변동에 따른 전반적 국제수지 영향 내부 시나리오 준비

ㅇ 전쟁발발 경우 해외관광여행 억제 방안수립 검토 제의

- 연간 65만명의 해외관광객 막대한 외화소비
- 당분간 여행신고제로의 여권법 시행규칙 개정

* 본부장 : 해외여행 자유제한은 미국등의 아국 과소비 풍조 억제주장과 관련 매우 미묘한 문제인바 추후 신중히 다루어야 하며 동 회의시 토의자체 사실도 보도기관에 누설되어서는 안됩 사항으로 생각함.

ㅇ 전쟁발발전 시급히 중동지역 교민의 전쟁보험 가입 촉구

- 건설부, 노동부 각업체에 독려
- 일반 해외노동자 근재보험에는 전쟁시 손재는 포함되어 있지않음. (전쟁위험 담보 특약 불포함)

0110

- 대사관 직원 및 가족들도 시급 가입조치 필요
- 현재 이라크, 이란, 레바논 지역 공관원만 전쟁보험 가입
- 전쟁보험 가입경비 1달에 1인당 195불 정도

＊ 본부장 : 매우 중요한 문제인바 잔류할 사람들에 대해 각 건설업체에서 전쟁보험에 가입하도록 노동부, 건설부에서 적극 권유해 주시기 바람. 이라크외 5개지역 공관직원 및 가족들도 전쟁보험 조속 가입 추진토록 하겠음.

8) 상공부

ㅇ 수출입 비상대책반 설치

ㅇ 수출입은행 보험인수 중단결정 재검토 조치

ㅇ 상사주재원 대피대책 확인

ㅇ 상당수 업체 독자적 안전장치 강구하며 대중동교역 정상추진중

ㅇ 선박운항 스케줄 확인 및 대업체 홍보(항만청 협조)

ㅇ 주요원자재 가격 동향 일일점검

ㅇ 에너지 위기시 관세 대책 검토

ㅇ 대업체 금융지원 및 수출보험을 통한 지원 검토

9) 공보처

ㅇ 전쟁발발 경우 성명발표 검토
- 정부 기본입장
- 대국민 당부
- 대북한 경고등

ㅇ 전쟁발발 대비 적정 홍보계획 수립중

ㅇ 전쟁발발 경우 아국 경제에 미칠 영향에 대한 대국민 홍보용 정부 기본입장 정립 필요

＊ 본부장 : 경제기획원에서 검토해 주시기 바람.

0111

10) 노동부

ㅇ 비상대책반 설치

- 중동지역업체와 비상연락망 구성 유지
- 진출업체 근로자 변동사항 파악

ㅇ 취업근로자 신변안전 대책조치

- 전쟁발발전 출국 불가능시 발주처의 신변안전보호 확약서 징수(이라크)
- 방독면 지급(사우디)
- 비필수 요원 및 가족 철수 권유(사우디)
- 대피시설(방공호) 확보

ㅇ 귀국 근로자 사후처리 대책 통보

- 타지역 대피시 평균 임금 80% 지급(귀국시 까지)
- 귀국시
  - 퇴직금 : 1년이상 근로자 지급
  - 임 금 : 귀국후 본사에서 지급
  - 귀국항공료 : 사업주 분담
  - 취업알선
  - 해고 예고 수당 : 미지급
- 전쟁등으로 사망, 부상시 근재보험에 의한 보상처리
- 휴업수당 관련 집단농성 방지대책 수립 지시

11) 건설부

ㅇ 근로자 안전대책 기본방향

- 이라크 지역은 전원철수(현 잔류인원 23)
- 사우디동부 위험지역은 중, 서부 안전지역으로 대피(현 잔류인원 383)
- 사태해결후 공사재개를 위해 현장 보존조치

0112

ㅇ 유사시 대비 비상연락망 유지

ㅇ 비상식량 및 방독면 확보 조치

ㅇ 지하대피시설 상시점검

ㅇ 시설, 장비, 자재등의 현지인 위탁관리 방안강구 지시

ㅇ 대사관의 공문으로 발주처 및 건설업체에 철수협조 요청토록 요망

- 사후 공사재개
- 분쟁방지

12) 동자부

ㅇ 유가변동 추이점검

ㅇ 최대한 원유선적 위한 조치 시행중

- 91.1월중 선적목표 : 2,552만 배럴
- 91.1.1-14간 실적 : 1,036만 배럴
- 현재 사우디에 유조선 3척 작업중, 1.21. 2척 추가 도착예정
- 현장사정을 살펴가며 안정도입위해 최대 노력중

ㅇ 전쟁발발시 중동지역 유조선 투입 불가능 예상

- 중동지역 도입원유중 70%가 도입 중단될 것으로 예상

13) 총리실

ㅇ 전쟁발발경우 비상대책본부 주도기관 전환 검토중

- 경제종합대책, 원유수급, 안보의식제고등 범정부적 대응 필요예상
- 총리실 또는 경제기획원
- 발발이전에는 외무부 주도

14) 국방부

ㅇ 의료지원단 예정대로 특별기편 현지도착

ㅇ 의료지원단 파견 국회동의안 제출 예정대로 시행

ㅇ 의료지원단과의 통신문제 사우디 대사관 협조요청

ㅇ 합참 합동상황실 비상대책반 운영

0113

16) 본부장 폐회사

ㅇ 현재 현지공관으로부터 추가 철수 희망자수 보고를 기다리고 있는바 보고 접수후 종합판단하여 2호기 파견여부를 결정할 예정임. 긴급하다고 판단될 경우는 대책본부회의는 생략하고 상부보고후 대책본부장 판단하에 2호기 파견을 시행하겠음.

ㅇ 총리실 언급도 있었으나 전쟁이 발발되면 각부처간 신속한 정보 교환 및 업무협조체제를 구축하여 국민에게 폐만사태에 대하여 범정부적으로 대응하고 있다는 인식을 줄 필요가 있다고 생각되니 각부처는 외무부 비상대책본부에 직원을 1명씩 즉각 파견하기 바라며 그이후 동조직의 추진기관을 결정하기로 함.

0114

페만 非常對策本部

긴급

수신: 각부처 대책반

제목: 페만 전쟁 발발

1. 한국시간 1.17(목) ~~06:15~~ 09:00시 페만에서 전쟁이 발생함.

2. 각부처 대책반은 즉시 대책본부에 과장급 관계관을 1명씩 파견바람.

본부장.

0115

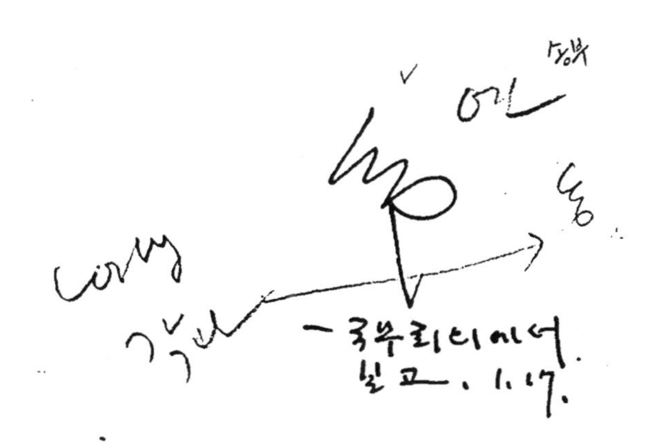

「페」灣事態 特別對策委員會 運營方案

사본: 관계국
기획관리실
미주국
영사교민국
국제경제국
국제기구국
통상국

1991. 1. 17

國務總理 行政調整室

0116

1. 페灣事態 特別對策 委員會

가. 構　　成

- 委員長 : 國務總理
- 委員(20) : 경제기획원, 통일원, 외무, 내무, 재무, 국방, 법무, 상공, 동자, 건설, 보사, 노동, 교통, 환경처, 공보처 장관, 안기부장, 비상기획위원장, 경제수석비서관, 서울특별시장, 행정조정실장(간사)

나. 機　　能

- 汎政府次元의 「페」灣事態 特別對策 樹立
- 部處別 重要對策 推進狀況 点檢.調整

다. 運　　營

- 戰爭 展開狀況에 따라 수시개최

2. 페灣事態 特別對策 實務委員會

가. 構　　成

- 委員長 : 國務總理 行政調整室長
- 委　員(20) : 경제기획원, 통일원, 외무, 내무, 재무, 국방, 법무, 상공, 동자, 건설, 보사, 노동, 교통, 환경처, 공보처 차관, 안기부제2차장, 비상기획위원회 부위원장, 청와대 경제비서관, 서울특별시 부시장, 국무총리실 제2조정관(간사)

나. 機　　能

- 部處別 特別對策 推進狀況 点檢
- 特別對策 推進過程上 問題点 實務協議 調整
- 外交.安保, 經濟, 社會紀綱, 弘報 등 4個分野別 對策班 構成.運營

0117

다. 分野別 對策班의 主要業務

< 外交.安保分野 >

- o 外交網 非常體制 稼動 및 僑民 保護.撤收 措置
- o 早期警報 및 戰場監視活動 增加
- o 指揮統制體制 定期的 点検
- o 긴밀한 韓·美 情報交流體制 維持

< 經濟 分野 >

- o 1段階 에너지 消費節約 對策 實施
- o 2段階 에너지 消費節約 細部推進對策의 段階的 實施
- o 주요 生必品 買占賣惜 단속반 稼動 및 政府備蓄物資 放出
- o 주요 生必品 및 工産品 最高價格制 實施 檢討
- o 輸出貨物 船積 圓滑化 및 主要 原資材 確保對策 實施

< 社會紀綱 確立 分野 >

- o 社會雰圍氣 鎭靜을 위한 社會 주체별 行動指針 發表 및 國民協調 당부
- o 不動産 投機, 料金 不當引上, 買占·賣惜등 經濟事犯 集中團束
- o 公職紀綱 確立 및 公明選擧 對策 推進

< 弘報 對策 分野 >

- o TV·新聞등 매스콤, 班常會를 통한 國民弘報 實施
- o 페灣事態의 敎訓, 정부의 對應策의 主要 內容, 國民각자가 할 일 等
- o 國務總理의 각계 指導層 人士와의 懇談會 開催
  - 國民運動 團體長, 言論界, 宗敎界, 經濟界 등
- o 國務總理의 前方部隊 視察·激勵 및 弘報
- o 狀況展開 및 政府의 對備 態勢에 대한 記者 會見
  - 安保狀況 및 對應姿勢 弘報

0118

3. 페灣事態 綜合狀況室 運營

가. 構　成

o 室　長 : 국무총리실 제2행정조정관
(부실장 : 경과심의관)

o 班員(20) : 총리실 과장 5명(분과반장), 사무관 5명,
관계부처 파견 공무원 10명 (사무관급)

* 派遣勤務者 차출에 대한 關係部處의 協調必要

나. 機　能

o 페灣事態 動向 및 關係部處 特別對策 推進狀況 点檢

o 主要狀況 수시보고

다. 運　營

o 傘下에 5個 분과반을 構成하여 分野別 推進狀況 點檢
- 綜合, 外交.安保, 經濟, 社會紀綱, 弘報 等

o 狀況 終了時까지 常時運營

0119

〈 參考 〉「페」灣 事態 非常對應 體制圖

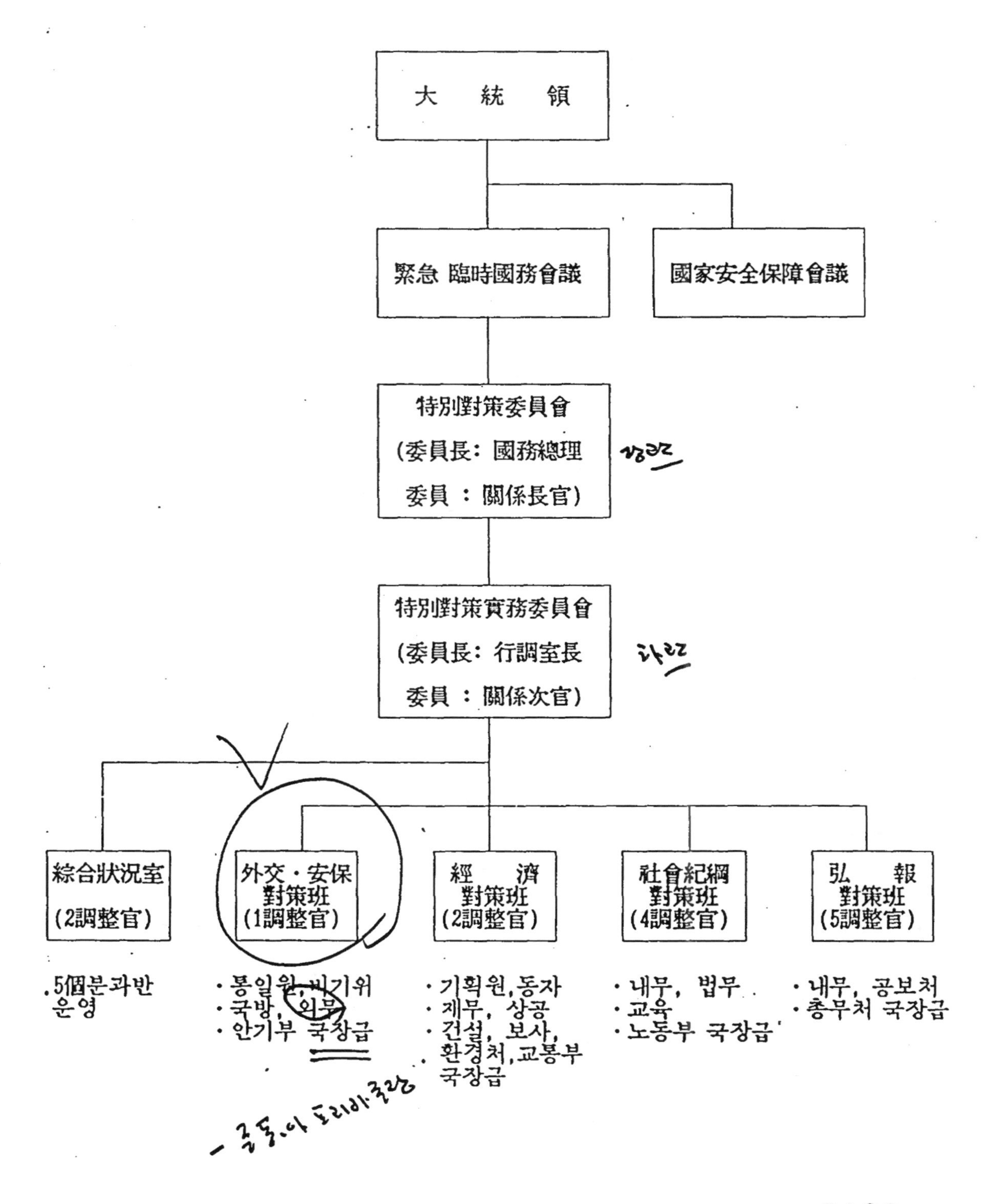

0120

※ 非常對應 機構 構成方案

2안

페灣事態 特別對策 委員會

- o 委員長 : 國務總理
- o 위 원(19) : 경제기획원, 통일원, 외무, 내무, 재무, 국방, 법무, 상공, 동자, 건설, 보사, 노동, 교통, 공보처 장관, 안기부장, 비상기획위원장, 경제수석비서관, 서울특별시장, 행정조정실장(간사)

페灣事態 特別對策 實務委員會

- o 委員長 : 國務總理 行政調整室長
- o 위 원(19) : 경제기획원, 통일원, 외무, 내무, 재무, 국방, 법무, 상공, 동자, 건설, 보사, 노동, 교통, 공보처 차관, 안기부제2차장, 비상기획위원회 부위원장, 청와대 경제비서관, 서울특별시 부시장, 국무총리실 제2조정관(간사)

※ 종합상황실 및 4개 분과대책반(외교·안보, 경제, 사회기강, 홍보) 구성·운영

페灣事態 綜合狀況室

- o 構成(19)
  - 실 장 : 국무총리실 제2행정조정관 (부실장 : 2행조실 담당 심의관)
  - 반원(17) : 총리실 과장 5명(분과반장), 사무관 5명, 관계부처 파견 공무원 7명(사무관급 5, 여직원 2)

경제대학 심의관 과장 김용[illegible] 신[illegible]
. 720-27[illegible]
. 3[illegible] 20[illegible]

- o 運營
  - 산하에 5個 분과반 構成하여 分野別 推進狀況 點檢
    - ·종합, 외교안보, 경제, 사회기강, 홍보
  - 戰爭勃發 前에는 總理室 職員만으로 運營(分科班別 每日 1回 會議開催)
  - 戰爭勃發 後에는 綜合狀況室 別途確保·派遣勤務
  - 「페」灣 動向 및 關係部處 推進狀況 日日 點檢·報告

- 올림픽 보인 질서 우리모두 되살리자 -

체 신 부

통업 34400-348 750-2333 1991. 1. 17.

수신 수신처 참조

제목 페만사태 통신지원 체제구축

우리부는 페만사태에 대비한 통신지원의 원활한 수행을 위하여 업무상 협조추진체제를 별첨에 의거 시행중에 있음을 알려드리니 적극적인 협조를 요청합니다.

별첨 : 통신지원 협조추진체제 1부. 끝.

1991. 1. 17

체 신 부 장 관

통신업무과장 전결

수신처 : 국방부장관, 외무부장관.

0122

통신지원 협조 추진체제

o 체신부 통신정책국 통신업무과

과　　장 : 이철성
담　　당 : 황철증
(TEL 750-2333, FAX 750-2915)

o 한국전기통신공사 국제통신사업본부 통신지원 대책반

국　　장 : 전계형
부　　장 : 강성윤
(TEL 750-3731, FAX 750-3734)

o 국방부 지휘통제 통신실

부이사관 : 박래성
중　　령 : 김영호
(TEL 793-2401, FAX 793-2785)
* 국방부 상황실(TEL 790-3456)

o 외무부 비상대책반(TEL 730-8283~5)
* 외무부 중.아국 중근동과(TEL 720-2327)
* 주사우디 한국대사관 무관 김남수 소령
(TEL 001-966-1-488-2211)

o 사우디 파견의료진 인솔책임자 노영섭 중령
(TEL 국제자동통화 001-966-3-373-1000 교환507,
국제수동통화 007 통신공사 교환대-966-3-373-1000 교환507)

0123

file

수 신 : 수신처 참조 91.1.19 17:00

제 목 : Gulf 사태 적응 태세 확립

지난 1월17일 발발된 Gulf 전쟁사태가 어떤 양태로 발전되어 얼마동안 지속될 것인지 확실히 예측하기 어려우므로 다음 사항을 긴급 지시하니 시행에 만전을 기하기 바랍니다.

1. 각 부처별로 소관 사항에 대한 대응은 차질 없이 강구 추진하고 있읍니다만, 관련 부처의 장은 Gulf 사태의 진전 추이를 예의 주시하여 추가 조치가 필요한 경우 즉각 대응토록 할것

2. 관련 부처의 장은 소관 사항이 어떻게 시행되고 있으며 보완할 사항이 없는지에 대하여 주말·휴일 등을 이용 현장에 나가 직접 점검 독려 하는등 국민이 안정된 가운데 생업에 전념할 수 있도록 최선의 노력을 다할것.

발신명의 국무총리

0124

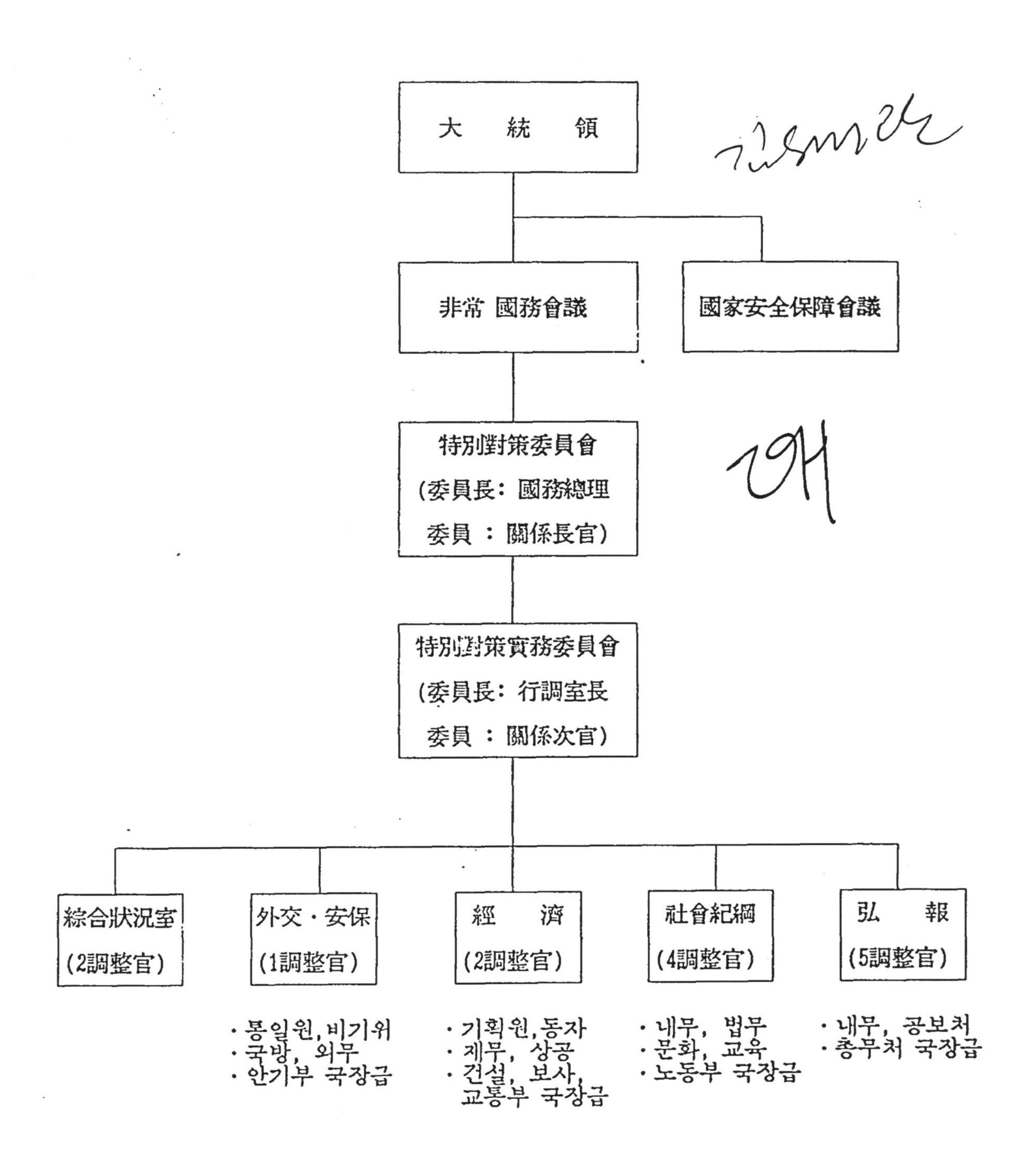
大 統 領
非常 國務會議
國家安全保障會議
特別對策委員會
(委員長: 國務總理
委員 : 關係長官)
特別對策實務委員會
(委員長: 行調室長
委員 : 關係次官)
綜合狀況室
(2調整官)
外交・安保
(1調整官)
經 濟
(2調整官)
社會紀綱
(4調整官)
弘 報
(5調整官)
・통일원, 비기위
・국방, 외무
・안기부 국장급
・기획원, 동자
・재무, 상공
・건설, 보사,
교통부 국장급
・내무, 법무
・문화, 교육
・노동부 국장급
・내무, 공보처
・총무처 국장급

0125

걸프사태 비상근무 편성

1991. 1. 21.

- 비상근무원칙
- 주간 비상근무조 편성
- 좌석배치도
- 야간 비상근무조 편성

0126

걸프사태 비상근무 원칙

ㅇ 각과장

- 4명교대 당일 09:00 부터 익일 09:00 까지 대책본부 근무
- 주간 근무시는 주간근무조 지원과 담당과 고유업무처리
- 주간 비근무조는 해당과에서 고유업무처리

ㅇ 주간근무조

- 담당업무별로 매일 09:00-19:00 필히 지정된 좌석에서 대책본부 근무
- 각과 직원들도 담당과장 주간 근무시는 대책본부에서 근무하며 고유업무처리

ㅇ 야간근무조

- 아래순서로 A조에서 1명 B조에서 1명씩 18:00-09:00 대책본부근무
- A조 : 김동억, 박종순, 장석철, 이병현, 김은석, 구본우, 한원중, 허덕행
- B조 : 박규옥, 최형찬, 강금구, 이종섭, 김영채, 황광옥, 조태용, 서승열

ㅇ 타자원 (주간 2명, 야간 1명)

- 유미선 : 매일 06:00 - 18:00 (일요일 포함)
- 이수정, 장요숙, 김정희, 황정미 : 당일 09:00 부터 익일 06:00 까지 대책본부근무(담당과장 근무일과 동일)

0127

o 문서철

- 접수전문철 : 모든 접수전문 사본 1부씩 자동보관(심의관 지시에 의거 엄은섭)
- 일일보고철 : 일일보고 1부씩 보관 (김은석, 야간근무조에 인계 인수 철저 요망)
- 각종자료철 : 일일보고외 정세보고등 각종자료 보관(김동억)
- 고민대책 : 고민철수, 안전대책 관계 서류 (박종순, 박규옥)
- 특별기파견 : 고민수용 특별기 파견 관계 서류 (김동억)
- 기타문서철 : 필요시

* 상기문서철외 모든 서류는 캐비넷 보관

* 근무조 업무인수인계시 문서철 확인

0128

걸프사태 주간비상 근무조

(일요일 포함 평일 09:00-18:00)

반 장 : 중근동과장

부 반 장 : 당일 야간근무 조장

박종순, 박규옥	고민철수, 안전대책
김동억, 박규옥	특별기 업무, 기타자료
김은석, 조태용	주간일보작성, FAX 송부, 상황판 정리
강금구, 최형찬	총무(예산서무, 물품조달, 실내정리)
장석철	방독면 송부 및 관련조치사항
구본우	상황분석
엄은섭	전화수발, 서류전달, 접수전문철
유미선	주간타자 업무(06:00-18:00)
박청운, 전성모	상황판 및 도표(08:00-20:00 교대근무)
각과직원 및 타자수	담당과장 주간 근무시 대책본부근무
* 이태로, 성문업	총리실 파견근무

ㅇ 담당관 전원은 근무시간 동안 지정된 자리(별첨)를 지키며 가급적 이석을 금함.

ㅇ 부반장은 반장부재시 대책반 업무 대리 및 상황반을 지원함.

0129

좌 석 배 치 도

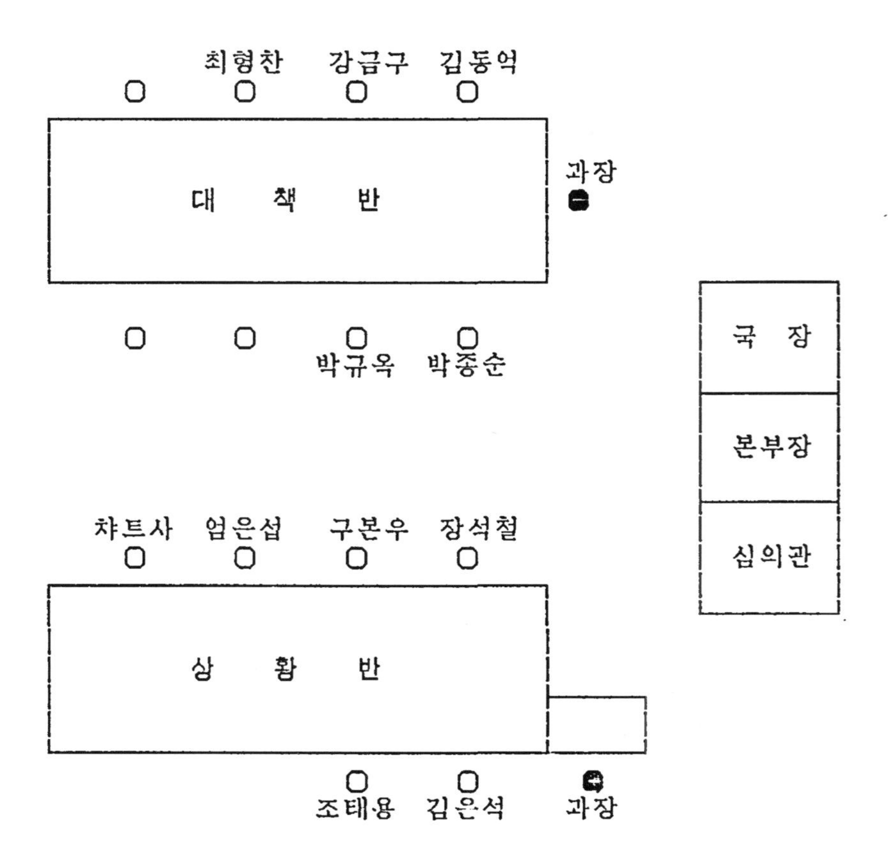
최형찬 강금구 김동억
대 책 반
과장
박규옥 박종순
국 장
본부장
심의관
챠트사 엄은섭 구본우 장석철
상 황 반
조태용 김은석 과장

0130

걸프사태 야간 비상 근무조

(18:00 - 09:00)

일 자	요 일	조 장	조 원		타 자 수
1. 21	월	신국호	장석철	강금구	이수정
22	화	강선용	이병현	이종섭	장요숙
23	수	유시야	김은석	김영채	황정미
24	목	김의기	구본우	황광호	김정희
25	금	신국호	허덕행	조태용	장요숙
26	토	강선용	한원중	박규옥	황정미
27	일	유시야	김동억	최형찬	이수정
28	월	김의기	박종순	강금구	김정희
29	화	신국호	장석철	이종섭	이수정
30	수	강선용	이병현	김영채	장요숙
31	목	유시야	김은석	서승열	황정미
2. 1	금	김의기	구본우	황광호	장요숙
2	토	신국호	허덕행	조태용	김정희
3	일	강선용	한원중	박규옥	황정미
4	월	유시야	김동억	최형찬	이수정
5	화	김의기	박종순	강금구	장요숙

0131

폐만사태 대비 비상 근무 편성조

. 평일 : 야간근무 일요일 : 주.야간근무
. 주간근무 : 09:00-17:00
. 야간근무 : 17:00-23:00

일자	요 일	조 장	조 원		티 자 수
1.12	토	2	A		
13	일(주)	3	B		장요숙
	(야)	4	C		
14	월	1	D		김정희
15	화	2	E		이수정
16	수	3	F		장요숙
17	목	4	G		김정희
18	금	1	H		이수정
19	토	2	I	g	장요숙
20	일(주)	3	A	a	김정희
	(야)	4	B	b	
21	월	1	C	c	이수정
22	화	2	D	d	장요숙
23	수	3	E	e	황정미
24	목	4	F	f	김정희
25	금	1	G	g	장요숙
26	토	2	H	a	황정미
27	일(주)	3	I	b	이수정
	(야)	4	A	c	
28	월	1	B	d	김정희
29	화	2	C	e	이수정
30	수	3	D	f	장요숙
31	목	4	E	g	황정미

0132

ㅇ 조 장

순 번	성 명
1	신 국 호
2	강 선 용
3	유 시 야
4	김 의 기

ㅇ 조 원

순 번	성 명	순 번	성 명
A	김동억	a	서승렬
B	박종순	b	최형찬
C	장석철	c	강금구
D	이병현	d	이종섭
E	김은석	e	김영채
F	구본우	f	황광호
G	한원중	g	성문업
H	허덕행		
I	박규옥		

ㅇ 타 자 원

순 번	성 명
가	이 수 정
나	장 요 숙
다	김 정 희
라	황 정 미

0133

공 란

공 란

(별 첨)

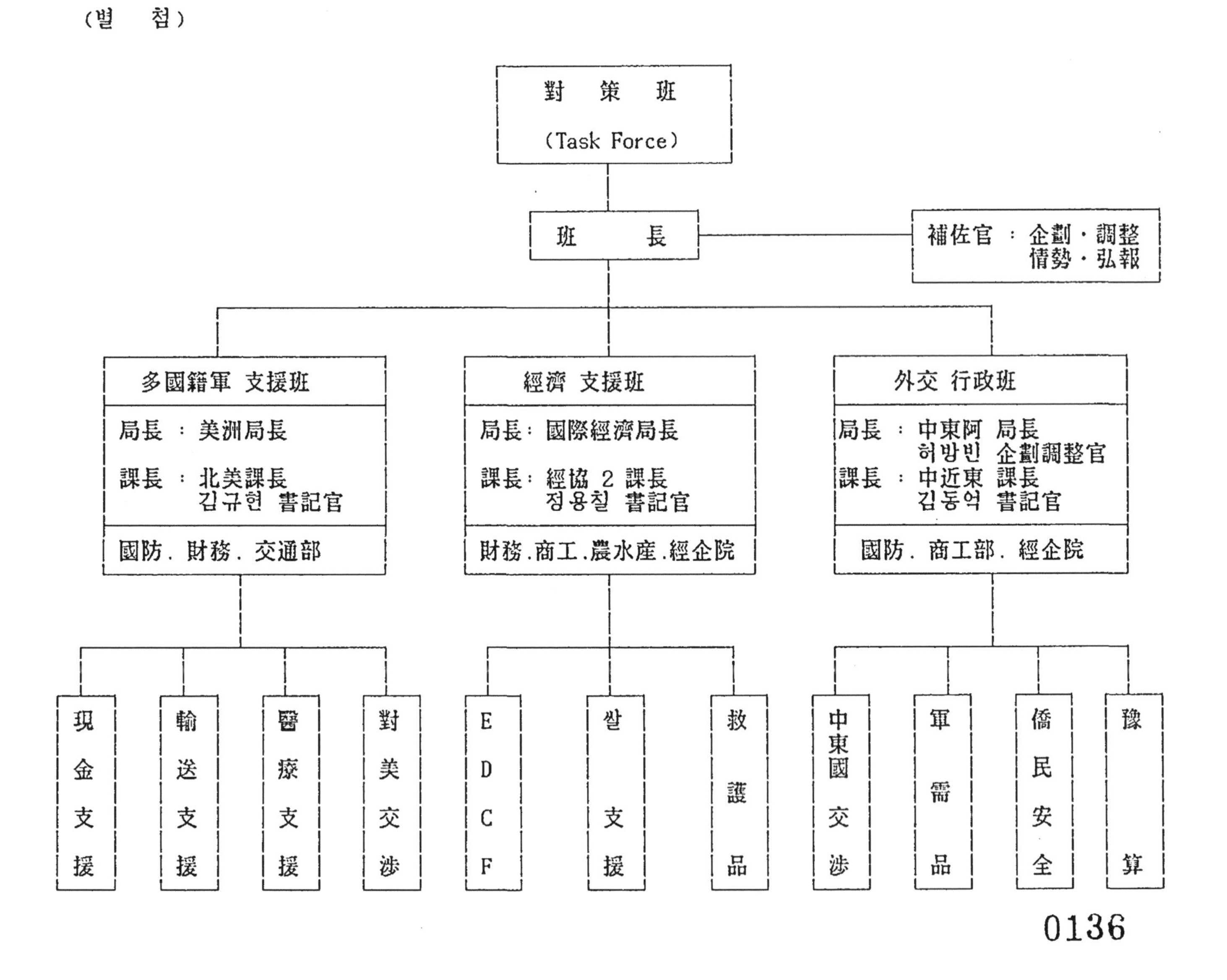

對 策 班
(Task Force)
班 長
補佐官 : 企劃·調整
情勢·弘報
多國籍軍 支援班
局長 : 美洲局長
課長 : 北美課長
김규현 書記官
國防. 財務. 交通部
經濟 支援班
局長: 國際經濟局長
課長: 經協 2 課長
정용칠 書記官
財務.商工.農水産.經企院
外交 行政班
局長 : 中東阿 局長
허방빈 企劃調整官
課長 : 中近東 課長
김동억 書記官
國防. 商工部. 經企院
現金支援
輸送支援
醫療支援
對美交涉
EDCF
쌀 支援
救護品
中東國交涉
軍需品
僑民安全
豫算

0136

걸프 事態 特別 對策 實務 委員會

會 議 資 料

日 時 : 1991. 1. 30.(水) 08:00

場 所 : 政府綜合廳舍 國務委員食堂

外 務 部

~~0136~~

0137

目　　次

0138

1. 걸프事態關聯 業務推進狀況

가. 非常勤務體制確立

1) 非常對策本部 設置運營

o 1.12 以後 外務部 非常對策本部 設置
24時間 非常勤務體制 突入

o 在外公館 非常勤務體制 - 24時間 非常勤務토록 指示

o 本部.在外公館間 非常通信網確立

o 主要 公館을 통하여 戰況, 戰爭 展望 수집

o 世界 原油, 原資材, 株式市場등 動向 把握

2) 關係部處 비상대책반과 協調體制

o 總理狀況室 中心, 정부차원의 對策樹立

o 事態 關聯 각종자료 작성배포등 業務 協調

나. 戰爭 勃發後 外交的 措置

o 부쉬 美大統領 앞 대통령 親書 發送 (1.17)

o 政府 代辯人 聲明 發表(1.17)

※ 1.15. 쿠웨이트 撤軍 時限 經過後 외무부 대변인 聲明 發表

다. 僑民撤收 및 安全對策

1) 僑民 撤收

o 戰爭危險地域 僑民 現況 (91.1.5 현재.총 6,331명)

- 사우디 4,980, 이라크 96, 쿠웨이트 9, 요르단 66,
카타르 82, 바레인 335, UAE 650, 이스라엘 113

0139

o 撤收現況 (91.1.29 현재.총 1,483명)

- 大韓航空 特別機 3차 投入

. 第1次 (1.14) 이라크, 요르단, 사우디, 바레인지역 301명

. 第2次 (1.24) 사우디, 리야드, 젯다 교민 409명

. 第3次 (1.24) " " " 250명

- 이스라엘 거주 교민 카이로 및 국외 철수 53명

o 殘留 僑民 現況 (91.1.29 현재.총 4,822명)

- 사우디 3,991, 이라크 14, 쿠웨이트 9, 요르단 20, 카타르 66, 바레인 239, UAE 423, 이스라엘 60

2) 安全對策

o 防毒面 支給

- 걸프지역 化學戰 對備 防毒面 및 化學裝備 총 7,269착 支給

- 7개 公館員 및 家族, 個人 就業者등 2,232여개는 政府豫算에서 支給

- 주재국 通關 便宜를 위하여 외교행랑편 送付

- 業體 勤勞者用 防毒面 追加 送付

1次 KAL 特別機便 2,320개 ┐
2次 " 2,771개 ┘ 5,037 개

o 危險地域僑民 安全待避 (1.29. 현재)

- 사우디 東.北部地域 僑民 1,121명중 857명 安全地帶로 待避

- 이스라엘 危險地域으로부터 113명중 53명 카이로 待避

0140

o 第3國 待避위한 出入國 手續등 事前講究

- 出國비자, 待避國家 入國 비자등

- 空港閉鎖時 육로.해상 탈출 計劃 樹立

o 비상 식량, 방공시설등 待避 手段 講究

라. 對 테러 對策

o 在外公館에 入國비자 發給 審査 强化

o 駐韓 外交官 및 公館 警備 强化 및 국내 아랍인 체류자 動態 把握

- 安企部, 治安本部등과 協調

o 法務部 出入國 管理 徹底

- 특히 아랍국적 방한자

o 在外國民에 대한 身邊 安全 指針 下達

- 소요지대 여행, 외출 자제 권유

마. 弘 報

o 外務長官 與.野 指導層 訪問 걸프사태 관련 政府 政策 說明

o 外務部 長官 정책자문위 報告

o 外務長官 외무통일위원회 걸프사태 관련 非公式 報告

o 外務長官 기자 간담회 및 일간지 논설위원 接觸

o 非常對策 本部長, 중앙, 매일경제등 인터뷰

o 中東阿局長, 국민일보, KBS, MBC등 인터뷰

0141

2. 向後 僑民撤收 推進 計劃

o 4次 特別機 運航 檢討

- 걸프지역 希望 僑民數 把握

- 離.着陸 許可

o 쿠웨이트 및 이라크내 殘留僑民 身邊安全 措置

- 撤收 또는 第3國 待避 勸諭

- KBS 國際放送, 멧신저 活用

0142

外務部 걸프事態 非常對策 本部

題 目: 非常對策本部 任務 終了

1991. 3. 4. 17:00

1. 걸프전 정전 결의안이 3.3. 유엔 안보리에서 채택됨에 따라 1991.3.4.(월) 17:00를 기해 외무부 걸프사태 비상대책 본부는 임무를 종료하고, 대책본부 발행 "일일보고"도 3.4. 06:00 제85호를 끝으로 마감 되었습니다.

2. 대책본부의 임무 종료 이후에는 당부 중동아프리카국을 중심으로 걸프사태 대책반을 운영하기로 하였으며 대책반의 위치는 중동아프리카국 중동1과 입니다.(전화 720-2327, 3969)

3. 그간의 협조와 성원에 심심한 사의를 표합니다. 끝.

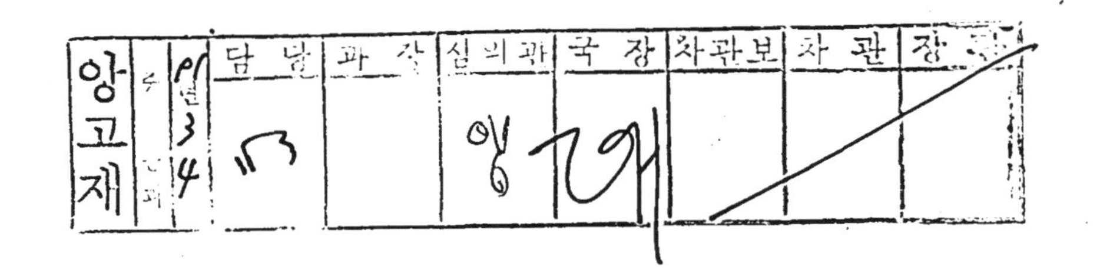

0143

政府綜合廳舍 810號 電話 : 730-8283/5, 730-2941.6.7.9, (구내)2331/4, 2337/8 Fax : 730-8286

外務部 걸프事態 非常對策 本部

題 目 걸프사태 비상대책 본부 임무 종료 1991.

1991. 3. 4. 12:00

1. 걸프전 정전 결의안이 3.3 유엔 안보리에서 채택됨에 따라 1991.3.4 (월) 정오를 기해 외무부 걸프사태 비상대책 본부는 임무를 종료하고, 대책본부 발행 "일일보고"도 3월4일 06:00 第85호를 끝으로 마감 되었읍니다.

2. 그간의 협조와 성원에 심심한 사의를 표하며, 앞으로 걸프사태 관련 업무는 외무부 중동아프리카국 중동1과에서 계속 관장할 것입니다. (전화 : 720-2327,3969)

0144

政府綜合廳舍 810號 電話 : 730-8283/5, 730-2941. 6. 7. 9, (구내)2331/4, 2337/8 Fax : 730-8286

대책본부 종료 관련 조치사항 체크 리스트

구 분	지 시 내 용	조 치 여 부
1. 대책본부임무 종료 (3.4. 17:00)	가. 재외공관에 전문 통보	조 치 중
	나. 관계부처에 통보	"
	ㅇ 청와대, 총리실, 안기부, 경기원, 재무부, 국방부, 상공부, 동자부, 건설부, 노동부, 교통부, 보사부, 환경처, 해운항만청, 공보처, 국회, 민자당, 감사원, 대한항공 등 19개 부처	
	※ 본부 서무계에도 협조문통보	통 보 필
	다. 중동아국장, 주요 관계부처 방문, 감사표시	
	라. 국장님 주최 국직원 석식(3.4)	
2. 회계관계 정산	가. 고속복사기 임차료 W 1,600,000 (W 800,000 × 2월분)	미 결 재
	- 사용부대비용 W 1,000,000	"
	나. 대형온풍기 구입비 W 4,000,000	미 결 재
	다. 전화사용료 (일반 7, 구내 6)	미 청 구
	라. FAX 사용료 (2대) W 320,000 (W 80,000 × 2대 × 2월분)	미 결 재
	- 사용부대비용 W 150,000	"
	마. 상황판	결재필, 금명간조치
	바. 차트료	일부 미결재
	사. 고용원 급여 및 수당(6명)	결재필
	아. 지도구입비 W 200,000	미 결 재
	자. 명패작성비 W 200,000	"
	차. 침구구입비 W 500,000	"
	카. 파일캐비넷구입비 W 200,000	"

0145

구 분	지 시 내 용	조 치 여 부
3. 사무실 집기정례	가. 각종 집기 철거 o 상황판 (10개) o 화일케비넷 o Otto World Time o 시계 (3개) o Electric Water Boiler o 화일케비넷3개 (4단2, 2단1) o 단말기 및 프린터 각 2대 o 브리핑 Board 1개	조 치 중
	나. 임차기기 반납 o 고속복사기 1대 o 전화기 13대 (일반7, 구내6) o FAX 2대	조 치 중

0146

관리 번호	91-16?0

	분류번호	보존기간

발 신 전 보

번 호 : AM-0057 910304 1838 FD 종별 :

수 신 : 주 전재외공관장 대사!!총영사!!

발 신 : 장 관 (중동일)

제 목 : 걸프사태 대책본부 임무 종료

WHG-231
WPD-221
WAG-206
WRM-179
WSV-624

1. 걸프전 정전 결의안이 3.3. 유엔 안보리에서 채택됨에 따라 외무부 걸프사태 대책본부는 금 3.4.을 기해 임무를 종료하고 앞으로는 전후 복구사업등 걸프사태 관련 업무를 위하여 중동아국을 중심으로 걸프전 사후 대책반을 운영하게 되었으니 참고 바람.

2. 그간 귀관의 충실하고 신속한 보고에 대해서 치하하며 금후에도 전후 중동 안보체제 구축문제, 팔레스타인 문제등 정치질서의 재편 문제와 전후복구 및 경제부흥에 대한 각종 정보를 계속 보고 바람. 끝.

1991.6.30.에 예고문에 의거 일반문서로 재분류

예 고 : 91.6.30. 일반

(장관)

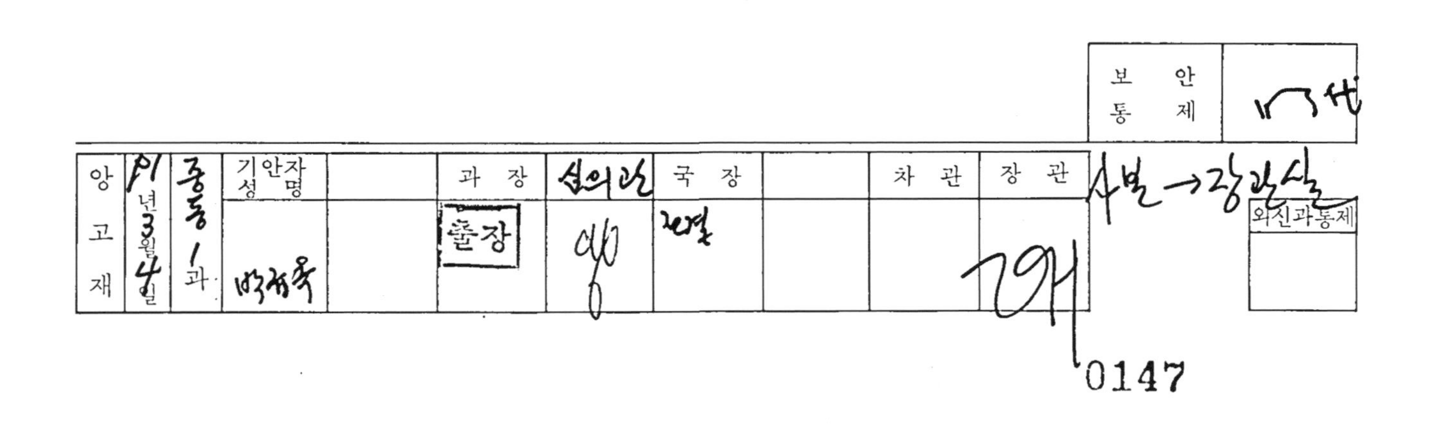

보안 통제	

앙 고 재	91년 3월 4일	중동1과	기안자 성명		과 장	심의관	국 장		차 관	장 관	외신과통제
					출장						

0147

國務總理 걸프事態 綜合狀況室

○ 걸프戰爭 終戰에 따라 그동안 運營해 오던 걸프事態綜合狀況室이 業務를 마치고 政府의 平常體制로의 轉換方針에 따라 今日(3.5), 18:00附로 運營을 終了함을 알려드립니다.

○ 앞으로의 걸프事態 關聯報告는 平時의 機能別 報告經路를 밟아 주시기 바랍니다.

○ 그동안 걸프戰으로 인한 어려움을 效率的으로 克服하기 위해 合心努力해 주신 모든 政府機關과 公務員 여러분께 심심한 感謝를 드립니다.

1991. 3. 5

綜合狀況室長   李   興   柱

0148

걸프事態關聯 特別措置 調整

□ 3.6부터 施行

□ 걸프戰 關聯 에너지節約施策 調整

施 策	現 行	調 整
○ 車輛 10部制 運行	○ 車輛끝 番號와 같은 날짜에 禁止 ○ 對象 : 非事業用 乘用車, 非事業用 버스, 전세버스 * 緊急自動車, 報道用·外交官用·障碍者用 自動車, 大型通勤 버스 除外	○ 國民의 肯定的 呼應과 交通疏通 效果가 크므로 당분간 持續 다만 國民의 生業活動과 關聯되는 버스는 除外
○ TV放映時間 短縮	○ 하루 1-2時間 短縮	○ 國民의 알權利 保障을 위해 正常化, 다만 晝間 電力消費 集中時間을 피하기 위해 저녁 放送始作時間을 18:00로 30分 늦춤(종방송시간 동일) - 스포츠 中繼등을 위한 낮放送 가급적 抑制
○ 街路燈 隔燈制	○ 全國의 街路燈 隔燈 點火	○ 節約雰圍氣 維持를 위해 持續하되 ○ 犯罪와의 戰爭, 交通事故增加 要因이 큰 道路 등은 市·道知事의 判斷下에 伸縮的으로 調整施行

0149

施 策	現 行	調 整
○注油所營業制限	○ 家庭暖房보일러用 燈油의 油槽車 單位 販賣 禁止 ○ 注油所 營業時間 制限 (子正 - 04:00)	○ 節約雰圍氣 維持를 위해 持續實施
○ 大型네온사인 및 電子式 電光板 使用 禁止	○ 野立,屋上,建物 壁面 設置 廣告物 및 言論機關 電子式 電光板 使用禁止	○ 大型네온사인 :日沒後 -22:00 까지만 許容 *新規設置許可는 禁止 ○ 言論機關의 電子式 電光板 : 뉴스傳達 媒體로서의 特性을 勘案,16:00-22:00까지 許容
○ 體育施設 夜間 照明 禁止	○ 골프練習場,스키場,庭球場 夜間 照明 使用禁止	○ 國民體力增進을 위해 庭球場, 골프練習場은 時間制(22:00)로 調整하되,스키장,골프장은 繼續 禁止
○ 其他 各種 節電 施策	○ 事務室,工場의 白熱燈 使用禁止 ○ 昇降機 隔層制 運行 ○ 建物室內溫度 維持 및 室內消燈 ○ 에너지·多消費業所 週1回 定期休日制 實施 등 에너지節約 施策	○ 에너지 節約運動의 常時化 次元에서 持續

□ 政府 非常對應 態勢의 調整

○ 걸프戰 勃發以後 持續해온 政府의 非常對應態勢(狀況室 運營, 年暇自制 등)는 正常體制로 還元(特別對應이 必要한 部處는 機關長 責任下에 Task Force 등으로 對處)

0150

외무부장관님 귀하

o 1991. 2.28. 국무총리의 주례보고시,

대통령께서 당부하신 사항을 별첨과 같이

보내드리오니, 소관업무 수행에 참고하시기 바라며,

o 조치가 필요한 사항에 대해서는 필요한 조치를

취하시고 그 내용을 통보하여 주시기 바랍니다.

첨 부 : 국무총리 주례업무보고시

대통령께서 당부하신 사항 1부. 끝.

1991. 3. 5.

국 무 총 리

명에 의하여 행정조정실장 沈 大 平

0151

國務總理週例報告時，大統領當付말씀

(91.2. 28)

題目	當付말씀	所管部處
1. 걸프戰 戰後 對策 徹底	ㅇ 지금까지 걸프戰에 對備한 內閣의 對應은 適切하게 잘 이루어 졌다고 봄. ㅇ 걸프戰爭이 豫想보다 빨리 終戰되어 內閣에서 이에 대한 對應策을 講究하고 있는 줄 알고 있으나, 걸프事態가 우리의 經濟.外交.國家安保, 社會 諸分野에 미치는 影響이 큰 만큼 걸프戰爭의 敎訓, 戰後에 展開될 狀況등을 綿密히 分析하여 綜合的인 長.短期對策을 講究, 보다 效果的으로 推進해야 할 것임. 아울러 걸프事態로 造成된 自肅.自制 雰圍氣와 勤儉節約氣風이 終戰으로 인해 弛緩되지 않도록 에너지節約.車輛 10部制運營등 勤儉.自制氣風 持續化, 犯罪와의 戰爭.遵法秩序등 社會紀綱確立 強化, 봄맞이 大淸掃.自然淨化.거리秩序確立등 國民運動展開등의 새秩序.새生活實踐運動도 보다 組織的으로 活性化시켜 나갈것.	<主管> 經濟企劃院 外務部 國防部 建設部 商工部등 <關聯> 全部處

-1-

0152

題　目	當　付　말　씀	所管部處
2.社會安定對策講究	○ 最近에 發生한 一連의 事件으로 社會雰圍氣가 어두운 局面을 벗어나지 못하는 틈을 타 在野.勞動界.學園街등 問題圈을 中心으로 不純活動擴散을 企圖하고 있어 民心動搖와 社會不安을 刺戟할 憂慮가 큼 ○ 특히 앞으로 닥칠 3~4月은 開學期에 접어든 問題圈 學生들의 新入生 不純意識化企圖, 體制顚覆鬪爭등 騷擾 策動, 勞動界의 春季 賃金鬪爭, 與野.在野의 政策的 煽動活動등으로 政府의 社會安定努力에 어려움을 加重시킬 것으로 豫想됨. ○ 또한 現時点은 第6共和國의 執權 後半期를 열어 가는 重要한 時期인데다가 打開해야 할 懸案課題들이 山積해 있음에도 政治圈은 물론 公職社會마저 局面轉換을 위한 努力을 보여주지 못하고 있는 것은 심히 유감임. ○ 內閣에서는 黨政間 緊密히 協調하여 하루속히 局面轉換을 위한 綜合的인 刷新對策을 講究하고 違法行爲者는 法에 따라 嚴正措置하는등 社會安定을 沮害하는 不法集團行動은 源泉的으로 봉쇄함으로써 社會混亂을 惹起하는 일이 없도록 미리미리 對備할것.	<主管> 內務部 敎育部 勞動部 總務處등 <關聯> 全部處

0153

題　目	當　付　말　씀	所管部處
3. 心機一轉의 公職紀綱 再確立	○ 最近 不美한 事件들의 잇따른 發生은 深夜퇴폐.變態營業行爲 再發등 지난 10.13 特別宣言以後 定着되어 가던 社會紀綱을 다시 흐트러지게 하고 보신을 위한 눈치行政, 民願處理遲延, 各種 集團活動 回避現象 露呈등 公職社會마저 크게 萎縮시키는등 후유증을 派生시키고 있음. ○ 內閣에서는 모든 公職者가 心機一轉, 하루속히 刷新意志를 가지고 맡은바 責務를 다할 수 있도록 公職社會 內部의 "가만히 있으면 指摘받지 않는다"는 業務回避, 無事安逸한 姿勢를 말끔히 退治하고 計劃된 施策推進을 積極 指導.督勵하여 行政漏水現象이 일어나지 않도록 함은 물론 公職者가 法과 良心에 따라 所信껏 일하는데 障碍要因이 무엇인가를 찾아 是正하도록 해야 함. * 外部의 利權關聯 壓力, 公務員 人事介入등 徹底 遮斷	<主管> 總務處 內務部 <關聯> 全部處

-3-

0154

국 무 총 리

外務部長官 貴下

政府施策弘報의 重要性에 대해서는 大統領께서 여러차례 強調하신 바 있고, 本人도 機會있을 때마다 當付한 바 있습니다.

지난 1,2月中 各部處의 弘報實績 評價에 따르면, 걸프事態와 關聯하여 "걸프事態 非常對策本部"를 構成.運營함으로써 政府次元의 機敏한 對應에 진력하는 모습을 國民에게 잘 보여 주었으며, 또한 統一獨逸의 바이체커大統領의 來韓을 契機로 統一을 위해서는 強力한 經濟力의 建設과 自由民主主義의 固守가 必須的이라는 점을 크게 浮刻시켜 우리의 統一努力과 方向에 대한 統一獨逸의 積極的인 支持姿勢가 잘 弘報된 점에 대하여 大統領께서 致賀의 말씀을 하신바 있습니다.

다만 韓美兩國間의 通商摩擦問題에 대해서는 아직도 美議會와 民間團體들이 우리政府의 通商關係 改善努力에 대해 잘 알지 못하거나 否定的인 視角을 갖고 있다는 점에 留意하여 長官은 앞으로 對美弘報活動 強化에 繼續 努力해 줄것을 當付합니다.

1991. 3. 11.

國 務 總 理

0155

정 리 보 존 문 서 목 록					
기록물종류	일반공문서철	등록번호	2021010238	등록일자	2021-01-28
분류번호	721.1	국가코드	XF	보존기간	영구
명 칭	걸프사태 : 대책 및 조치, 1990-91. 전11권				
생 산 과	중동1과/북미1과	생산년도	1990~1991	담당그룹	
권 차 명	V.9 종전 관련 대통령 및 외무장관 친서				
내용목차	* 걸프전 종전 관련, 다국적군 참여국에 대한 노태우 대통령 및 이상옥 외무장관 친서 발송 및 회신				

0001

外務部 걸프事態 非常對策 本部

題 目 : 일본 나까야마 외무대신이 다국적군 참가국 정부에 보내는 멧세지 1991.

이번에 미국에 의한 종전제안을 진심으로 환영함과 아울러 쿠웨이트의 해방을 축복합니다. 그것은 귀국을 비롯한 다국적군 참가국을 포함한 국제사회 전체의 연대협력에 의한 것이며 지금까지의 귀국의 지대한 희생과 노력에 대해서 깊은 경의를 표합니다. 우리나라는 이것을 계기로 해서 걸프지역에 있어서의 진정한 국제평화와 안정이 달성되기를 간절히 바랍니다.

우리나라로서는 지금까지 평화회복을 위한 국제사회의 노력 및 주변국들을 적극적으로 지원해 왔읍니다만 앞으로 쿠웨이트의 복구, 부흥을 포함한 중동 지역 전체의 평화와 안정달성을 위하여 계속 적극적으로 협력을 해나갈 생각 입니다.

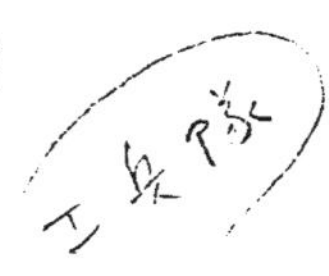

통 화 자 : 송화 주한 일본대사관 마쯔이 1등 서기관

수화 정진호 중동 2과장

통화일시 : 91.2.28. 20:20

수신: 장관 공관

795-5819

0002

관리 번호	91-592

	분류번호	보존기간

발 신 전 보

WJA-0948 910304 2155 BX

번 호 : 종별 :

수 신 : 주 일 본 대사. 총영사

발 신 : 장 관 (미북, 아일)

제 목 : 장관 친전 송부

1. 2.28. 일본 나까야마 외무대신은 걸프전 종전에 즈음하여 다국적군 참여국 정부에 보내는 메세지를 당부에 전달하여 왔음.

2. 걸프전이 연합군의 승리와 3.3. 유엔 안보리의 평화결의안 채택으로 공식 종전됨에 즈음하여 귀 주재국이 금번 걸프사태 해결에 기여함을 높이 평가하는 본직의 귀주재국 나까야마 외무대신앞 친전을 별첨 타전하니 이를 일어로 번역, 귀직 표지 공한에 첨부하여 주재국 외무대신에게 적의 전달하고, 결과 보고바람.

첨 부 : 상기 친전.

(장 관)

일반문서로 재분류(1991.12.31.)

예 고 : 91.12.31.일반.

검 토 필 (1991.6.30.)

보안 통제	

앙 고 재	91년 3월 4일	북미과	기안자 성명		과 장		국 장		차 관	장 관
			오갑렬				전결			

외신과통제

0003

~~(일 본)~~

外務~~長官~~大臣 閣下,

本人은 閣下께서 보내신 2.28.자 메세지를 감사히 받았습니다.

本人은 聯合軍이 걸프戰에서 勝利를 거두고 유엔 安全保障理事會가 平和案을 採擇함으로서 걸프地域은 물론 世界 平和와 安定을 威脅해 온 걸프事態가 완전히 終結된데 대해 모든 平和 愛好 國民들과 더불어 기쁘게 생각하며, 이는 앞으로의 世界平和와 繁榮을 위하여도 좋은 先例를 確立하였다고 생각합니다.

우리政府는 그동안 귀국이 財政支援 等을 통하여 걸프地域의 平和回復을 위해 적극적인 노력을 傾注해 온데 대해 敬意를 表하며, 앞으로도 걸프地域의 復興과 復舊를 위해 귀국과 함께 계속해서 努力해 나가고자 합니다.

閣下의 健安과 成功을 祈願합니다.

敬 具

0004

中山太郎 外務大臣閣下．

拝啓． 2月28日付の閣下からのメッセジを拝讀致しました．

湾岸戦争で連合軍が勝利をおさめ、また、國連安全保障理事會が平和案を採擇することによって、湾岸地域のみならず世界全體の平和と安定に威脅をあたえてきた湾岸事態が完全に終結できたことは、平和を愛好するすべての國の國民と共に私の喜びとするところであります． また、これは今後の世界平和と繁榮のためにもよい先例になるものと存ずる次第であります．

わが政府は、貴國がその間財政支援等を通じて湾岸地域の平和回復のために積極的な努力を傾注してこられたことに對し、敬意を表しながら、今後とも湾岸地域の復興及び復舊のため、貴國と共に引き續き努力をつくしてまいる いく 所存であります．

閣下のご健勝とご成功を祈願致します． 敬 具

李 相 玉
大韓民國 外務部長官

日本國 外務大臣
中山 太郎 閣下

0005

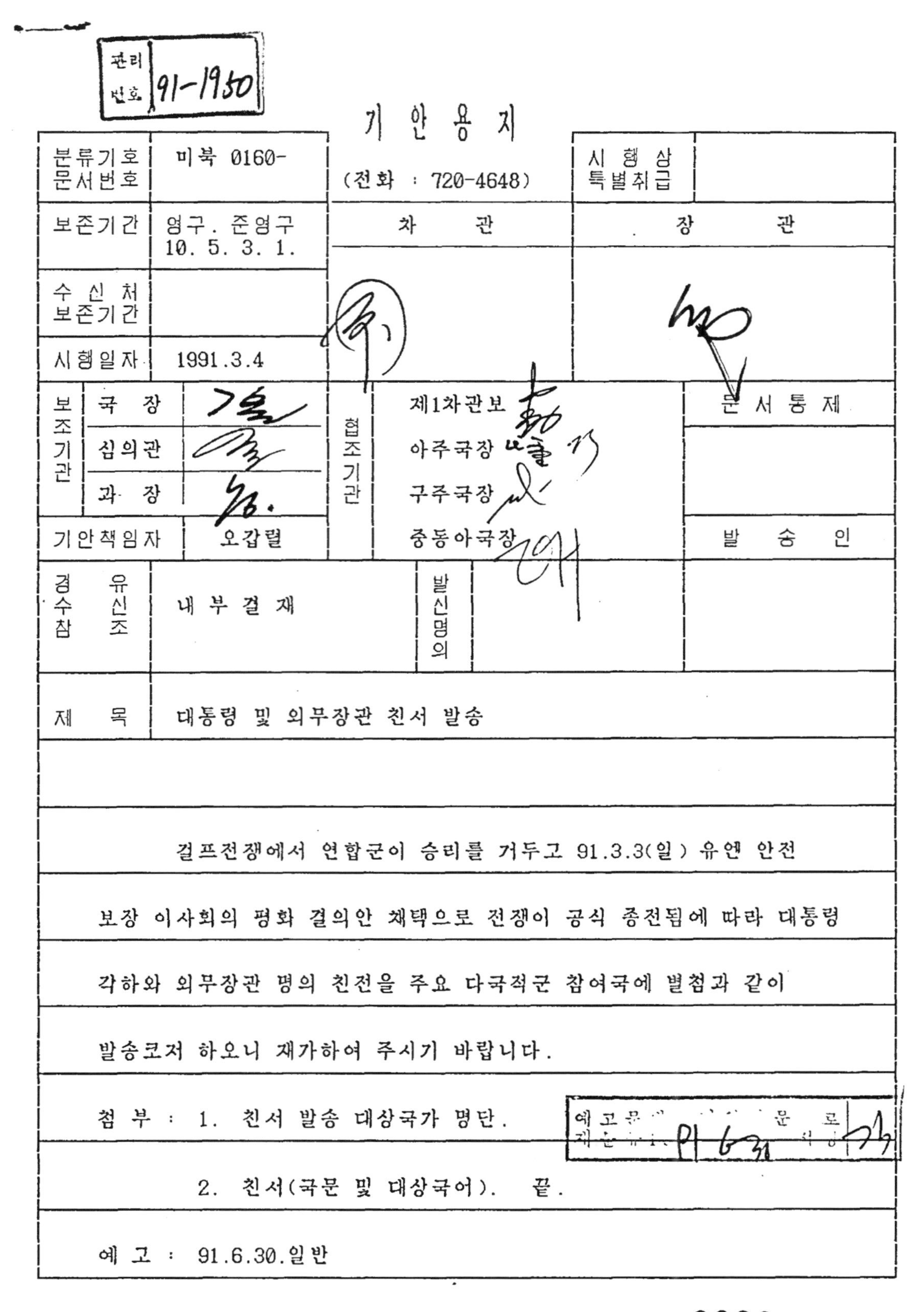

관리번호 91-1950

기 안 용 지

분류기호 문서번호	미북 0160-	(전화 : 720-4648)	시 행 상 특별취급	
보존기간	영구. 준영구 10. 5. 3. 1.	차 관	장 관	
수 신 처 보존기간				
시행일자	1991.3.4			

보조기관		협조기관		문 서 통 제
국 장		제1차관보		
심의관		아주국장		
과 장		구주국장		
기안책임자	오갑렬	중동아국장		발 송 인

경 유 수 신 참 조	내 부 결 재	발신명의		

제 목	대통령 및 외무장관 친서 발송

걸프전쟁에서 연합군이 승리를 거두고 91.3.3(일) 유엔 안전 보장 이사회의 평화 결의안 채택으로 전쟁이 공식 종전됨에 따라 대통령 각하와 외무장관 명의 친전을 주요 다국적군 참여국에 별첨과 같이 발송코저 하오니 재가하여 주시기 바랍니다.

첨 부 : 1. 친서 발송 대상국가 명단.

2. 친서(국문 및 대상국어). 끝.

예 고 : 91.6.30.일반

0006

친전 발송 대상국가

1. 대통령 친전 발송 대상국 (6개국)

   o 미국, 쿠웨이트(기발송)

   o 영국, 불란서

   o 사우디, UAE

2. 외무장관 친전 발송 대상국 (10개국)

   o 일본(답신)

   o 카나다, 이태리, 터키

   o 바레인, 오만, 카타르, 모로코

   o 이집트, 시리아

* 다국적군에는 포함되어 있으나 친전 발송에서 제외한 국가 (13개국)

   o 파키스탄, 방글라데쉬, 벨기에, 화란, 스페인, 그리스, 폴투갈, 노르웨이, 체코, 호주, 세네갈, 니제르, 아르헨티나

(영 국)

閣 下,

本人은 英國軍을 비롯한 聯合軍이 걸프戰에서 勝利를 거둔데 대해 大韓民國 國民과 더불어 깊은 祝賀의 말씀을 전하며, 유엔 安全保障理事會의 平和案 採擇으로 완전한 終戰이 이루어진데 대해 기쁨을 나누고저 합니다.

本人은 國際社會가 단합하여 不法的인 武力侵略에 단호히 대응하므로써 世界 平和와 經濟를 威脅해 온 걸프事態가 終結된데 대해 모든 平和 愛好 國民들과 더불어 多幸스럽게 생각하며, 이러한 成功을 위하여 英國 政府와 國民이 보여준 努力과 勇氣에 대하여 敬意를 表하는 바입니다.

本人은 英國 政府가 지난 2월13일 Weston 政務擔當 副次官을 보내, 걸프地域에서 平和와 安定을 回復하기 위한 閣下의 決然한 意志와 더불어 英國이 경주하고 있는 努力에 관해 우리 政府 關係官에게 상세히 說明해 주신데 대해 感謝를 드립니다. 大韓民國 政府와 國民은 世界 平和와 安定을 위한 귀국의 貢獻을 오래 기억할 것입니다.

이 機會를 빌어 本人과 大韓民國 國民은 今番 戰爭에서 世界 平和를 위해 高貴한 犧牲을 한 英國軍에 대해 冥福을 빌고 아울러 그 家族에게 深甚한 弔意를 表하는 바입니다.

閣下의 健安과 成功을 祈願합니다.

敬 具

0008

(프 랑 스)

閣 下,

本人은 프랑스軍을 비롯한 聯合軍이 걸프戰에서 勝利를 거둔데 대해 大韓民國 國民과 더불어 깊은 祝賀의 말씀을 전하며, 유엔 安全保障理事會의 平和案 採擇으로 완전한 終戰이 이루어진데 대해 기쁨을 나누고저 합니다.

또한 本人은 國際社會가 단합하여 不法的인 武力侵略에 단호히 대응하므로써 世界平和와 安定을 威脅해 온 걸프事態가 終結된데 대해 모든 平和 愛好 國民들과 더불어 多幸스럽게 생각하며, 이를 위하여 프랑스 政府와 國民이 보여준 努力과 勇氣에 대해 敬意를 表하는 바입니다. 大韓民國 政府와 國民은 世界平和와 安定을 위한 貴 政府의 外交努力과 프랑스 國民의 貢獻을 길이 기억할 것입니다.

本人은 國際社會가 걸프事態의 상처를 하루빨리 말끔이 치유하고 人類 共同 繁榮의 21세기를 創造하기 위한 和解와 協力의 契機로 삼게되기를 閣下와 더불어 期待합니다.

閣下의 健安과 成功을 祈願합니다.

敬 具

0009

(사 우 디)

殿 下,

本人은 귀국을 포함한 聯合軍이 걸프戰에서 勝利를 거둔데 대해 大韓民國 國民과 더불어 깊은 祝賀의 말씀을 전하며, 유엔 安全保障理事會의 平和案 採擇으로 완전한 終戰이 이루어진 데 대해 기쁨을 나누고저 합니다.

本人은 사우디의 결연한 自由守護 努力과 불법적인 武力侵略에 대한 國際社會의 단합된 대응으로 걸프地域에서 平和가 回復된 것은 앞으로의 世界平和와 繁榮을 위하여 좋은 先例를 確立하였다고 생각합니다. 本人은 이러한 成功을 가져오는데 까지 그동안 사우디아라비아 政府와 國民이 감수한 犧牲과 勞力에 대하여 敬意를 表하는 바입니다.

우리는 그간 걸프地域의 平和 回復을 위한 多國籍軍 参加國의 努力에 적극 참여 하여 왔을뿐만 아니라, 앞으로도 必要로 할 경우 걸프地域에서 醫療 支援奉仕 活動을 包含하여 가능한 支援을 하고자 하며, 이 機會를 빌어 우리 醫療 支援團이 귀국 政府의 協調로 귀국에서 뜻있는 活動을 할 수 있었던 것을 기쁘게 생각합니다.

大韓民國 政府와 國民은 今番 걸프 事態 解決을 위해 兩國이 보여준 協力을 바탕으로 귀국과 友好協力 關係가 더욱 發展되기를 希望하며, 걸프地域에서의 恒久的인 平和와 安定이 달성되기를 충심으로 祈願합니다.

殿下의 健安과 成功을 祈願합니다.

敬 具

0010

(U A E)

閣 下,

本人은 귀국을 포함한 聯合軍이 걸프戰에서 勝利를 거둔데 대해 大韓民國 國民과 더불어 깊은 祝賀의 말씀을 전하며, 유엔 安全保障理事會의 平和案 採擇으로 완전한 終戰이 이루어진 데 대해 기쁨을 나누고저 합니다.

本人은 國際社會가 단합하여 불법적인 武力侵略에 단호히 대응함으로써 걸프 地域에서 平和가 回復된 것은 앞으로의 世界平和와 繁榮을 위하여 좋은 先例를 確立하였다고 생각합니다. 本人은 이러한 成功을 가져오는데까지 그동안 귀국이 기울인 적극적인 平和回復 努力에 대하여 敬意를 表하는 바입니다.

우리는 그간 걸프地域의 平和 回復을 위한 多國籍 支援努力에 적극 참여하여 왔을 뿐만아니라, 앞으로도 必要로 할 경우 걸프地域에서 醫療 및 輸送支援 등 가능한 支援을 하고자 하며, 이 機會를 빌어 전하께서 우리 空軍 輸送團 活動을 적극 支援해 주신데 대해 감사드립니다.

大韓民國 政府와 國民은 今番 걸프 事態 解決을 위해 兩國이 보여준 協力을 바탕으로 귀국과 友好協力 關係가 더욱 發展되기를 希望하며, 걸프地域에서의 恒久的인 平和와 安定이 달성되기를 충심으로 祈願합니다.

閣下의 健安과 成功을 祈願합니다.

敬　　具

0011

中山太郎 外務大臣閣下,

拝啓. 2月28日付の閣下からのメッセジを拝讀致しました.

湾岸戰爭で連合軍が勝利をおさめ、 また、 國連安全保障理事會が平和案を採擇することによって、 湾岸地域のみならず世界全體の平和と安定に威脅をあたえてきた湾岸事態が完全に終結できたことは、 平和を愛好するすべての國の國民と共に私の喜びとするところであります. また、 これは今後の世界平和と繁榮のためにもよい先例になるものと存ずる次第であります.

わが政府は、 貴國がその間財政支援等を通じて湾岸地域の平和回復のために積極的な努力を傾注してこられたことに對し、 敬意を表しながら、 今後とも湾岸地域の復興及び復舊のため、 貴國と共に引き續き努力をつくしてまいる所存であります.

閣下のご健勝とご成功を祈願致します. 敬 具

李 相 玉

大韓民國 外務部長官

日本國 外務大臣

中山 太郎 閣下

0012

(카 나 다)

外務長官 閣下,

本人은 貴國軍을 포함한 聯合軍이 걸프戰에서 勝利를 거둔데 대해 大韓民國 國民과 더불어 깊은 祝賀의 말씀을 전하며, 유엔 安全保障理事會의 平和案 採擇으로 완전한 終戰이 이루어진데 대해 기쁨을 나누고저 합니다.

國際社會가 단합하여 不法的인 武力侵略에 단호히 대응하므로써 걸프地域에서 平和가 回復된 것은 앞으로의 世界平和와 繁榮을 위하여 좋은 先例를 確立한 것이며, 本人은 그동안 귀국이 기울인 적극적인 平和回復 努力에 대하여 귀국 國民에게 敬意를 表하는 바입니다.

우리는 그간 걸프地域의 平和回復을 위한 多國籍 努力에 적극 참여하여 왔을 뿐만 아니라, 앞으로도 이 地域에서 安定의 回復을 위한 努力에 最大限의 協力을 提供해 나가고자 합니다.

우리는 걸프地域에서의 恒久的인 平和와 安定이 달성되기를 간절히 기원하며, 금번 걸프事態 解決을 위해 兩國이 경주한 공동 努力을 바탕으로 귀국과 友好協力 關係가 더욱 發展되기를 希望합니다.

閣下의 健安과 成功을 祈願합니다.

敬 具

0013

(이 태 리)

外務長官 閣下,

本人은 貴國軍을 포함한 聯合軍이 걸프戰에서 勝利를 거둔데 대해 大韓民國 國民과 더불어 깊은 祝賀의 말씀을 전하며, 유엔 安全保障理事會의 平和案 採擇으로 완전한 終戰이 이루어진데 대해 기쁨을 나누고저 합니다.

國際社會가 단합하여 不法的인 武力侵略에 단호히 대응하므로써 걸프地域에서 平和가 回復된 것은 앞으로의 世界平和와 繁榮을 위하여 좋은 先例를 確立한 것이며, 本人은 그동안 귀국이 기울인 적극적인 平和回復 努力에 대하여 귀국 國民에게 敬意를 表하는 바입니다.

우리는 그간 걸프地域의 平和回復을 위한 多國籍 努力에 적극 참여하여 왔을 뿐만 아니라, 앞으로도 이 地域에서 安定의 回復을 위한 努力에 最大限의 協力을 提供해 나가고자 합니다.

우리는 걸프地域에서의 恒久的인 平和와 安定이 달성되기를 간절히 기원하며, 금번 걸프事態 解決을 위해 兩國이 경주한 공동 努力을 바탕으로 귀국과 友好協力 關係가 더욱 發展되기를 希望합니다.

閣下의 健安과 成功을 祈願합니다.

敬 具

0014

(터　　키)

外務長官 閣下,

本人은 貴國軍을 포함한 聯合軍이 걸프戰에서 勝利를 거둔데 대해 大韓民國 國民과 더불어 깊은 祝賀의 말씀을 전하며, 유엔 安全保障理事會의 平和案 採擇으로 완전한 終戰이 이루어진데 대해 기쁨을 나누고저 합니다.

國際社會가 단합하여 不法的인 武力侵略에 단호히 대응하므로써 걸프地域에서 平和가 回復된 것은 앞으로의 世界平和와 繁榮을 위하여 좋은 先例를 確立하였습니다. 本人은 그동안 귀국이 많은 犧牲과 경제적 어려움에도 불구하고 이 地域의 平和回復을 위해 헌신적인 努力을 기울인데 대하여 國民에게 敬意를 表하는 바입니다.

우리는 그간 걸프 地域의 平和回復을 위한 多國籍軍 努力에 적극 참여하여 왔을 뿐만아니라, 앞으로도 이 地域에서 安定의 回復을 위한 努力에 最大限의 努力을 提供해 나가고자 합니다.

우리는 걸프 地域에서의 恒久적인 平和와 安定이 달성되기를 간절히 기원하며, 금번 걸프地域 解決을 위해 兩國이 경주한 공동 努力을 바탕으로 귀국과 友好協力 關係가 더욱 發展되기를 希望합니다.

閣下의 健安과 成功을 祈願합니다.

敬　　具

0015

(바레인, ~~오만, 카타르, 모로코~~ 外務長官)

閣 下,

本人은 귀국을 포함한 聯合軍이 걸프戰에서 勝利를 거둔데 대해 大韓民國 國民과 더불어 깊은 祝賀의 말씀을 전하며, 유엔 安全保障理事會의 平和案 採擇으로 완전한 終戰이 이루어진 데 대해 기쁨을 나누고저 합니다.

아울러 國際社會가 단합하여 불법적인 武力侵略에 단호히 대응함으로써 걸프地域에서 平和가 回復된 것은 앞으로의 世界平和와 繁榮을 위하여 좋은 先例를 確立한 것이며, 本人은 그동안 귀국이 기울인 積極的인 平和 回復 努力에 대하여 귀국 國民에게 敬意를 表하는 바입니다.

우리는 그간 걸프 地域의 平和回復을 위한 多國籍 努力에 적극 참여하여 왔을 뿐만 아니라, 앞으로도 이 地域에서 安定의 回復을 위한 努力에 最大限의 協力을 提供해 나가고자 합니다.

우리는 걸프 地域에서의 恒久的인 平和와 安定이 달성되기를 간절히 기원하며, 今番 걸프事態 解決을 위해 兩國이 경주한 공동 努力을 바탕으로 귀국과 友好協力關係가 더욱 發展되기를 希望합니다.

閣下의 健安과 成功을 祈願합니다.

敬 具

0016

(~~바레인~~, 오만, ~~카타르, 쿠웨이트~~ 外務長官)

閣 下,

本人은 귀국을 포함한 聯合軍이 걸프戰에서 勝利를 거둔데 대해 大韓民國 國民과 더불어 깊은 祝賀의 말씀을 전하며, 유엔 安全保障理事會의 平和案 採擇으로 완전한 終戰이 이루어진 데 대해 기쁨을 나누고저 합니다.

아울러 國際社會가 단합하여 불법적인 武力侵略에 단호히 대응함으로써 걸프地域에서 平和가 回復된 것은 앞으로의 世界平和와 繁榮을 위하여 좋은 先例를 確立한 것이며, 本人은 그동안 귀국이 기울인 積極的인 平和 回復 努力에 대하여 귀국 國民에게 敬意를 表하는 바입니다.

우리는 그간 걸프 地域의 平和回復을 위한 多國籍 努力에 적극 참여하여 왔을 뿐만 아니라, 앞으로도 이 地域에서 安定의 回復을 위한 努力에 最大限의 協力을 提供해 나가고자 합니다.

우리는 걸프 地域에서의 恒久的인 平和와 安定이 달성되기를 간절히 기원하며, 今番 걸프事態 解決을 위해 兩國이 경주한 공동 努力을 바탕으로 귀국과 友好協力關係가 더욱 發展되기를 希望합니다.

閣下의 健安과 成功을 祈願합니다.

敬 具

0017

(~~바레인, 오만~~, 카타르, ~~모로코~~ 外務長官)

閣 下,

本人은 귀국을 포함한 聯合軍이 걸프戰에서 勝利를 거둔데 대해 大韓民國 國民과 더불어 깊은 祝賀의 말씀을 전하며, 유엔 安全保障理事會의 平和案 採擇으로 완전한 終戰이 이루어진 데 대해 기쁨을 나누고저 합니다.

아울러 國際社會가 단합하여 불법적인 武力侵略에 단호히 대응함으로써 걸프地域에서 平和가 回復된 것은 앞으로의 世界平和와 繁榮을 위하여 좋은 先例를 確立한 것이며, 本人은 그동안 귀국이 기울인 積極的인 平和 回復 努力에 대하여 귀국 國民에게 敬意를 表하는 바입니다.

우리는 그간 걸프 地域의 平和回復을 위한 多國籍 努力에 적극 참여하여 왔을 뿐만 아니라, 앞으로도 이 地域에서 安定의 回復을 위한 努力에 最大限의 協力을 提供해 나가고자 합니다.

우리는 걸프 地域에서의 恒久的인 平和와 安定이 달성되기를 간절히 기원하며, 今番 걸프事態 解決을 위해 兩國이 경주한 공동 努力을 바탕으로 귀국과 友好協力 關係가 더욱 發展되기를 希望합니다.

閣下의 健安과 成功을 祈願합니다.

敬 具

0018

(~~바레인, 오만, 카타르,~~ 모로코 外務長官)

閣 下,

本人은 귀국을 포함한 聯合軍이 걸프戰에서 勝利를 거둔데 대해 大韓民國 國民과 더불어 깊은 祝賀의 말씀을 전하며, 유엔 安全保障理事會의 平和案 採擇으로 완전한 終戰이 이루어진 데 대해 기쁨을 나누고저 합니다.

아울러 國際社會가 단합하여 불법적인 武力侵略에 단호히 대응함으로써 걸프地域에서 平和가 回復된 것은 앞으로의 世界平和와 繁榮을 위하여 좋은 先例를 確立한 것이며, 本人은 그동안 귀국이 기울인 積極的인 平和 回復 努力에 대하여 귀국 國民에게 敬意를 表하는 바입니다.

우리는 그간 걸프 地域의 平和回復을 위한 多國籍 努力에 적극 참여하여 왔을 뿐만 아니라, 앞으로도 이 地域에서 安定의 回復을 위한 努力에 最大限의 協力을 提供해 나가고자 합니다.

우리는 걸프 地域에서의 恒久的인 平和와 安定이 달성되기를 간절히 기원하며, 今番 걸프事態 解決을 위해 兩國이 경주한 공동 努力을 바탕으로 귀국과 友好協力關係가 더욱 發展되기를 希望합니다.

閣下의 健安과 成功을 祈願합니다.

敬 具

0019

(이집트 外務長官)

閣 下,

本人은 귀국군을 포함한 聯合軍이 걸프戰에서 勝利를 거둔데 대해 大韓民國 國民과 더불어 깊은 祝賀의 말씀을 전하며, 유엔 安全保障理事會의 平和案 採擇으로 완전한 終戰이 이루어진 데 대해 기쁨을 나누고저 합니다.

아울러 귀국을 포함한 國際社會의 積極的인 參與와 支援으로 유엔 安全保障理事會의 決議들이 履行됨으로써 걸프地域에서 平和가 回復된 것은 앞으로의 世界平和와 繁榮을 위하여 좋은 先例를 確立한 것으로서, 本人은 그동안 귀국이 기울인 積極的인 平和 回復 努力에 대하여 귀국 政府와 國民에게 敬意를 表하는 바입니다.

우리는 그간 걸프 地域의 平和回復을 위한 多國籍軍 參加國의 努力에 적극 참여하여 왔을뿐만 아니라, 앞으로도 이 地域에서 安定의 回復을 위한 努力에 最大限의 協力을 提供해 나가고자 합니다.

우리는 걸프 地域에서의 恒久的인 平和와 安定이 달성되기를 간절히 기원하며, 今番 걸프事態 解決을 위해 兩國이 경주한 공동 努力을 바탕으로 귀국과의 全般的인 關係가 한층 더 發展되기를 希望합니다.

閣下의 健安과 成功을 祈願합니다.

敬 具

0020

(시리아 外務長官)

閣 下,

本人은 귀국군을 포함한 聯合軍이 걸프戰에서 勝利를 거둔데 대해 大韓民國 國民과 더불어 깊은 祝賀의 말씀을 전하며, 유엔 安全保障理事會의 平和案 採擇으로 완전한 終戰이 이루어진 데 대해 기쁨을 나누고저 합니다.

아울러 귀국을 포함한 國際社會의 積極的인 參與와 支援으로 유엔 安全保障理事會의 決議들이 履行됨으로써 걸프地域에서 平和가 回復된 것은 앞으로의 世界平和와 繁榮을 위하여 좋은 先例를 確立한 것으로서, 本人은 그동안 귀국이 기울인 積極的인 平和 回復 努力에 대하여 귀국 政府와 國民에게 敬意를 表하는 바입니다.

우리는 그간 걸프 地域의 平和回復을 위한 多國籍軍 參加國의 努力에 적극 참여하여 왔을뿐만 아니라, 앞으로도 이 地域에서 安定의 回復을 위한 努力에 最大限의 協力을 提供해 나가고자 합니다.

우리는 걸프 地域에서의 恒久的인 平和와 安定이 달성되기를 간절히 기원하며, 今番 걸프事態 解決을 위해 兩國이 경주한 공동 努力이 兩國間의 關係를 더욱 發展시키는 契機가 되기를 希望합니다.

閣下의 健安과 成功을 祈願합니다.

敬　　具

0021

관리 번호	91-593

	분류번호	보존기간

발 신 전 보

번 호 : WIT-0224 910304 2154 BX 종별 :

수 신 : 주 이태리 대사. 총영사

발 신 : 장 관 (미북, 구일)

제 목 : 장관 친전 송부

걸프전이 연합군의 승리와 3.3. 유엔 안보리의 평화결의안 채택으로 공식 종전됨에 즈음하여 귀주재국이 다국적군의 일원으로서 금번 걸프사태 해결에 기여함을 높이 평가하는 본직의 귀주재국 외무장관앞 친전을 별첨 타전하니 귀직 표지 공한에 첨부하여 주재국 외무장관에게 적의 전달하고, 결과 보고바람.

별 첨 : 상기 친전

(장 관)

예 고 : 91.12.31.일반

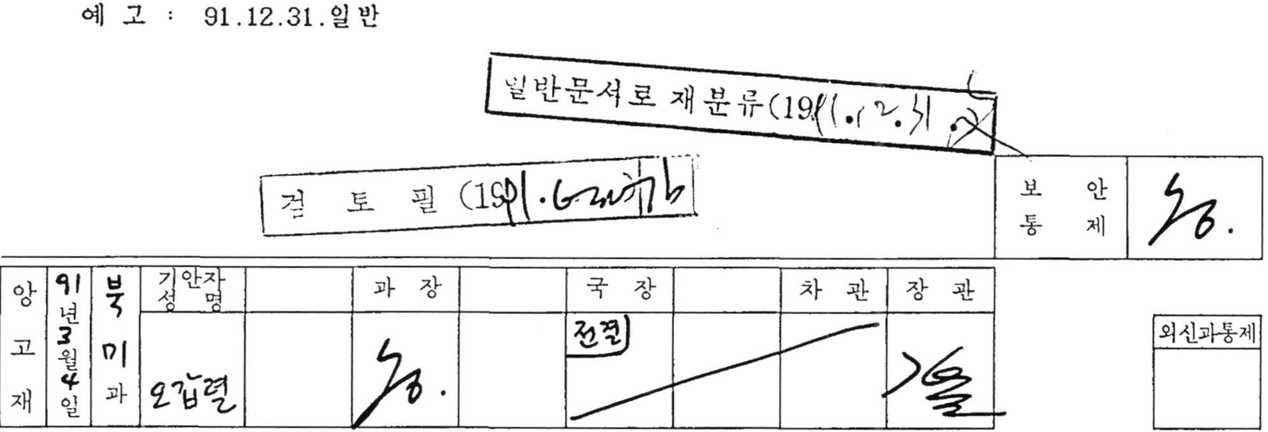

0022

~~(Translation)~~

March 4, 1991

Excellency,

On behalf of the Government and people of the Republic of Korea, I wish to extend to you my heartfelt congratulations on the victory of the coalition forces including the Italian Republic in the Gulf War, and join all the peace-loving peoples of the world in rejoicing at the formal conclusion of the War through the adoption of the peace resolution by the United Nations Security Council.

The people of the Republic of Korea feel relieved that the Gulf crisis, a longstanding source of threat to world peace and stability, has come to an end due to the resolute and concerted measures of the international community against the illegal aggression by brute force.

The restoration of peace and stabiltity in the Gulf region through the implemention of relevant U.N. Security Council resolutions will serve as a valuable springboard for world peace and prosperity in the years ahead. It is with highest repect that I note how the Government and people of the Italian Republic have braved sacrifices and difficulties to restore peace in the Gulf.

0023

We have actively participated in the multinational efforts to restore peace in the Gulf region, and we are determined to continue our cooperation in stabilizing the region.

Praying to God that an eternal peace and stability may be achieved in the Gulf region, I sincerely hope that the close and cooperative ties between our two countries as demonstrated in the Gulf crisis will be further strengthened in the coming years.

Please accept my best wishes for your continued good health and success.

Sincerely,

Lee Sank-Ock

His Excellency Gianni De Michelis
Minister of Foreign Affairs
The Italian Republic

0024

관리번호	H-585

	분류번호	보존기간

발 신 전 보

번 호 : WOM-0088 910304 2206 BX 종별 :

수 신 : 주 오만 대사. 총영사

발 신 : 장 관 (미북, 중동일)

제 목 : 장관 친전 송부

걸프전이 연합군의 승리와 3.3. 유엔 안보리의 평화결의안 채택으로 공식 종전됨에 즈음하여 귀주재국이 다국적군의 일원으로서 금번 걸프사태 해결에 기여함을 높이 평가하는 본직의 귀주재국 외무장관앞 친전을 별첨 타전하니 귀직 표지 공한에 첨부하여 주재국 외무장관에게 적의 전달하고, 결과 보고바람.

별 첨 : 상기 친전

(장 관)

예 고 : 91.12.31.일반

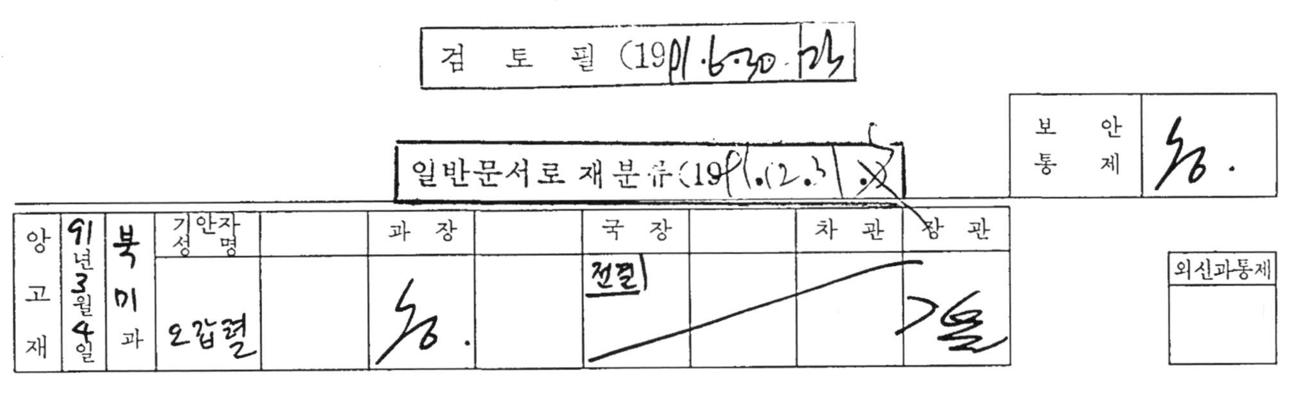
검 토 필 (1991.6.30.)

일반문서로 재분류(1991.12.31.)

보안통제	

앙고재	91년 3월 4일	북미과	기안자 성명	과 장		국 장		차 관	장 관
			오갑렬			전결			

외신과통제

0025

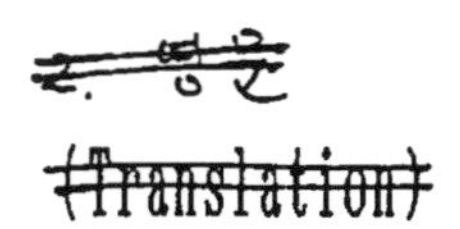

March , 1991

Excellency,

I wish to extend to you my heartfelt congratulations on the victory in the Gulf War of the coalition forces including the valiant forces of your country, and join all the peace-loving peoples of the world in rejoicing at the formal conclusion of the War through the adoption of the peace resolution by the U.N. Security Council.

The restoration of peace in the Gulf region through the concerted and determined efforts of the international community against an armed aggression will serve as an important precedent for world peace and prosperity in the years ahead. I wish to pay a high tribute to your Government and people for the valuable efforts of your country to bring back peace in the region.

0026

The Republic of Korea has participated, from the outset, in the multinational endeavor to restore peace in the Gulf area, and is also prepared to render full cooperation for ensuring stability in that part of the world.

I hope that lasting peace and stability will soon be realized in the Gulf region. I also hope that the joint efforts exerted by our two nations to resolve the Gulf crisis will contribute to further strengthening our bilateral relations of friendship and cooperation.

Pleace accept my best wishes for your continued good health and success.

Sincerely,

/s/ LEE Sang-Ock

His Excellency
Yousef bin Alawi bin Abdullah
Minister of State for Foreign Affairs
Sultanate of Oman

0027

관리 번호	81-501

	분류번호	보존기간

발 신 전 보

WCN-0198 910304 2157 BX

번 호 : 종별 :

수 신 : 주 카나다 대사. 총영사

발 신 : 장 관 (미북)

제 목 : 장관 친전 송부

걸프전이 연합군의 승리와 3.3. 유엔 안보리의 평화결의안 채택으로 공식 종전됨에 즈음하여 귀주재국이 다국적군의 일원으로서 금번 걸프사태 해결에 기여함을 높이 평가하는 본직의 귀주재국 외무장관앞 친전을 별첨 타전하니 귀직 표지 공한에 첨부하여 주재국 외무장관에게 적의 전달하고, 결과 보고바람.

별 첨 : 상기 친전

(장 관)

예 고 : 91.12.31.일반

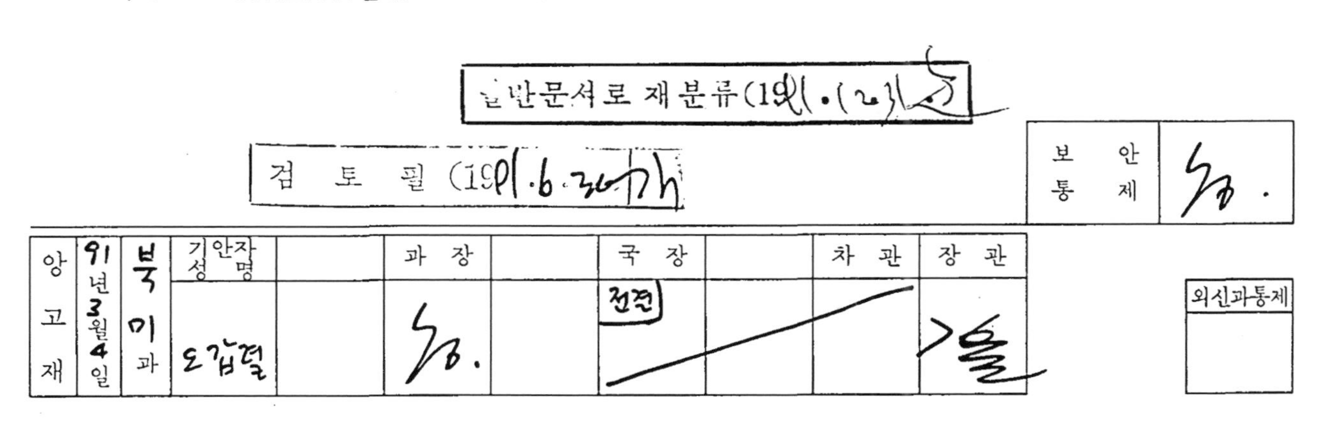

일반문서로 재분류(1991.12.31.)

검 토 필 (1991.6.30.)

보안 통제	

앙 고 재	91년 3월 4일	북미과	기안자 성명		과 장		국 장		차 관	장 관
			도갑렬				전결			

외신과통제

0028

March 4, 1991

Excellency,

On behalf of the Government and people of the Republic of Korea, I wish to extend to you my heartfelt congratulations on the victory of the coalition forces including Canada in the Gulf War, and join all the peace-loving peoples of the world in rejoicing at the formal conclusion of the War through the adoption of the peace resolution by the United Nations Security Council.

The people of the Republic of Korea feel relieved that the Gulf crisis, a longstanding source of threat to world peace and stability, has come to an end due to the resolute and concerted measures of the international community against the illegal aggression by brute force.

The restoration of peace and stabiltity in the Gulf region through the implemention of relevant U.N. Security Council resolutions will serve as a valuable springboard for world peace and prosperity in the years ahead. It is with highest repect that I note how the Government and people of Canada have braved sacrifices and difficulties to restore peace in the Gulf.

0029

We have actively participated in the multinational efforts to restore peace in the Gulf region, and we are determined to continue our cooperation in stabilizing the region.

Praying to God that an eternal peace and stability may be achieved in the Gulf region, I sincerely hope that the close and cooperative ties between our two countries as demonstrated in the Gulf crisis will be further strengthened in the coming years.

Please accept my best wishes for your continued good health and success.

Sincerely,

Lee Sang-Ock

The Right Honourable Joe Clark
Secretary of State for External Affairs
Canada

0030

관리 번호	91-576

	분류번호	보존기간

발 신 전 보

번 호 : WCA-0195 910304 2158 BX 종별 :

수 신 : 주 이집트 대사. 총영사

발 신 : 장 관 (미북, 중동이)

제 목 : 장관 친전 송부

걸프전이 연합군의 승리와 3.3. 유엔 안보리의 평화결의안 채택으로 공식 종전됨에 즈음하여 귀주재국이 다국적군의 일원으로서 금번 걸프사태 해결에 기여함을 높이 평가하는 본직의 귀주재국 외무장관앞 친전을 별첨 타전하니 귀직 표지 공한에 첨부하여 주재국 외무장관에게 적의 전달하고, 결과 보고바람.

별 첨 : 상기 친전

(장 관)

예 고 : 91.12.31.일반

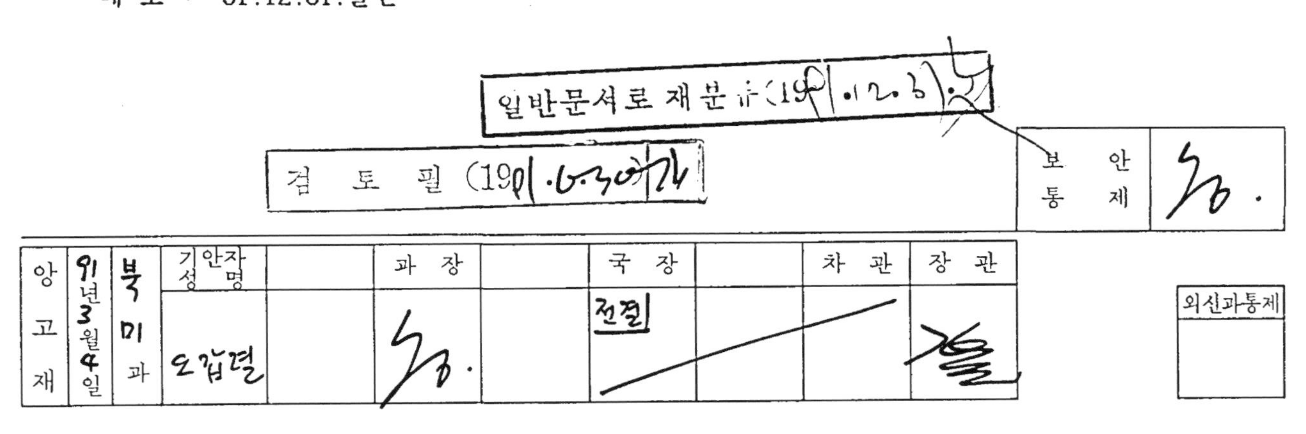

0031

~~2. 영문~~

~~(Translation)~~

March 4, 1991

Excellency,

I wish to extend to you my heartfelt congratulations on the victory in the Gulf War of the coalition forces including the valiant forces of your country, and join all the peace-loving peoples of the world in rejoicing at the formal conclusion of the War through the adoption of the peace resolution by the U.N. Security Council.

The restoration of peace in the Gulf region through the concerted and determined efforts of the international community against an armed aggression will serve as an important precedent for world peace and prosperity in the years ahead. I wish to pay a high tribute to your Government and people for the valuable efforts of your country to bring back peace in the region.

0032

The Republic of Korea has participated, from the outset, in the multinational endeavor to restore peace in the Gulf area, and is also prepared to render full cooperation for ensuring stability in that part of the world.

I hope that lasting peace and stability will soon be realized in the Gulf region. I also hope that the joint efforts exerted by our two nations to resolve the Gulf crisis will contribute to further enhancing our overall bilateral relationship.

Pleace accept my best wishes for your continued good health and success.

Sincerely,

/s/ LEE Sang-Ock

His Excellency
Ahmed Esmat Abdel Meguid
Deputy Prime Minister and
Minister of Foreign Affairs
Arab Republic of Egypt

0033

관리 번호	91-580

	분류번호	보존기간

발 신 전 보

번 호 : WTU-0093 910304 2159 BX 종별 :

수 신 : 주 터키 대사. 총영사

발 신 : 장 관 (미북, 구이)

제 목 : 장관 친전 송부

걸프전이 연합군의 승리와 3.3. 유엔 안보리의 평화결의안 채택으로 공식 종전됨에 즈음하여 귀주재국이 다국적군의 일원으로서 금번 걸프사태 해결에 기여함을 높이 평가하는 본직의 귀주재국 외무장관앞 친전을 별첨 타전하니 귀직 표지 공한에 첨부하여 주재국 외무장관에게 적의 전달하고, 결과 보고바람.

별 첨 : 상기 친전

(장 관)

예 고 : 91.12.31.일반

일반문서로 재분류(1991.12.31.)

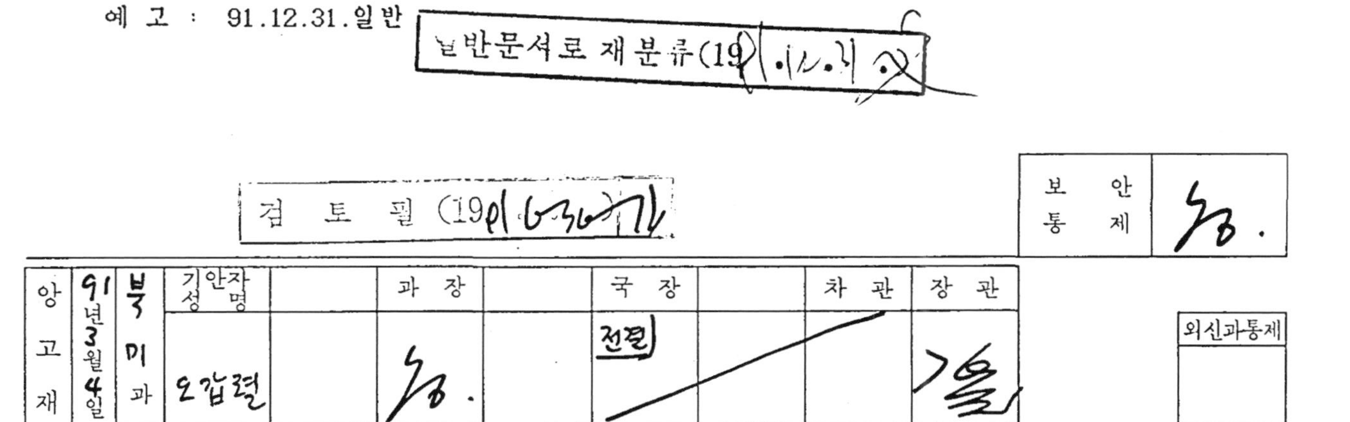

검 토 필 (1991.6.30.)

보안통제	

앙고재	91년 3월 4일	북미과	기안자 성명		과 장		국 장		차 관	장 관
			오갑렬				전결			

외신과통제

0034

~~(Translation)~~

March 4, 1991

Mr. Foreign Minister,

I wish to extend to you my heartfelt congratulations on the victory of the coalition forces in the Gulf War, and join all the peace-loving peoples of the world in rejoicing at the formal conclusion of the War through the adoption of the peace resolution by the United Nations Security Council.

The restoration of peace and stability in the Gulf region through the resolute and concerted measures of the international community against the illegal aggression by brute force will serve as a valuable lesson for world peace and prosperity in the years ahead. It is with highest respect that I note how the Government and people of Turkey have braved sacrifices and difficulties to take part in the multinational efforts.

We also have actively participated in the efforts of the coalition forces to restore peace and stability in the Gulf region and we are determined to continue our cooperation in stabilizing this region.

0035

I earnestly pray for the establishment of permanent peace and security in the Gulf region, and also hope that the friendly and cooperative relations between our two countries as demonstrated in the Gulf crisis will be further strengthened in the coming years.

Please accept my best wishes for your continued good health and success.

Sincerely,

Lee Sang-Ock

His Excellency
Ahmet Kurtcebe ALPTEMOCIN
Minister of Foreign Affairs

0036

관리번호	A-588

	분류번호	보존기간

발 신 전 보

번 호 : WQT-0091 910304 2202 BX 종별 :

수 신 : 주 카타르 대사. 총영사

발 신 : 장 관 (미북, 중동일)

제 목 : 장관 친전 송부

걸프전이 연합군의 승리와 3.3. 유엔 안보리의 평화결의안 채택으로 공식 종전됨에 즈음하여 귀주재국이 다국적군의 일원으로서 금번 걸프사태 해결에 기여함을 높이 평가하는 본직의 귀주재국 외무장관앞 친전을 별첨 타전하니 귀직 표지 공한에 첨부하여 주재국 외무장관에게 적의 전달하고, 결과 보고바람.

별 첨 : 상기 친전

(장 관)

예 고 : 91.12.31.일반

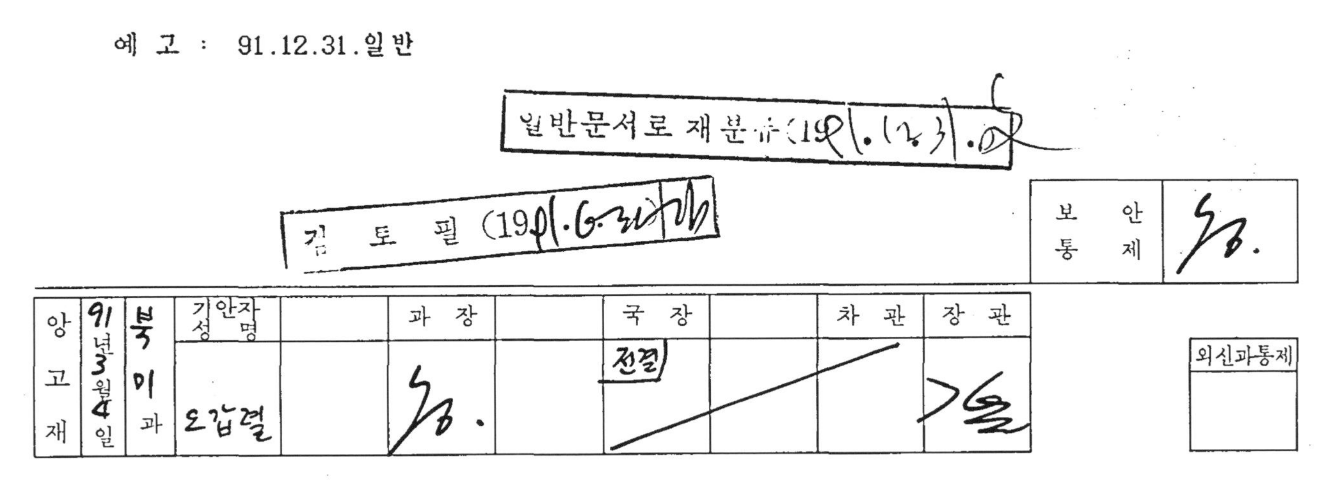

0037

March 4, 1991

Excellency,

I wish to extend to you my heartfelt congratulations on the victory in the Gulf War of the coalition forces including the valiant forces of your country, and join all the peace-loving peoples of the world in rejoicing at the formal conclusion of the War through the adoption of the peace resolution by the U.N. Security Council.

The restoration of peace in the Gulf region through the concerted and determined efforts of the international community against an armed aggression will serve as an important precedent for world peace and prosperity in the years ahead. I wish to pay a high tribute to your Government and people for the valuable efforts of your country to bring back peace in the region.

0038

The Republic of Korea has participated, from the outset, in the multinational endeavor to restore peace in the Gulf area, and is also prepared to render full cooperation for ensuring stability in that part of the world.

I hope that lasting peace and stability will soon be realized in the Gulf region. I also hope that the joint efforts exerted by our two nations to resolve the Gulf crisis will contribute to further strengthening our bilateral relations of friendship and cooperation.

Pleace accept my best wishes for your continued good health and success.

Sincerely,

/s/ LEE Sang-Ock

His Excellency
Mubarak Ali Al-Khater
Minister of Foreign Affairs
State of Qatar

0039

관리 번호	91-587

	분류번호	보존기간

발 신 전 보

번 호 : WMO-0061 910304 2203 BX 종별 :

수 신 : 주 모로코 대사. 총영사

발 신 : 장 관 (미북, 중동이)

제 목 : 장관 친전 송부

걸프전이 연합군의 승리와 3.3. 유엔 안보리의 평화결의안 채택으로 공식 종전됨에 즈음하여 귀주재국이 다국적군의 일원으로서 금번 걸프사태 해결에 기여함을 높이 평가하는 본직의 귀주재국 외무장관앞 친전을 별첨 타전하니 귀직 표지 공한에 첨부하여 주재국 외무장관에게 적의 전달하고, 결과 보고바람.

별 첨 : 상기 친전

(장 관)

예 고 : 91.12.31.일반

일반문서로 재분류(1991.12.31.)

검 토 필 (1991.6.30.)

보안 통제	

앙 고 재	91년 3월 4일	북미과	기안자 성명		과 장		국 장		차 관	장 관
			오갑렬				전결			

외신과통제

0040

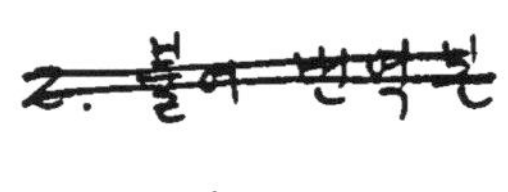

Le 1 mars 1991

Monsieur le Ministre,

Au nom du Gouvernement et du peuple de la République de Corée, en vous exprimant mes sincères félicitations sur la victoire de la coalition multinationale, dont le Royaume du Maroc, dans la guerre du Golfe, je voudrais joindre tous les peuples pacifiques à me réjouir de la conclusion formelle de la guerre par la résolution de la paix adoptée par le Conseil de Sécurité des Nations Unies.

Nous avons établi un précédent important pour la paix et la prosperité du monde dans les années qui viennent en réussissant à réstorer la paix dans la région du Golfe par les efforts harmonisés et résolus de la communauté internationale contre une agression armée. Je tiens à vous adresser mon respect profond sur les efforts que le Gouvernement et le peuple du Royaume du Maroc ont manifestés pour rapporter la paix dans la région du Golfe.

0041

La République de Corée a participé, depuis tout au début, aux efforts multinationaux pour ramener la paix dans la région du Golfe, et est toujours prête à rendre ses pleines coopérations à assurer la stabilité dans cette région du monde.

Je souhaite qu'on peut réaliser bientôt la paix permanente et la stabilité dans la région du Golfe, et que les efforts réunis par nos deux nations pour résoudre la crise du Golfe vont contribuer à renforcer davantage nos relations bilatérales d'amitié et de coopération.

Je forme mes voeux pour la bonne santé et le succès de Votre Excellence.

/s/ LEE Sang-Ock

Son Excellence
Abdellatif Filali
Ministre des Affaires Etrangères
et de la Coopération
Le Royaume du Maroc

0042

관리 번호	91-686

	분류번호	보존기간

발 신 전 보

번 호 : WSB-0475 910304 2204 BX 종별 :

수 신 : 주 사우디 대사. 총영사

발 신 : 장 관 (미북, 중동일)

제 목 : 장관 친전 송부

걸프전이 연합군의 승리와 3.3. 유엔 안보리의 평화결의안 채택으로 공식 종전됨에 즈음하여 귀주재국이 다국적군의 일원으로서 금번 걸프사태 해결에 기여함을 높이 평가하는 본직의 귀주재국 외무장관앞 친전을 별첨 타전하니 귀직 표지 공한에 첨부하여 주재국 외무장관에게 적의 전달하고, 결과 보고바람.

별 첨 : 상기 친전

(장 관)

예 고 : 91.12.31.일반 일반문서로 재분류(1991.12.31.)

검 토 필 (1991.6.30.)

보안 통제	(서명)

앙 고 재	91년 3월 4일	북미과	기안자 성명		과 장		국 장		차 관	장 관
			오갑렬		(서명)		전결			(서명)

외신과통제

0043

~~(Translation)~~

March 4, 1991

Your Royal Highness,

On behalf of the Government and people of the Republic of Korea, I wish to extend to Your Highness my heartfelt congratulations on the victory in the Gulf War of the coalition forces including the valiant forces of your country, and join all the peace-loving peoples of the world in rejoicing at the formal conclusion of the War through the adoption of the peace resolution by the U.N. Security Council.

The restoration of peace in the Gulf region through the concerted and determined efforts of the international community against an armed aggression will serve as an important precedent for world peace and prosperity in the years ahead. I wish to pay a high tribute to Your Higness for the valuable efforts of your country to bring about a successful conclusion to the conflict and to restore peace in the region.

0044

From the outset, the Republic of Korea has actively participated in the international endeavor to reestablish peace in the Gulf region. The Korean Government is also prepared to render all possible assistance as necesssary including the continued provision of medical assistance by the Korean medical support group. Taking this opportunity, I wish to thank Your Highness for assisting the smooth operation of our Air Force transport support team.

The Government and people of the Republic of Korea earnestly hope that the close cooperation between our two nations for the duration of the Gulf crisis will contribute to further strengthening our bilateral relations. I also hope that lasting peace and stability will soon be realized in the Gulf region.

Pleace accept my best wishes for Your Highness' continued good health and success.

Sincerely,

/s/ LEE Sang-Ock

His Royal Highness
Prince Saud Al-Faisal
Minister of Foreign Affairs
Kingdom of Saudi Arabia

0045

관리 번호	A-584

	분류번호	보존기간

발 신 전 보

번 호 : WUK-0405 910304 2207 BX 종별 :

수 신 : 주 영 대사. 총영사

발 신 : 장 관 (미북, 구일)

제 목 : 장관 친전 송부

걸프전이 연합군의 승리와 3.3. 유엔 안보리의 평화결의안 채택으로 공식 종전됨에 즈음하여 귀주재국이 다국적군의 일원으로서 금번 걸프사태 해결에 기여함을 높이 평가하는 본직의 귀주재국 외무장관앞 친전을 별첨 타전하니 귀직 표지 공한에 첨부하여 주재국 외무장관에게 적의 전달하고, 결과 보고바람.

별 첨 : 상기 친전

(장 관)

예 고 : 91.12.31.일반

일반문서로 재분류(1991.12.31.)

검 토 필 (1991.6.30.)

보안 통제	

앙 고 재	91년 3월 4일	북미과	기안자 성명		과 장		국 장		차 관	장 관
							전결			

외신과통제

0046

~~2. 영문~~

~~(Translation)~~

March 3, 1991

Dear Secretary Hurd,

On behalf of the Government and people of the Republic of Korea, I wish to extend to you my heartfelt congratulations on the victory of the coalition forces including the United Kingdom in the Gulf War, and join all the peace-loving peoples of the world in rejoicing at the formal conclusion of the War through the adoption of the peace resolution by the United Nations Security Council.

I feel relieved that the Gulf crisis, a longstanding source of threat to world peace and economy has come to an end due to the resolute and concerted measures of the international community against an unprovoked aggression. I would like to pay my highest respect to the British Government and people for the efforts and bravery demonstrated in the Gulf crisis.

We are grateful to your Government for its kind gesture of sending a special envoy, Mr. John Weston, Deputy Under Secretary in the Foreign and Commonwealth Office to give a detailed explanation to the Korean Government of the firm will and efforts of your Government to restore peace and stability in the Gulf region.

0047

The Government and people of the Republic of Korea will long remember the contribution made by your great country to world peace and stability.

We pray to God that the souls of the brave soldiers of the United kingdom who sacrificed their lives for this worthy cause may rest in peace, and our deepest sympathy goes to the bereaved families who lost their dear ones.

Please accept my best wishes for your continued good health and success.

Sincerely,

LEE Sang-Ock

The Right Honorable
Douglas Hurd
Secretary of State for
Foreign and Commonwealth Affairs
United Kingdom of Great Britain
and Northern Ireland

관리 번호	85-583

	분류번호	보존기간

발 신 전 보

번 호 : WAE-0190 910304 2209 BX 종별 :

수 신 : 주 UAE 대사. 총영사

발 신 : 장 관 (미북, 중동일)

제 목 : 장관 친전 송부

걸프전이 연합군의 승리와 3.3. 유엔 안보리의 평화결의안 채택으로 공식 종전됨에 즈음하여 귀주재국이 다국적군의 일원으로서 금번 걸프사태 해결에 기여함을 높이 평가하는 본직의 귀주재국 외무장관앞 친전을 별첨 타전하니 귀직 표지 공한에 첨부하여 주재국 외무장관에게 적의 전달하고, 결과 보고바람.

별 첨 : 상기 친전

(장 관)

예 고 : 91.12.31.일반

일반문서로 재분류(1991.12.31.)

검 토 필 (1991.6.30.)

보안 통제	(서명)

앙 고 재	91년 3월 4일	북미과	기안자 성명		과 장		국 장		차 관	장 관
			오갑렬		(서명)		전결			(서명)

외신과통제

0049

~~(Translation)~~

March 4, 1991

Your Excellency,

On behalf of the Government and people of the Republic of Korea, I wish to extend to Your Excellency my heartfelt congratulations on the victory in the Gulf War of the coalition forces including the valiant forces of your country, and join all the peace-loving peoples of the world in rejoicing at the formal conclusion of the War through the adoption of the peace resolution by the U.N. Security Council.

The restoration of peace in the Gulf region through the concerted and determined efforts of the international community against an armed aggression will serve as an important precedent for world peace and prosperity in the years ahead. I wish to pay a high tribute to Your Higness for the valuable efforts of your country to bring about a successful conclusion to the conflict and to restore peace in the region.

0050

From the outset, the Republic of Korea has actively participated in the international endeavor to reestablish peace in the Gulf region. The Korean Government is also prepared to render all possible assistance as necessary including the continued provision of medical assistance by the Korean medical support group. Taking this opportunity, I wish to thank Your Highness for assisting the smooth operation of our Air Force transport support team.

The Government and people of the Republic of Korea earnestly hope that the close cooperation between our two nations for the duration of the Gulf crisis will contribute to further strengthening our bilateral relations. I also hope that lasting peace and stability will soon be realized in the Gulf region.

Pleace accept my best wishes for Your Highness' continued good health and success.

Sincerely,

/s/ LEE Sang-Ock

His Excellency
Yousef bin Alawi bin Abdullah
Minister of Foreign Affairs

0051

관리 번호	91-582

	분류번호	보존기간

발 신 전 보

번 호 : WBH-0117 910304 2210 BX 종별 :

수 신 : 주 바레인 대사. 총영사

발 신 : 장 관 (미북, 중동일)

제 목 : 장관 친전 송부

걸프전이 연합군의 승리와 3.3. 유엔 안보리의 평화결의안 채택으로 공식 종전됨에 즈음하여 귀주재국이 다국적군의 일원으로서 금번 걸프사태 해결에 기여함을 높이 평가하는 본직의 귀주재국 외무장관앞 친전을 별첨 타전하니 귀직 표지 공한에 첨부하여 주재국 외무장관에게 적의 전달하고, 결과 보고바람.

별 첨 : 상기 친전

(장 관)

예 고 : 91.12.31.일반 일반문서로 재분류(1991.12.31.)

검 토 필 (1991. 6. 30.)

보안 통제	송

앙 고 재	91년 3월 4일	북미과	기안자 성명		과 장		국 장		차 관	장 관
			오갑렬		송		전결			기을

외신과통제

0052

~~(Translation)~~

March 4, 1991

Excellency,

I wish to extend to you my heartfelt congratulations on the victory in the Gulf War of the coalition forces including the valiant forces of your country, and join all the peace-loving peoples of the world in rejoicing at the formal conclusion of the War through the adoption of the peace resolution by the U.N. Security Council.

The restoration of peace in the Gulf region through the concerted and determined efforts of the international community against an armed aggression will serve as an important precedent for world peace and prosperity in the years ahead. I wish to pay a high tribute to your Government and people for the valuable efforts of your country to bring back peace in the region.

0053

The Republic of Korea has participated, from the outset, in the multinational endeavor to restore peace in the Gulf area, and is also prepared to render full cooperation for ensuring stability in that part of the world.

I hope that lasting peace and stability will soon be realized in the Gulf region. I also hope that the joint efforts exerted by our two nations to resolve the Gulf crisis will contribute to further strengthening our bilateral relations of friendship and cooperation.

Pleace accept my best wishes for your continued good health and success.

Sincerely,

/s/ LEE Sang-Ock

His Excellency
Shaikh Mohamed bin Mubarak
Al-Khalifa
Minister of Foreign Affairs
State of Bahrain

0054

관리 번호	91-581

분류번호	보존기간

발 신 전 보

번 호 : WFR-0420 910304 2212 BX 종별 :

수 신 : 주 불 대사. ~~총영사~~

발 신 : 장 관 (미북, 구일)

제 목 : 장관 친전 송부

걸프전이 연합군의 승리와 3.3. 유엔 안보리의 평화결의안 채택으로 공식 종전됨에 즈음하여 귀주재국이 다국적군의 일원으로서 금번 걸프사태 해결에 기여함을 높이 평가하는 본직의 귀주재국 외무장관앞 친전을 별첨 타전하니 귀직 표지 공한에 첨부하여 주재국 외무장관에게 적의 전달하고, 결과 보고바람.

별 첨 : 상기 친전

(장 관)

예 고 : 91.12.31.일반

일반문서로 재분류(1991.12.31.)

검 토 필 (1991.6.30.)

보안 통제	(서명)

앙 고 재	91년 3월 4일	북미과	기안자 성명		과 장		국 장		차 관	장 관
			오갑렬		(서명)		전결			(서명)

외신과통제

0055

~~2. 불 문~~

~~(Traduction)~~

le 4 mars 1991

Monsieur le Ministre,

Au nom du Gouvernement et du peuple de la République de Corée, en vous exprimant mes sincères félicitations sur la victoire des forces multinationales, dont les forces françaises, dans la guerre du Golfe, je voudrais me réjouir de mettre fin définitivement aux hostilités par la résolution de paix du Conseil de sécurité des Nations Unies.

Je me sent soulagé, avec tous les peuples qui aspirent à la paix, par la nouvelle de terminer, à cause des mesures résolues de la communauté internationale contre l'agression illégale, la crise du Golfe qui menaçait la paix et la stabilité mondiale et je tiens à vous adresser mon respect sur les efforts ainsi que le courage que le Gouvernement et le peuple de la République française ont manifesté durant la crise du Golfe.

0056

Aussi, le Gouvernement et le peuple coréen n'oublieraient pas les efforts diplomatiques de votre Gouvernement et la contribution du peuple français pour la paix et la stabilité mondiale.

Je souhaite que la communauté internationale puisse se guérir de blessure de la guerre du Golfe le plus vite possible et s'emploie à construire un nouveau siècle qui sera couronné de la prosperité commune de l'humanité.

Je forme mes voeux pour la bonne santé et le succès de Votre Excellence.

/s/ LEE Sang-Ock

Son Excellence
Roland DUMAS
Ministre d'Etat, Ministre des Affaires étrangères
République française

No. 161/2534

7/2

The Royal Thai Embassy presents its compliments to the Ministry of Foreign Affairs and has the honour to inform the latter of the statement issued by the Ministry of Foreign Affairs of Thailand on 1 March 1991 concerning the end to the Gulf War as follows.

1. Thailand warmly welcomes the agreement by Iraq to fully comply with UN Security Council Resolution 660 and all the other Security Council Resolutions on the Gulf Crisis as well as the agreement on the ceasefire of 28th Feburary 1991.

2. Thailand has taken a firm position in opposing the invasion and occupation of Kuwait and has given its strong support to all the UN Security Council resolutions concerning the Gulf Crisis. For these reasons, Thailand congratulates the coalition forces for their successful liberation of the State of Kuwait and the restoration of full independence and sovereignty of Kuwait to its nation and people.

3. Thailand is prepared to participate in the UN Peace-keeping Force in the Gulf if requested by the UN Secretary-General. It is expected that the matter will soon be considered by the UN Security Council.

The / ...

Ministry of Foreign Affairs,

Seoul.

0058

The Royal Thai Embassy avails itself of this opportunity to renew to the Ministry of Foreign Affairs the assurances of its highest consideration.

Royal Thai Embassy, Seoul

4 March B.E. 2534 (1991)

0059

관리번호	91-606

원 본

외 무 부

종 별 :

번 호 : CNW-0286 　　　　일 시 : 91 0304 1900

수 신 : 장 관(미북,중동일)

발 신 : 주 카나 다 대사대리

제 목 : 대 : WCN-0198

장관 친전은 대호 지시요령에 따라 작성, 금 3.4.(월) 외무부에 전달함. 끝

(대사 대리 조원일 - 국장)

예고문 : 91.12.31. 일반

검 토 필 (1991. 6. 30.)

일반문서로 재분류(1991.12.31.)

미주국 　　중아국

PAGE 1

91.03.05 12:00

외신 2과 통제관 FE

0060

관리 번호	91-604

원 본

외 무 부

종 별 : 지 급

번 호 : AEW-0176 일 시 : 91 0305 1100

수 신 : 장관(미북,중동일)

발 신 : 주 UAE 대사

제 목 : 장관친전 송부

대:WAE-0190

1. 대호, 주재국 외무장관은 HIS EXCELLENCY RASHED ABDULLAH AL NUAIMI 인바 정정바람.

2. 대호, 주재국 외무장관에게도 동일한 내용의 친전이라면 당관에서 성명을 정정 전달위계이니 이에 대한 본부의견 회시바람. 끝.

(대사 박종기-국장)

예고:91.12.31 일반

일반문서로 재분류(1991.12.31.)

검 토 필(1991.6.30.)

미주국 중아국

PAGE 1

91.03.05 16:18

외신 2과 통제관 BN.

0061

관리 번호	91-611

	분류번호	보존기간

발 신 전 보

번 호 : WAE-0196 910305 1930 DP 종별 :

수 신 : 주 U.A.E. 대사, 총영사

발 신 : 장 관 (미북, 중동일)

제 목 : 장관 친전 송부

연 : WAE-0190

대 : AEW-0176

연호 본직의 친전은 대호 1항 외무장관 성명으로 정정 전달바람. 끝.

(미주국장 반 기 문)

예 고 : 91.12.31.일반

일반문서로 재분류(1991.12.31.)

검 토 필 (1991.6.30.)

보안 통제	

앙고재	91년 3월 5일	북미과	기안자 성명		과 장	심의관	국 장		차 관	장 관
			오갑렬				전결			

외신과통제

0062

관리 번호	91-621

원 본

가

외 무 부

종 별 : 지 급

번 호 : SBW-0682 일 시 : 91 0306 1500

수 신 : 장관(미북,중일)

발 신 : 주 사우디 대사대리

제 목 : 장관친전 송부

대:WSB-425

대호 장관명의의 주재국 SAUD 외무장관앞 친전을 금 3.6 외무부를 통해 적의 전달했음

(대사대리 박명준-국장)

예고:91.12.31 일반

검 토 필 (1991.6.30.)

미주국 중아국

PAGE 1

91.03.06 21:49

외신 2과 통제관 CF

0063

외 무 부

종 별 : 지 급

번 호 : BHW-0139 일 시 : 91 0306 1500

수 신 : 장관(미북,중동일)

발 신 : 주 바레인 대사

제 목 : 장관친전

대:WBH-0117

1. 본직은 금 3.6. 외무부 MAHROOS 정무총국장을 방문, 대호 장관 친서를 전달한바, 동 국장은 금번 걸프 전쟁에서의 한국의 기여에 깊은 사의를 표하고, 현재 해외 출장중인 MOHAMED 외무장관이 귀임하는 대로 동 친서를 즉각 전달할것을 약속함.

2. MOHAMED 외무장관은 전후 처리문제등과 관련 현재 사우디및 시리아 방문중이며, 주재국 외무부에는 차관 또는 차관보 직제가 없이 정무총국장이 사실상 장관대리 책임을 맡고 있음. 끝.

(대사 우문기-국장)

예고:원본-91.12.31 일반, 사본-91,12,31 파기

일반문서로 재분류(1991.12.31.)

검 토 필 (1991.6.30.)

미주국 중아국

PAGE 1 91.03.07 01:59

외신 2과 통제관 CF

0064

중동이국 협조

관리번호	91-633

원 본

외 무 부

2

종 별 :

번 호 : MOW-0108 일 시 : 91 0306 1830

수 신 : 장관(미북,중동이)

발 신 : 주 모로코 대사

제 목 : 장관친전 송부

대:WMO-0061

1. 대호 친전 전달과 관련 하기 사항을 고려할 것이 요망됨.

가. 주재국 국민들은 전쟁진행과 함께 날로 강화된 친이락 국민 감정을 표명하여 왔으며, 종전이 된 오늘날에도 "시온주의자들의 사주에 의한 미제국주의의 아랍 재정복"음모설을 많은 국민들이 믿는 것으로 알려지고 있음.

나. 재야단체 및 야당들은 이러한 국민여론을 자신들의 정치목적에 활용하고저 하는 기도를 보였음.

다. 이에 대처하여 주재국 국왕은 2.16 대국민연설에서 모로코는 국제법 준수원칙에서 한 주권국가의 존립과 적법성을 침범하는 행위를 비록 공식적으로 규탄하였으나, 우리의 마음은 이락국민에게 간다고 언명하고, 걸프만에 파병된 모로코군대를 소환해야 한다는 일부 국민여론에 대해서는, 모로코 파병은 90.8.2 사태 발생 즉시, 다국적군이 형성되기 이전에 사우디와 쌍무관계 태두리내에서 결정된 것으로서 다국적군의 일부로 파견된 것이 아님을 강조하고 앞으로 이에대한 비판은 모로코 헌법에 규정된 왕의 통치권에 대한 도전으로 간주 의법 엄중 처단하겠다고 강경한 태도를 보인바 있음.

라. 이상과 같이 주재국 정부는 공식적인 입장과 일반국민의 친이락 감정사이의 괴리에 대처하는데 세심한 배려를 하고 있음.

2. 상술한바를 고려,

일반문서로 재분류(1991.12.31.)

가. 대호 친전을 전달하지 않는 것도 좋을 것으로 사료됨.

나. 동 친전 전달이 꼭요망된다면 다음과 같이 부분 수정 전달할 것이 검토되어야 할 것인바, 이에 대한 지시 바람. 끝

(대사이종업-국장)

검 토 필 (1991.6.30.)

미주국 장관 차관 1차보 2차보 중아국

PAGE 1

91.03.07 08:20

외신 2과 통제관 BW

0065

예고:91.12.31 일반

첨부:수정문

MONSIEUR LE MINISTRE,

,, AU NOM DU GOUVERNEMENT ET DU PEUPLE DE LA REPUBLIQUE DE COREE, JE VOUDRAIS VOUS EXPRIMER ET AUSSI AU GOUVERNEMENT ET AU PEUPLE DU ROYAUME DU MAROC, A TRAVERS VOUS, MES SINCERES FELICITATIONS POUR LA FIN DE LA GUERREDANS LA REGION DU GOLFE. AUSSI, JE ME JOINS A TOUS LES PEUPLES EPRIS DE PAIX, DONT LE PEUPLE MARCOCAIN, POUR ME REJOUIR DE LA CONCLUSION FORMELLE DE LA GUERRE, SUITE A L'ACCEPTATION PAR L'IRAQ DE LA RESOLUTION 686 DU CONSEIL DE SECURITE DES NATIONS UNIES.

,, UN PRECEDENT IMPORTANT A ETE AINSI ETABLI POUR LA PAIX ET LA PROSPERITE DU MONT POUR LES ANNEES A VENIR, GRACE AUX EFFORTS RESOLUS ET COORDONNES MOBILISES AVEC SUCCES PAR LA COMMUNAUTE INTERNATIONALE, FACE A UNE AGRESSION ARMEE, EN VUE DE RESTAURER LA PAIX DANS LA REGION DU GOLFE.

,, JE TIENS A VOUS RENDRE HOMMAGE POUR LES EFFORTS QUE LE GOUVERNEMENTET LE PEUPLE DU ROYAUME DU MAROC ONT DEPLOYES DURANT LA CRISE POUR RETABLIR LA PAIX DANS LA REGION DU GOLFE.

,, DE SON COTE, LA REPUBLIQUE DE COREE A AUSSI PARTICIPE, DEPUIS LE DEBUT DE LA CRISE, AUX EFFORTS MULTINATIONAUX DESTINES A RAMENER LA PAIX DANS CETTE REGION, PAR L'APPLICATION DE LA POLITIQUE DE PAIX QU'ELLE POURSUIT, TOUT EN APPORTANT SA CONTRIBUTION DANS LA MESURE DE SES MOYENS AUX EFFORTS DE LA COMMUNAUTE INTERNATIONALE EN VUE DE SAUVEGARDER LA PAIX, LA JUSTICE ET LA STABILITE INTERNATIONALES.

,, JE SOUHAITE ARDEMMENT QUE LA PAIX ET LA STABILITE PERMANENTE VIENNENT A S'INSTAURER DANS LA REGION DU GOLFE. J'ESPERE EGALEMENT QUE LES EFFORTS FOURNIS, DE PART ET D'AUTRE, PAR NOS DEUX NATIONS EN VUE DE FAIRE FACE A CETTE CRISE SERVIRONT D'UN NOUVEAU TREMPLIN A NOS DEUX PAYS POUR RENFORCER DAVANTAGE LEURS RELATIONS BILATERALES D'AMITIE ET DE COOPERATION.

,, JE FORME MES VOEUX POUR LA BONNE SANTE ET LE SUCCES DE VOTRE EXCELLENCE.

(끝)

관리번호	91-652

원 본

외 무 부

종 별 : 지 급

번 호 : JAW-1339 일 시 : 91 0307 1844

수 신 : 장관(미북,아일,중동일)

발 신 : 주 일 대사(일정)

제 목 : 장관 친전 전달

대 : WJA-0948

대호 장관친전(번역문 첨부)을 3.7. 주재국 외무성에 무위 전달하였음. 끝

(대사 이원경-장관)

예고:원본접수처:91.12.31. 일반

사본접수처:91.6.31. 파기

일반문서로 재분류(1991.12.31.)

검 토 필 (1991.6.30.)

미주국 장관 차관 아주국 중아국

PAGE 1

91.03.07 21:08

외신 2과 통제관 DO

0067

관리번호	91-649

원 본

외 무 부

종 별 :

번 호 : FRW-0779 일 시 : 91 0307 1200

수 신 : 장관(미북,구일)

발 신 : 주 불 대사

제 목 : 장관친전 전달

대:WFR-0420

대호 장관친전은 주재국 외상비서실을 통해 무위 전달하였음. 끝.

(대사 노영찬-국장)

예고:91.12.31. 일반

일반문서로 재분류(1991.12.31.)

검 토 필 (1991.6.30.)

미주국 장관 차관 구주국

PAGE 1

91.03.07 21:38

외신 2과 통제관 DO

0068

관리 번호	91-648

7h

원 본

외 무 부

종 별 :

번 호 : ITW-0346 일 시 : 91 0307 1725

수 신 : 장관(미북)

발 신 : 주 이태리 대사

제 목 : 장관친전 전달

대:WIT-0224

1. 금 3.7. 당관 황부홍공사는 주재국 외무성 FERRI 아주담당공사를 방문, 주재국 DE MICHELIC 외상에 대한 장관님 친전을 전달하였음.

동인은 동 친전 전달에 감사하며 즉시 외상에게 보고하겠다고 하였음.

2. 동인에 의하면 걸프사태와 관련 이태리는 전통적으로 아랍 제국들과 특히 친밀한 관계에 있었으므로 전쟁이 아닌 평화적 해결을 위해 모든 노력을 경주해 온바 있으며, 앞으로 전후처리문제 관련 유럽입장뿐만 아니라 후진국들의 입장등 모두의 입장을 충분히 반영하는 방향(유가의 적정선 유지 노력등)을 추구해 나갈 것이라고 언급함. 끝

(대사 김석규-국장)

예고:91.12.31. 일반

일반문서로 재분류(1991.12.31.)

검 토 필 (1991.6.30.)

미주국 장관 차관

PAGE 1

91.03.08 03:51

외신 2과 통제관 CW

0069

종 별 :	
번 호 : QTW-0083	일 시 : 91 0310 1250
수 신 : 장관(미북, 중동일,국연)	
발 신 : 주 카타르 대사	
제 목 : 장관 친전 전달	

대:WQT-0091, EM-0004,6,7

1. 본직은 3.10 10:00-10:40 간 주재국 외무성 AHMED ABDULLAH AL-MAHMOUD 차관을 방문(장관은 전후 지역 안보 체제 구성 협의 차 리야드, 다마스커스, 리야드, 머스캇 장기 출장중) 대호 장관 친전을 전달하였는 바 동차관은 AL-KHATER 장관을 대리하여 사의를 표하였음.

2. 동석상에서 본직은 아국의 금년중 유엔 가입 신청 방침을 설명하고 금년도 유엔 총회에서는 아국가입에 대한 찬성 부표는 물론 주재국 외무장관 연설을 통하여 적극지지 발언을 요청한 바 동차관은 적극협조 하겠다고 답변하였음. 또한 동차관은 북한의 단일의석 가입안에 대하여 그 비현실성을 충분히 인식한다고 언급하고 아국 입장에 대한 주재국의 지지 방침에는 변함이 없다고 강조하였음.

3. 본직은 2.27 자 유엔 가입 문제 관련 본부 성명문(EM-0004) 및 장관기자회견 내용(EM-0006)을 주재국 외무성에 송부하였던바 동차관은 기히 동내용을 숙지하고 있었음.

(대사 유내형-장관)

예고:91.12.31 일반

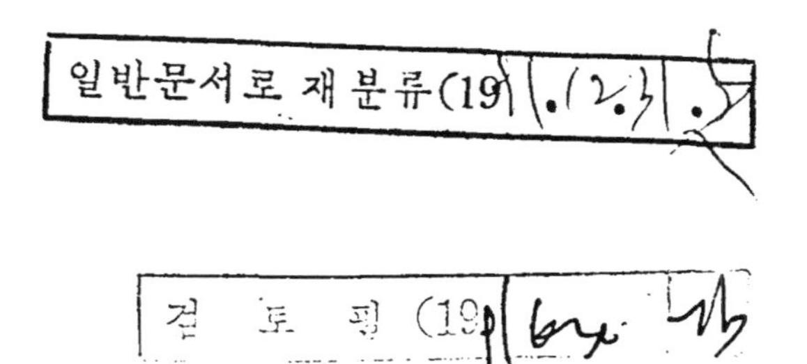

미주국	장관	차관	1차보	2차보	중아국	국기국	청와대	안기부

PAGE 1

91.03.10 19:09

외신 2과 통제관 CF

0070

관리번호 91-693

주 카 타 르 대 사 관

주카타르 720- 12

1991. 3. 7.

수 신 : 외 무 부 장 관

참 조 : 중 동 아 국 장, 미 주 국 장

제 목 : 장 관 친 전 송 부

대 : WQT -91

1. 대호 카타르 외무장관앞 장관 친전은 별첨과 같이 본직이 직접 전달 할 예정입니다.

2. 전달 결과는 별도 전문으로 보고 위계입니다.

첨 부 : 공한 사본 1부 끝.

발송 1991. 3. 07 주카타르 대사관

예고문 : 91. 12. 31 일반

결재 (공람)

1991. 12.

보필 (1991.6.30.)

주 카 타 르 대 사

일반문서로 재분류 (1991.12.31.)

EMBASSY OF THE REPUBLIC OF KOREA

DOHA

KE/91/20

The Ambassador of the Republic of Korea presents his compliments to His Excellency the Minister of Foreign Affairs of the State of Qatar and has the honour to convey to the latter a personal cable message, dated March 4, 1991 of His Excellency Lee Sang-Ock, the Minister of Foreign Affairs of the Republic of Korea.

The Ambassador avails himself of this opportunity to renew to His Excellency the Minister of Foreign Affairs the assurances of his highest consideration.

Enclosure:

Cable message.

March 5, 1991

0072

MINISTRY OF FOREIGN AFFAIRS
REPUBLIC OF KOREA

March 4, 1991

Excellency,

I wish to extend to you my heartfelt congratulations on the victory in the Gulf War of the coalition forces including the valiant forces of your country, and join all the peace-loving peoples of the world in rejoicing at the formal conclusion of the war through the adoption of the peace resolution by the U.N. Security Council.

The restoration of peace in the Gulf region through the concerted and determined efforts of the international community against an armed aggression will serve as an important precedent for world peace and prosperity in the years ahead. I wish to pay a high tribute to your government and people for the valuable efforts of your country to bring back peace in the region.

The Republic of Korea has participated, from the outset, in the multinational endeavor to restore peace in the Gulf area, and is also prepared to render full cooperation for ensuring stability in that part of the world.

I hope that lasting peace and stability will soon be realized in the Gulf region. I also hope that the joint efforts exerted by our two nations to resolve the Gulf crisis will contribute to further strengthening our bilateral relations of friendship and cooperation.

Please accept my best wishes for your continued good health and success.

Sincerely,

/s/ Lee Sang-Ock
Minister of Foreign Affairs

His Excellency
Mubarak Ali Al-Khater
Minister of Foreign Affairs
State of Qatar

0073

주 사우디 아라비아 대사관

주사우디(정) 20141- 135 1991. 3.24

수 신 : 장 관

참 조 : 미주국장

제 목 : 주재국 외무장관 메세지 송부

대 : WSB-0475

대호 친서관련,주재국 SAUD 외무장관의 아국 외무장관앞 답전을 별첨 송부 합니다.

첨 부 : 동메세지 아랍어본 및 당관 영역본 각 1부.끝.

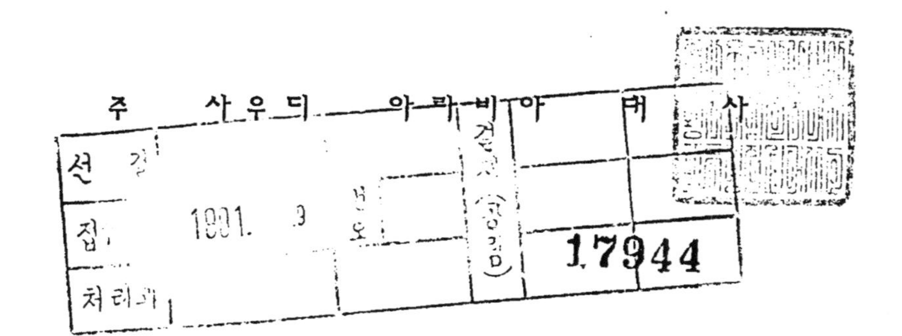

주 사우디 아라비아 대사

0074

بسم الله الرحمن الرحيم

المملكة العربية السعودية
وزارة الخارجية

تهدي وزارة الخارجية أطيب تحياتها الى سفارة جمهورية كوريا بالرياض .

وبالاشارة الى مذكرتها رقم كى اس بى /٩١/٦٨ في ٥ مارس ١٩٩١م . المتضمنة الرسالة الموجهة الى صاحب السمو الملكي وزير الخارجية من معالي وزير خارجية جمهورية كوريا .

يسرها أن تنقل رسالة سمو الوزير الجوابية هذا نصها :-

معالي لي سانج - أوك
وزير الشئون الخارجية
جمهورية كوريا

تلقيت رسالة معاليكم المتضمنة التهنئة لما انتهت اليه أزمة الخليج من انتصار لمبادئ الحق والعدل والشرعية الدولية .

ان هذا الانتصار الذي حققه المجتمع الدولي والذي تمثل في تطبيق قرارات مجلس الأمن الدولي قد تحقق بفضل الجهود الدولية وبمشاركة الدول المحبة للسلام .

وانني واذ أعرب لمعاليكم عن الشكر على رسالتكم الكريمة يسرني أن اعبر لكم عن التقدير للدور الذي قامت به حكومتكم ضمن المجهودات الدولية لاستعادة الامن والسلام في المنطقة .

وتفضلوا معاليكم بقبول أطيب التحيات ،،،

سعود الفيصل

وزير خارجية المملكة العربية السعودية

وتنتهز الوزارة هذة الفرصة لتعرب لها عن أطيب تحياتها .

٤/١٦٤٦

الرقم: ١/١٠/٤/١٩٧ التاريخ: ٣٠/٨/١٤١١هـ المرفقات: ________

0075 RECEIVED 1 6 MAR 1991

The Ministry of Foreign Affairs of the Kingdom of Saudi Arabia presents its compliments to the Embassy of the Republic of Korea.

With reference to the latter's Note, No. KSB/91/68, dated March 5, 1991 enclosing a message addressed to HRH the Minister of Foreign Affairs from his Excellency the Foreign Minister of the Republic of Korea.

We are pleased to transmit the following reply message from His Highness the Minister :

His Excellency Lee Sang-Ock,
Minister of Foreign Affairs,
Republic of Korea

I have received your Excellency's message containing felicitations on the end of the Gulf crisis with victory for principles of right, justice and international legitimacy.

This victory, achieved by the world community and reflected in the implementation of the UN Security Council, is due to international efforts and the participation of peace-loving nations.

Expressing to Your Excellency my thanks for your good message, I am also pleased to express to you the appreciation for the role played by your Government within the international efforts to restore security and peace in the region.

Please accept, Your Excellency, my best wishes.

Saud Al-Faisal,
Minister of Foreign Affairs of the
Kingdom of Saudi Arabia

The Ministry avails itself of this opportunity to renew to the Embassy the assurances of its highest consideration.

March 16, 1991

0076

관리번호 91-772

원 본

외 무 부

종 별 : 긴 급

번 호 : BHW-0187 일 시 : 91 0326 1600

수 신 : 장관(미북,중동일)

발 신 : 주 바레인 대사

제 목 : 주재국 외무장관 답신

대:WBH-0117

연:BHW-0139

1. 주재국 외무부는 금 3.26. 당관에 접수된 3.24. 일자 공한을 통하여 대호 장관님 친전에 대한 주재국 외무장관의 답신을 송부하여 왔음.

2. 동 서한은 금 파편 송부 위계임.끝.

(대사 우문기-국장)

예고:원본-91.12.31 일반, 사본-91.12.31 파기

예고문에의거일반문서로 재분류 1991.12.31 서명

검 토 필 (1991.6.30.)

미주국 장관 차관 1차보 2차보 중아국

PAGE 1

91.03.27 01:48

외신 2과 통제관 CA

0077

관리번호	91-835

집서지켜 밝은사회 예의지켜 명랑사회

주 바 레 인 대 사 관

바레인(정) 20141-27　　　　　　1991. 3. 26.

수 신 : 외무부장관

참 조 : 미주 국장(미북), 중동 아프리카 국장(중동일)

제 목 : 주재국 외무 장관 답신

연 : BHW - 0187

연호 답신을 별첨 송부 합니다.

첨부 : 동 답신(백봉)및 외무부 관련 공한 아랍어 및 영어 번역문
　　사본 각 1부(황봉). 끝

예고: 91.12.31 일반(원본)
　　91.12.31 파기(사본)

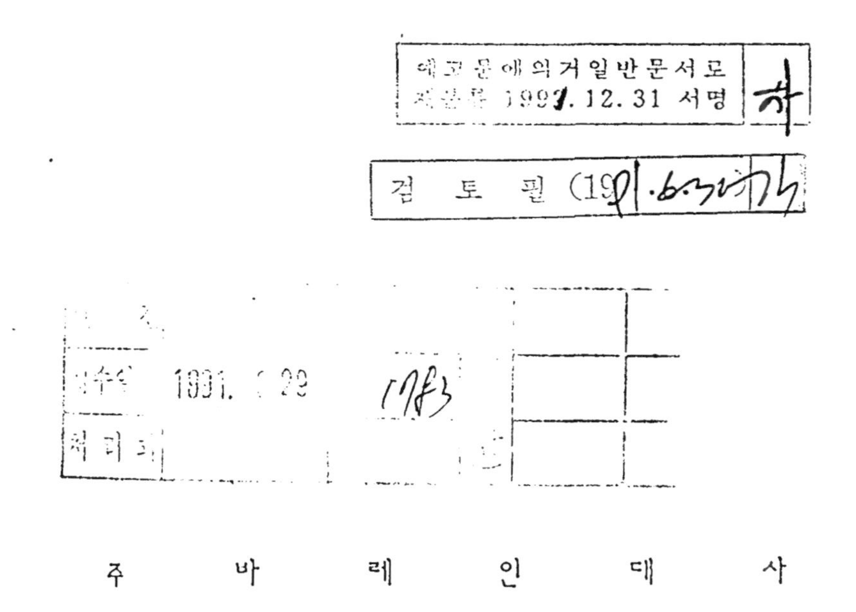

주 바 레 인 대 사

0078

H.E. Moon-Ki Woo,
Ambassador of the Republic of Korea,
State of Bahrain.

Ref No. 1/100/147-2236

Date: March 23, 1991

Excellency,

With reference to your letter No. KEB-91/051 dated March 6, 1991, addressed to His Excellency the Minister of Foreign Affairs, which enclosed the letter from His Excellency Sang-Ock Lee, Minister of Foreign Affairs of the Republic of Korea, to His Excellency Shaikh Mohamed Mubarak Al-Khalifa, Minister of Foreign Affairs of the State of Bahrain, to congratulate the victory accomplished by the Allied Forces in the liberation of Kuwait, I have the pleasure to enclose, herewith, the letter of reply from H.E. The Bahraini Minister to H.E. the Korean Foreign Minister.

Accept, Excellency, the renewed assurances of my highest consideration.

Yousif Mahmood
Office of H.E. The Minister.

0079

STATE OF BAHRAIN

MINISTRY OF FOREIGN AFFAIRS

دولة البحرين
وزارة الخارجية

Ref.

Date

الرقم ٢٢٣٦-١٤٧/١٠٠/١

التاريخ ١٩٩١/٣/٢٤م

سعادة السفير وو مون كى المحترم

سفير جمهورية كوريا لدى دولة البحرين

تحية طيبة وبعد ،

بالاشارة الى كتابكم رقم KEB-91/051 بتاريخ ٦ مارس ١٩٩١م الموجة الى سعادة وزير الخارجية والمرفق بطيه رسالة سعادة السيد سانغ اوك لي وزير خارجية جمهورية كوريا الى سعادة الشيخ محمد بن مبارك آل خليفة وزير الخارجية لتهنئة سعادته بمناسبة الانتصار الذي حققته قوات التحالف في عملية تحرير الكويت ٠

يسرني ان ارفق طية الرسالة الجوابية من سعادة الوزير الى سعادة وزير خارجية كوريا ٠

وتفضلوا بقبول خالص التحية

يوسف محمود

مكتب سعادة الوزير

0080

MINISTRY OF FOREIGN AFFAIRS
Minister's Office

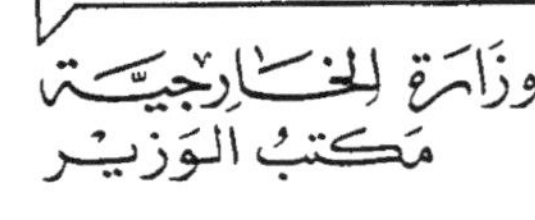

23rd March, 1991

His Excellency
Sang-Ock Lee
Minister of Foreign Affairs
Republic of Korea

Your Excellency,

It was a pleasure to receive your letter of the 4th March with your congratulations and friendly sentiments following the conclusion of the conflict in the Gulf and the restoration of the legitimate Government of Kuwait.

The victory was a triumph by the international community over aggression and sets a strong precedent for peace and security in the years ahead. Bahrain and her people are proud to have participated in the international coalition. I take this opportunity to praise the Republic of Korea for their firm stand in support of peace and for the reversal of the annexation of Kuwait through the Resolutions of the United Nations Security Council.

The increased cooperation and support between Bahrain and the Republic of Korea will strengthen our bonds of friendship and I look forward to working with you in the future to strengthen and develop the relationship between our two countries.

I take this opportunity to extend to you my very best wishes for your continued good health and happiness.

Yours sincerely,

Mohamed bin Mubarak Al-Khalifa
Minister of Foreign Affairs
State of Bahrain

0081

외교문서 비밀해제: 걸프 사태 9

걸프 사태 대책 및 조치 4

초판인쇄 2024년 03월 15일
초판발행 2024년 03월 15일

지은이 한국학술정보(주)
펴낸이 채종준
펴낸곳 한국학술정보(주)
주 소 경기도 파주시 회동길 230(문발동)
전 화 031-908-3181(대표)
팩 스 031-908-3189
홈페이지 http://ebook.kstudy.com
E-mail 출판사업부 publish@kstudy.com
등 록 제일산-115호(2000. 6. 19)

ISBN 979-11-6983-969-3 94340
979-11-6983-960-0 94340 (set)